중학 수학 수준별 학습서
개념 플러스 유형

탑   난이도 **중~최상**
다양한 고난도 문제로
내신 최고 수준 달성!

파워   난이도 **중하~중상**
자세한 개념 설명은 기본,
핵심 유형 문제로 실력 향상!

라이트   난이도 **하~중**
자세한 개념 설명과 반복적인
연습 문제로 기초를 탄탄하게!

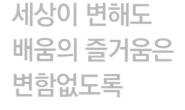

세상이 변해도
배움의 즐거움은
변함없도록

시대는 빠르게 변해도
배움의 즐거움은
변함없어야 하기에

어제의 비상은
남다른 교재부터
결이 다른 콘텐츠
전에 없던 교육 플랫폼까지

변함없는 혁신으로
교육 문화 환경의 새로운 전형을
실현해왔습니다.

비상은 오늘, 다시 한번
새로운 교육 문화 환경을 실현하기 위한
또 하나의 혁신을 시작합니다.

오늘의 내가 어제의 나를 초월하고
오늘의 교육이 어제의 교육을 초월하여
배움의 즐거움을 지속하는 혁신,

바로, 메타인지학습을.

상상을 실현하는 교육 문화 기업 비상

메타인지학습
초월을 뜻하는 meta와 생각을 뜻하는 인지가 결합된 메타인지는
자신이 알고 모르는 것을 스스로 구분하고 학습계획을 세우도록 하는
궁극의 학습 능력입니다. 비상의 메타인지학습은 메타인지를 키워주어
공부를 100% 내 것으로 만들도록 합니다.

개념➕유형

PLUS

최고수준 TOP 탑

중등 수학

2·1

STRUCTURE

Step1

개념+대표 문제 확인하기

단원별로 꼭 알아야 할 핵심 개념과 출제율이 가장 높은 대표 문제로 내신 기본기를 다질 수 있다.

Step2

내신 5% 따라잡기

까다로운 기출문제와 적중률이 높은 예상 문제로 내신 만점을 달성할 수 있다.
다양한 창의 사고력 문제들로 문제 해결력을 높일 수 있다.

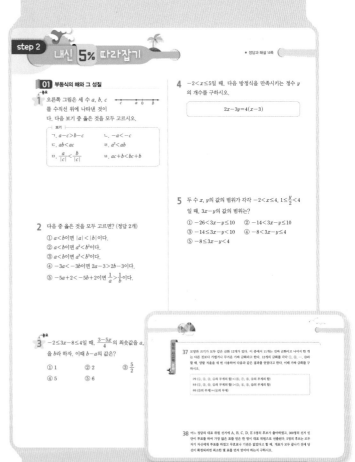

개념 더하기 : 핵심 개념과 연계되는 심화 개념 또는 상위 개념

Step3

내신 1% 뛰어넘기

경시대회와 고난도 기출문제의 변형 및 예상 문제로 내신
만점 이상의 실력을 쌓을 수 있다.

서술형

서술형 완성하기

1~2개의 단원마다 다양한 유형의 서술형 문제와 고난도 서술형
문제를 연습할 수 있다.

---

01 $[a, b]$는 a, b 중 크지 않은 수를 나타낼 때, $\left[\dfrac{x}{3}-2,\ x-4\right]=-x$를 만족시키는 x의 값을 구하시오. (단, $x \neq 3$)

02 부등식 $(a+1)x+1>3x+4a$의 해가 없을 때, 일차부등식 $-2ax-7a<x+1$을 참이 되게 하는 정수 x의 최솟값을 구하시오. (단, a는 상수)

TOP
03 부등식 $|ax-3| \leq 5$의 해가 $-2 \leq x \leq 8$일 때, 상수 a의 값을 구하시오.

04 오른쪽 그림과 같이 밑면의 가로의 길이가 $10\,\mathrm{cm}$, 세로의 길이가 $5\,\mathrm{cm}$, 높이가 $5\,\mathrm{cm}$인 직육면체를 면 BFGC와 평행한 면으로 잘랐다. 이 과정을 반복하여 만든 모든 입체도형의 겉넓이의 총합이 $650\,\mathrm{cm}^2$ 이상이 되도록 하려면 최소 몇 번을 잘라야 하는지 구하시오.

---

1 $-5 \leq x < 17$이고 $A = -\dfrac{3}{5}(x-2)$일 때, A의 값이 될 수 있는 수 중 가장 큰 정수를 m, 가장 작은 정수를 n이라 하자, 이때 $m+n$의 값을 구하시오.

풀이 과정

답

2 일차부등식 $0.5x+\dfrac{1}{2}>ax+\dfrac{2}{3}a$의 해를 수직선 위에 나타내면 오른쪽 그림과 같을 때, 상수 a의 값을 구하시오.

풀이 과정

답

3 일차부등식 $\dfrac{2x-1}{4}-\dfrac{x-2}{3}<\dfrac{a}{2}$를 만족시키는 자연수 x의 개수가 3개일 때, $2y+6a=3$을 만족시키는 y의 값의 범위를 구하시오. (단, a는 상수)

풀이 과정

답

4 밑면의 모양이 정사각형인 직육면체에서 밑면의 한 변의 길이와 직육면체의 높이의 곱은 150이다. 직육면체의 부피가 25 이상이 될 때, 밑면의 둘레의 길이의 최솟값을 구하시오.

풀이 과정

답

CONTENTS

1 유리수와 순환소수

● 정답과 해설 1쪽

01 유리수와 순환소수

1 유리수: 분수 $\frac{a}{b}$ (a, b는 정수, $b \neq 0$)의 꼴로 나타낼 수 있는 수

2 소수의 분류

(1) 유한소수: 소수점 아래에 0이 아닌 숫자가 유한 번 나타나는 소수

예 0.3, -6.285, 0.1010

(2) 무한소수: 소수점 아래에 0이 아닌 숫자가 무한 번 나타나는 소수

예 $0.444\cdots$, $-1.2534\cdots$, $0.101010\cdots$

3 순환소수

(1) 순환소수: 무한소수 중에서 소수점 아래의 어떤 자리에서부터 일정한 숫자의 배열이 한없이 되풀이되는 소수

(2) 순환마디: 순환소수의 소수점 아래에서 일정한 숫자의 배열이 한없이 되풀이되는 한 부분

(3) 순환소수의 표현: 순환마디의 양 끝의 숫자 위에 점을 찍어 간단히 나타낸다.

예 $0.222\cdots = 0.\dot{2}$, $-1.4161616\cdots = -1.4\dot{1}\dot{6}$

개념 활용하기

■ 소수점 아래 n번째 자리의 숫자 구하기

❶ 분수를 순환소수로 나타낸다.
❷ 순환마디를 이루는 숫자의 개수 a를 구한다.
❸ n을 a로 나눈 나머지를 이용하여 소수점 아래 n번째 자리의 숫자를 구한다.

대표 문제

1 다음 중 옳은 것은?

① 3.14는 유리수가 아니다.

② $\frac{30}{6}$은 정수가 아닌 유리수이다.

③ $0.151515\cdots$는 유한소수이다.

④ $\frac{3}{11}$을 소수로 나타내면 무한소수가 된다.

⑤ $0.020020002\cdots$는 순환소수이다.

2 다음 중 순환소수의 표현이 옳은 것은?

① $1.45333\cdots = 1.\dot{4}5\dot{3}$

② $0.123123123\cdots = 0.\dot{1}2\dot{3}$

③ $0.027027027\cdots = 0.\dot{0}2\dot{7}$

④ $0.101010\cdots = 0.\dot{1}0\dot{1}$

⑤ $1.321321321\cdots = \dot{1}.3\dot{2}$

3 다음 수 중 가장 큰 수와 가장 작은 수를 차례로 구하시오.

-3.241, $-3.24\dot{1}$, $-3.2\dot{4}\dot{1}$, $-3.\dot{2}4\dot{1}$, $-3.\dot{2}41\dot{0}$

4 분수 $\frac{2}{7}$를 소수로 나타낼 때, 소수점 아래 50번째 자리의 숫자를 구하시오.

02 유한소수로 나타낼 수 있는 분수

1 유한소수로 나타낼 수 있는 분수 / 순환소수로 나타낼 수 있는 분수

정수가 아닌 유리수를 기약분수로 나타냈을 때

(1) 분모의 소인수가 2 또는 5뿐이면 그 유리수는 유한소수로 나타낼 수 있다.

> **예** $\dfrac{7}{140} = \dfrac{1}{20} = \dfrac{1}{2^2 \times 5} (= 0.05)$ ➡ 유한소수로 나타낼 수 있다.

(2) 분모에 2 또는 5 이외의 소인수가 있으면 그 유리수는 순환소수로 나타낼 수 있다.

> **예** $\dfrac{7}{210} = \dfrac{1}{30} = \dfrac{1}{2 \times \boxed{3} \times 5} (= 0.0\dot{3})$ ➡ 순환소수로 나타낼 수 있다.
> └→ 유한소수로 나타낼 수 없다.

2 유한소수 또는 순환소수로 나타낼 수 있는 분수 만들기

(1) 유한소수로 나타낼 수 있는 분수를 만들 때는 적당한 수를 곱하여 분모에 있는 2 또는 5 이외의 소인수를 없 앤다.

(2) 순환소수로 나타낼 수 있는 분수를 만들 때는 적당한 수를 곱하여 분모에 2 또는 5 이외의 소인수가 생기게 한다.

대표 문제

5 다음은 분수 $\dfrac{3}{40}$ 을 유한소수로 나타내는 과정이다. 이 때 a, b, c의 값을 각각 구하시오.

$$\dfrac{3}{40} = \dfrac{3}{2^3 \times 5} = \dfrac{3 \times a}{2^3 \times 5 \times a} = \dfrac{b}{1000} = c$$

6 다음 보기 중 유한소수로 나타낼 수 있는 것을 모두 고르시오.

> **보기**
> ㄱ. $-\dfrac{3}{8}$ ㄴ. $\dfrac{9}{20}$ ㄷ. $\dfrac{3}{75}$
> ㄹ. $\dfrac{21}{3^2 \times 5 \times 7}$ ㅁ. $\dfrac{11}{990}$

7 분수 $\dfrac{20}{264}$ 에 어떤 자연수를 곱하여 유한소수로 나타 내려고 한다. 이때 곱할 수 있는 가장 작은 세 자리의 자연수를 구하시오.

8 분수 $\dfrac{28}{2^2 \times 5^2 \times x}$ 을 소수로 나타내면 순환소수가 될 때, 10 이하의 자연수 x의 값을 모두 구하시오.

03 순환소수의 분수 표현

1 순환소수를 분수로 나타내는 방법 (1) – 10의 거듭제곱 이용하기

❶ 순환소수를 x라 한다.

❷ 양변에 10의 거듭제곱을 적당히 곱하여 소수점 아래의 부분이 같은 두 식을 만든다.

❸ 두 식을 변끼리 빼어 x의 값을 구한다.

❶ $x=0.1\dot{2}\dot{3}$이라 하면 $x=0.1232323\cdots$이므로

❷ $\quad 1000x=123.232323\cdots$

$\quad -)\quad 10x=\quad 1.232323\cdots$

❸ $\quad\quad 990x=122$

$\quad\quad\therefore x=\dfrac{122}{990}=\dfrac{61}{495}$

2 순환소수를 분수로 나타내는 방법 (2) – 공식 이용하기

(1) 소수점 아래 바로 순환마디가 오는 경우

$0.\dot{a}\dot{b}=\dfrac{ab}{99}$ ← 분자: 전체의 수를 그대로 쓴다.

← 분모: 순환마디를 이루는 숫자의 개수만큼 9를 쓴다.

(2) 소수점 아래 바로 순환마디가 오지 않는 경우

$a.b\dot{c}\dot{d}=\dfrac{abcd-ab}{990}$ ← 분자: 전체의 수에서 순환하지 않는 부분의 수를 뺀 값을 쓴다.

← 분모: 순환마디를 이루는 숫자의 개수만큼 9를 쓰고, 그 뒤에 소수점 아래 순환마디에 포함되지 않는 숫자의 개수만큼 0을 쓴다.

3 유리수와 소수의 관계: 유한소수와 순환소수는 모두 유리수이다.

소수 ┌ 유한소수 ─────────────┐

$\quad$└ 무한소수 ┌ 순환소수 ──────┘ 유리수

$\qquad\qquad\qquad$ └ 순환소수가 아닌 무한소수 – 유리수가 아니다.

대표 문제

9 10의 거듭제곱을 이용하여 순환소수 $x=35.2\dot{1}\dot{0}$을 분수로 나타내려고 할 때, 다음 중 가장 편리한 식은?

① $1000x-x$

② $1000x-10x$

③ $1000x-100x$

④ $10000x-10x$

⑤ $10000x-1000x$

10 $0.2\dot{5}=2.5\times a$, $0.\dot{8}\dot{3}=83\times b$를 만족시키는 a, b에 대하여 $a+b$의 값을 분수로 나타내시오.

11 다음 등식을 만족시키는 x의 값을 순환소수로 나타내시오.

$$x+0.4\dot{3}=\dfrac{22}{45}$$

12 다음 중 옳은 것을 모두 고르면? (정답 2개)

① 모든 무한소수는 유리수이다.

② 분수로 나타낼 수 없는 순환소수도 있다.

③ 순환소수 중에는 유리수가 아닌 것도 있다.

④ 순환소수가 아닌 무한소수는 분수로 나타낼 수 없다.

⑤ 정수가 아닌 유리수는 유한소수 또는 순환소수로 나타낼 수 있다.

01 유리수와 순환소수

1 축구에서 골키퍼의 방어율은

$\dfrac{(골키퍼의 \ 방어 \ 횟수)}{(상대 \ 팀의 \ 유효 \ 슈팅 \ 횟수)}$ 로 나타낸다. 아래 표는 골

키퍼 3명의 방어율에 대한 기록을 나타낸 것이다. 다음 중 옳지 <u>않은</u> 것은?

골키퍼	상대 팀의 유효 슈팅 횟수	방어 횟수
주권	10	8
세영	9	4
현우	6	5

① 세영이의 방어율은 유리수이다.
② 주권이의 방어율을 소수로 나타내면 0.8이다.
③ 방어율을 소수로 나타내면 무한소수가 되는 골키퍼는 세영이와 현우이다.
④ 방어율이 가장 높은 선수는 주권이다.
⑤ 현우의 방어율을 소수로 나타냈을 때, 순환마디는 3이다.

2 오른쪽 그림은 나눗셈을 이용하여 어떤 분수를 순환소수로 나타내는 과정인데 일부가 찢어져서 보이지 않는다. 이 분수를 순환소수로 나타낼 때, 순환마디를 이루는 모든 숫자의 합을 구하시오.

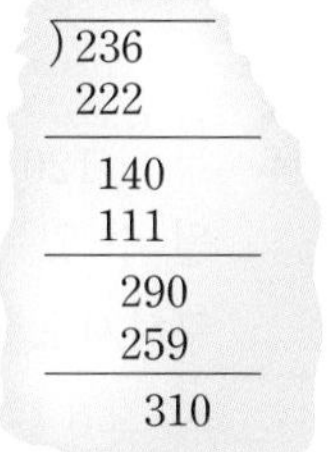

```
) 236
  222
  140
  111
  290
  259
  310
```

3 순환소수 $0.\dot{a}b\dot{c}$의 소수점 아래 20번째 자리의 숫자는 1, 소수점 아래 60번째 자리의 숫자는 6, 소수점 아래 70번째 자리의 숫자는 4일 때, $a+2b+3c$의 값을 구하시오. (단, a, b, c는 한 자리의 자연수)

4 ^{중요} 분수 $\dfrac{100}{13}$을 소수로 나타낼 때, 소수점 아래 첫째 자리의 숫자부터 소수점 아래 61번째 자리의 숫자까지의 합을 구하시오.

5 a_1, a_2, a_3, $\cdots$, a_n, $\cdots$이 0 또는 한 자리의 자연수일 때, 분수 $\dfrac{11}{18}$은 다음과 같이 나타낼 수 있다.

$$\frac{11}{18} = \frac{a_1}{10} + \frac{a_2}{10^2} + \frac{a_3}{10^3} + \cdots + \frac{a_n}{10^n} + \cdots$$

이때 $a_1 a_2 a_3 \cdots a_{30}$의 값을 구하시오.

02 유한소수로 나타낼 수 있는 분수

6 수진이는 총길이가 75 m인 철사를 남김없이 사용하여 다음과 같은 도형 5개를 둘레의 길이가 모두 같도록 만들었다. 수진이가 만든 도형 중에서 한 변의 길이를 유한소수로 나타낼 수 <u>없는</u> 것을 모두 고르시오.

정육각형, 정칠각형, 정십이각형,
정십육각형, 정십팔각형

7 다음은 어느 해 11월의 달력이다. 보기와 같이 연속된 세로 두 칸의 수를 하나의 분수로 생각할 때, 소수로 나타내면 순환소수가 되는 분수는 모두 몇 개인지 구하시오.

일	월	화	수	목	금	토
1	2	3	4	5	6	7
8	9	10	11	12	13	14
15	16	17	18	19	20	21
22	23	24	25	26	27	28
29	30					

┤ 보기 ├

$\dfrac{2}{9}$ ⇨ $\dfrac{2}{9}$

8 $\dfrac{1}{9}$과 $\dfrac{9}{10}$ 사이에 있는 분자가 자연수인 분수 중에서 분모가 30이고, 유한소수로 나타낼 수 있는 분수는 모두 몇 개인지 구하시오.

중요

9 두 분수 $\dfrac{27}{560}$과 $\dfrac{32}{525}$에 어떤 자연수 a를 각각 곱하면 모두 유한소수로 나타낼 수 있을 때, 500보다 작은 세 자리의 자연수 a의 개수를 구하시오.

10 x가 한 자리의 자연수일 때, 분수 $\dfrac{1044}{29x}$를 자연수가 아닌 유한소수로 나타낼 수 있도록 하는 x의 값을 모두 구하시오.

교과서 **속** 심화

11 분수 $\dfrac{a}{175}$를 소수로 나타내면 유한소수가 되고, 기약분수로 나타내면 $\dfrac{1}{b}$이 된다. a가 20보다 크고 40보다 작은 자연수일 때, $a-b$의 값을 구하시오.

12 분수 $\dfrac{a}{120}$가 다음 조건을 모두 만족시킬 때, a의 값이 될 수 있는 수 중 가장 큰 수와 가장 작은 수의 차를 구하시오.

┤ 조건 ├

㈎ 소수로 나타내면 순환소수가 된다.

㈏ a는 7의 배수이고 세 자리의 자연수이다.

03 순환소수의 분수 표현

13 순환소수 $0.\dot{a}\dot{b}$를 분수로 나타내면 $\dfrac{9}{11}$일 때, 순환소수 $0.\dot{b}\dot{a}$를 기약분수로 나타내시오.

(단, a, b는 한 자리의 자연수)

14 다음 수 중 가장 큰 수와 가장 작은 수의 차는?

$$0.\dot{2}\dot{6}, \quad \frac{3}{10}, \quad \frac{4}{11}, \quad 0.2\dot{6}$$

① $0.0\dot{1}$ ② $0.\dot{0}\dot{1}$ ③ $0.\dot{1}\dot{0}$

④ 0.11 ⑤ $0.\dot{1}\dot{1}$

교과서 속 심화

15 순환소수로 나타낼 수 있는 기약분수를 입력하면 그 수를 소수로 나타내어 순환마디를 이루는 숫자로 악보를 그리는 프로그램이 있다. 다음 그림은 각 음에 숫자를 대응시켜 나타낸 것이다.

예를 들어 $\dfrac{3}{11}=0.\dot{2}\dot{7}$을 입력하면  과 같이 '미도'의 음을 반복하는 악보가 그려진다고 한다. 이 프로그램에 0보다 크고 1보다 작은 어떤 기약분수를 입력했더니 아래 악보가 그려졌을 때, 입력한 기약분수를 구하시오.

16 $\dfrac{90}{11} \times \left(\dfrac{1}{100} + \dfrac{1}{1000} + \dfrac{1}{10000} + \cdots \right) = \dfrac{a}{b}$일 때, $a+b$의 값을 구하시오. (단, a, b는 서로소인 자연수)

교과서 속 심화

17 어떤 기약분수를 소수로 나타내는데 지우는 분모를 잘못 보아 $0.4\dot{7}$이 되었고, 준영이는 분자를 잘못 보아 $0.7\dot{4}$가 되었다. 이때 처음 기약분수를 순환소수로 나타내시오.

18 한 자리의 자연수 x에 대하여 분수 $\dfrac{x}{33}$를 순환소수로 나타낼 때, 순환마디를 이루는 모든 숫자의 합을 y라 하자. 다음 보기 중 옳은 것을 모두 고르시오.

보기
ㄱ. $x=9$일 때, $y=9$이다.
ㄴ. 순환마디를 이루는 숫자의 개수는 항상 2개이다.
ㄷ. y의 값은 항상 9의 배수이다.

19 $0.\dot{3}\dot{4}=34\times a$, $\dfrac{17}{30}=b+0.0\dot{1}$일 때, $a+b$의 값을 순환소수로 나타내시오.

중요
20 서로소인 두 자연수 a, b에 대하여 $2.\dot{4}\times\dfrac{a}{b}=(0.\dot{4})^2$일 때, $b-a$의 값을 구하시오.

21 자연수 x에 $5.\dot{8}$을 곱해야 할 것을 잘못하여 5.8을 곱했더니 그 결과가 바르게 계산한 답보다 $0.\dot{4}$만큼 작게 나왔다. 이때 x의 값을 구하시오.

22 순환소수 $0.3\dot{a}$에 대하여 $0.3\dot{a}=\dfrac{a-1}{18}$을 만족시키는 한 자리의 자연수 a의 값을 구하시오.

23 $\dfrac{1}{6}<(0.\dot{a})^2<\dfrac{3}{4}$을 만족시키는 모든 한 자리의 자연수 a의 값의 합을 구하시오.

교과서 속 심화
24 순환소수 $0.5\dot{3}$에 자연수 a를 곱하면 어떤 자연수의 제곱이 될 때, 다음 중 a의 값이 될 수 있는 것은?

① 15　　　② 40　　　③ 45
④ 90　　　⑤ 120

25 다음 중 옳은 것을 모두 고르면? (정답 2개)

① 모든 순환소수는 유리수이다.
② 모든 소수는 분수로 나타낼 수 있다.
③ $1.\dot{5}$를 기약분수로 나타내면 $\dfrac{15}{9}$이다.
④ 기약분수 중에는 유한소수로 나타낼 수 없는 것도 있다.
⑤ $0.\dot{3}$과 $0.0\dot{3}$을 기약분수로 나타내면 그 분모는 서로 같다.

26 서로 다른 두 분수 a, b를 소수로 나타내면 유한소수가 되고, 서로 다른 두 분수 c, d를 소수로 나타내면 순환소수가 된다. 다음 보기 중 그 값을 소수로 나타내면 항상 순환소수가 되는 것을 고르시오.

┌ 보기 ├
ㄱ. ac ㄴ. cd ㄷ. $a+c$ ㄹ. $c+d$

27 $\dfrac{\square}{\square\square}$, $\dfrac{\square}{\square\square}$의 5개의 $\square$ 안에 1부터 5까지의 자연수를 한 번씩 써넣어 만든 두 분수를 소수로 나타내면 모두 순환소수가 될 때, 만들 수 있는 두 분수의 순서쌍 $\left(\dfrac{\square}{\square\square}, \dfrac{\square}{\square\square}\right)$는 모두 몇 개 인지 구하시오.

28 $\dfrac{1}{9}=0.\dot{1}$, $\dfrac{1}{90}=0.0\dot{1}$, $\dfrac{1}{99}=0.\dot{0}\dot{1}$, $\dfrac{1}{990}=0.0\dot{0}\dot{1}$, …과 같이 분자가 11, 111, 1111, …의 배수가 아니고 분모가 연속하는 9와 0으로만 이루어진 분수를 순환소수로 나타내면 순환마디를 이루는 숫자의 개수는 분모의 연속하는 9의 개수와 같다. 자연수 n에 대하여 세 기약분수 $\dfrac{n}{11}$, $\dfrac{n}{55}$, $\dfrac{n}{909}$을 순환소수로 나타낼 때, 순환마디를 이루는 숫자의 개수를 각각 a, b, c라 하자. 이때 $a+b+c$의 값을 구하시오.

01 자연수 n에 대하여 n^2의 일의 자리의 숫자를 a_n이라 할 때, 무한소수 $0.a_1a_2a_3\cdots$의 소수점 아래 2019번째 자리의 숫자를 구하시오.

02 $\dfrac{1}{3}<\dfrac{39}{n}<\dfrac{4}{5}$를 만족시키는 분수 $\dfrac{39}{n}$를 유한소수로 나타낼 수 있을 때, 자연수 n의 값이 될 수 있는 수는 모두 몇 개인지 구하시오.

03 다음 그림과 같이 수직선 위의 점 $A_1\left(\dfrac{3}{10}\right)$이 오른쪽 방향으로 $\dfrac{3}{10^2}$만큼 이동한 점을

$A_2\left(\dfrac{3}{10}+\dfrac{3}{10^2}\right)$이라 하고, 점 A_2가 오른쪽 방향으로 $\dfrac{3}{10^3}$만큼 이동한 점을

$A_3\left(\dfrac{3}{10}+\dfrac{3}{10^2}+\dfrac{3}{10^3}\right)$이라 하자.

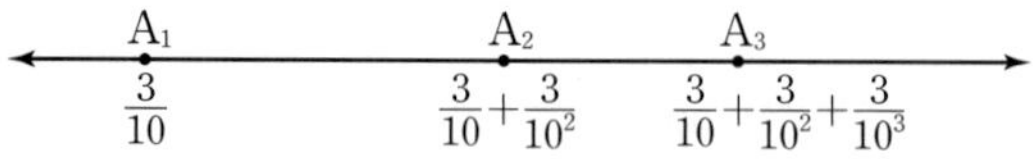

$$\begin{array}{ccc} A_1 & A_2 & A_3 \\[2pt] \dfrac{3}{10} & \dfrac{3}{10}+\dfrac{3}{10^2} & \dfrac{3}{10}+\dfrac{3}{10^2}+\dfrac{3}{10^3} \end{array}$$

이와 같은 방법으로 점이 계속 오른쪽 방향으로 이동할 때 가까워지는 점에 대응하는 수는?

① $\dfrac{1}{9}$ ② 0.3 ③ $0.3\dot{0}$

④ 0.4 ⑤ $\dfrac{1}{3}$

TOP
04 다음 조건을 모두 만족시키는 순환소수 a를 기약분수로 나타낼 때, 이 기약분수의 분모가 될 수 있는 수는 모두 몇 개인지 구하시오. (단, $0 < a < 1$)

┤ 조건 ├
(가) 순환마디는 소수점 아래 첫째 자리부터 시작한다.

(나) 순환마디를 이루는 숫자의 개수는 3개이다.

05 한 자리의 자연수 n에 대하여 $a_n = n.\dot{1} + n.\dot{2} + n.\dot{3} + \cdots + n.\dot{8}$이라 할 때, $a_1 + a_2 + a_3 + \cdots + a_9$의 값을 구하시오.

06 다음 조건을 모두 만족시키는 한 자리의 자연수 a, b에 대하여 순서쌍 (a, b)를 모두 구하시오.

┤ 조건 ├
(가) $0.\dot{3} < 0.a\dot{2} < 0.4\dot{5}$

(나) $\dfrac{4}{9} < 0.\dot{a}\dot{b} < \dfrac{16}{33}$

2

식의 계산

개념+ 대표 문제 확인하기

● 정답과 해설 5쪽

01 지수법칙

1 지수법칙 (1) – 지수의 합

m, n이 자연수일 때, $a^m \times a^n = a^{m+n}$ → 밑이 같을 때의 곱은 지수끼리 더한다.

2 지수법칙 (2) – 지수의 곱

m, n이 자연수일 때, $(a^m)^n = a^{mn}$ → 거듭제곱의 거듭제곱은 지수끼리 곱한다.

3 지수법칙 (3) – 지수의 차

$a \neq 0$이고, m, n이 자연수일 때, $a^m \div a^n = \begin{cases} a^{m-n} & (m > n) \\ 1 & (m = n) \\ \dfrac{1}{a^{n-m}} & (m < n) \end{cases}$ → 밑이 같을 때의 나눗셈은 지수끼리 뺀다.

4 지수법칙 (4) – 지수의 분배

m이 자연수일 때, $(ab)^m = a^m b^m$, $\left(\dfrac{b}{a}\right)^m = \dfrac{b^m}{a^m}$ (단, $a \neq 0$) → 괄호 안의 모든 문자나 숫자에 각각 분배하여 거듭제곱을 한다.

개념 활용하기

■ 거듭제곱의 대소 비교

거듭제곱 꼴인 수의 대소를 비교할 때는 지수법칙을 이용하여 지수를 같게 고친 후 대소를 비교한다.

➡ a, b, n이 자연수일 때
$a < b$이면 $a^n < b^n$

대표 문제

1 다음 중 옳은 것을 모두 고르면? (정답 2개)

① $a^2 \times a^3 \times a^4 = a^{24}$ ② $\{(b^2)^3\}^2 = b^{64}$

③ $x^6 \div x^3 \div x^2 = x$ ④ $\{(-2xy^2)^2\}^3 = 64x^6y^{12}$

⑤ $n^3 \div n^5 \times n^2 = n$

2 다음을 만족시키는 자연수 p, q에 대하여 $p+q$의 값을 구하시오.

$$(a^4)^2 \div a^6 \div a = a^p, \quad b^7 \div b^4 \div b^q = 1$$

3 $\left(\dfrac{aw^3}{x^2y^bz^c}\right)^4 = \dfrac{81w^{12}}{x^dy^{16}z^8}$일 때, 자연수 a, b, c, d에 대하여 $a+b+c-d$의 값을 구하시오.

4 $4^x + 4^x + 4^x + 4^x = 2^6$을 만족시키는 자연수 x의 값을 구하시오.

5 $8a = 2^{x+4}$일 때, 16^x을 a를 사용하여 나타내면?

(단, x는 자연수)

① $\dfrac{a}{2}$ ② $\dfrac{a^2}{4}$ ③ $\dfrac{a^3}{8}$

④ $\dfrac{a^4}{16}$ ⑤ $\dfrac{a^5}{32}$

6 $2^{20} < x^{10} < 2^{30}$을 만족시키는 자연수 x의 값을 모두 구하시오.

1 단항식의 곱셈

① 계수는 계수끼리, 문자는 문자끼리 곱한다.

부호 결정 ➡ 계수의 곱 ➡ 문자의 곱

② 같은 문자끼리의 곱셈은 지수법칙을 이용한다.

2 단항식의 나눗셈

방법1 분수 꼴로 바꾸어 계산한다. ➡ $A \div B = \dfrac{A}{B}$

방법2 역수를 이용하여 나눗셈을 곱셈으로 바꾸어 계산한다. ➡ $A \div B = A \times \dfrac{1}{B}$

참고 나누는 식의 계수가 분수이거나 나눗셈이 2개 이상인 경우에는 방법2 를 이용하는 것이 편리하다.

3 단항식의 곱셈과 나눗셈의 혼합 계산

① 괄호가 있는 거듭제곱은 지수법칙을 이용하여 괄호를 먼저 푼다.

② 역수를 이용하여 나눗셈을 곱셈으로 고친다.

③ 부호를 결정한 후 계수는 계수끼리, 문자는 문자끼리 계산한다.

대표 문제

7 다음 보기 중 옳은 것을 모두 고른 것은?

┤ 보기 ├

ㄱ. $4x \times (-2xy) = -8x^2 y$

ㄴ. $2a^3 b \div (-2a^2 b^4) = -4a^5 b^5$

ㄷ. $3xy \times (-2x^2 y) \div (-6xy^2) = x^2$

① ㄱ   ② ㄷ   ③ ㄱ, ㄴ

④ ㄱ, ㄷ   ⑤ ㄴ, ㄷ

8 $(9a^7 b^x)^2 \div (a^y b^3)^4 = \dfrac{81a^2}{b^8}$일 때, 상수 x, y의 값을 각각 구하시오.

9 다음 식을 간단히 하시오.

$$(-4xy^3)^2 \div \left(\dfrac{x}{y^2}\right)^3 \times (-2xy^3)^2$$

10 $a=2$, $b=-4$일 때, $-4a^2 \div (-3ab^4) \times (3a^2 b)^2$의 값을 구하시오.

11 $-2a^3 b^5 \times (-2a)^3 \div \boxed{} \div 4a^3 b^2 = 8a^2 b$일 때, □ 안에 알맞은 식을 구하시오.

12 다음 그림과 같이 가로의 길이, 세로의 길이, 높이가 각각 $2a$, $3ab$, $a^2 b$인 사각기둥과 밑넓이가 $36a^2 b^4$인 원기둥의 부피가 서로 같을 때, 원기둥의 높이를 구하시오.

03 다항식의 계산

1 **다항식의 덧셈과 뺄셈**

(1) 괄호를 풀고, 동류항끼리 모아서 계산한다. 이때 뺄셈은 빼는 식의 각 항의 부호를 바꾸어 더한다.

> **참고** 괄호는 (소괄호) → {중괄호} → [대괄호]의 순서로 푼다.

(2) 이차식: 다항식의 각 항의 차수 중에서 가장 큰 차수가 2인 다항식　**예** 다항식 $\underset{2차}{3x^2+2x-1}$

2 **(단항식)×(다항식)**

(1) 분배법칙을 이용하여 단항식을 다항식의 각 항에 곱한다.

(2) 전개: 단항식과 다항식의 곱을 분배법칙을 이용하여 하나의 다항식으로 나타내는 것

> **참고** 전개하여 얻은 식을 전개식이라 한다.

3 **(다항식)÷(단항식)**

방법 1 분수 꼴로 바꾸고 다항식의 각 항을 단항식으로 나누어 계산한다.

$$\Rightarrow (A+B)\div C=\frac{A+B}{C}=\frac{A}{C}+\frac{B}{C}$$

방법 2 다항식에 단항식의 역수를 곱하여 계산한다.

$$\Rightarrow (A+B)\div C=(A+B)\times\frac{1}{C}=A\times\frac{1}{C}+B\times\frac{1}{C}$$

> **참고** 나누는 단항식의 계수가 분수인 경우에는 **방법 2**를 이용하는 것이 편리하다.

대표 문제

13 $\left(\dfrac{1}{3}x-\dfrac{3}{2}y\right)-\left(\dfrac{1}{6}x-\dfrac{9}{4}y\right)=ax+by$일 때, 상수 a, b에 대하여 ab의 값을 구하시오.

14 $-2x+3y-[x+2-\{5x-(y-2)\}+3y]$를 간단히 하시오.

15 어떤 식에서 $3x^2-5x+2$를 빼야 할 것을 잘못하여 더했더니 $4x^2-7$이 되었다. 이때 바르게 계산한 식을 구하시오.

16 다음 식을 간단히 하시오.

$$-2a(4a-3ab)-(2a^3-4a^3b)\div 2a$$

17 $a=-1$, $b=2$, $c=\dfrac{3}{4}$일 때, 다음 식의 값을 구하시오.

$$(3a^2bc+ab^2c-abc^2)\div abc-(ab+4b^2-5bc)\div b$$

18 $A=-3x+2y$, $B=x-4y$일 때, $5(A+B)-3(A-2B)$를 x, y를 사용한 식으로 나타내면?

① $2x+4y$　　② $2x-7y$　　③ $5x+25y$

④ $5x-12y$　　⑤ $5x-40y$

19 오른쪽 그림과 같이 밑면의 반지름의 길이가 $3x$인 원뿔의 부피가 $12\pi x^4+9\pi x^3y-3\pi x^2y^2$일 때, 원뿔의 높이를 구하시오.

01 지수법칙

1 $a+b=\dfrac{7}{12}$이고 $x=8^{4a}$, $y=4^{6b}$일 때, xy의 값을 구하시오.

교과서 속 심화

2 다음 등식에서 b가 홀수일 때, 자연수 a의 값은?

$$4\times5\times6\times\cdots\times14=2^a\times b$$

① 8   ② 9   ③ 10

④ 11   ⑤ 12

3 n이 4 이상의 자연수일 때, 다음 식의 값을 구하시오.

$$(-1)^{n-1}\times[(-1)^{2n}+\{(-1)^n\}^{n+1}]\times(-1)^{n-3}$$

4 $21^x\times6^4\times49^{2x+1}=7^{4x+7}\times16\times3^{x+4}$일 때, 자연수 x의 값을 구하시오.

중요

5 a, b, c, d가 자연수일 때, $(x^a y^b z^c)^d=x^{18}y^{54}z^{30}$을 만족시키는 가장 큰 자연수 d에 대하여 $a+b+c+d$의 값을 구하시오.

6 난쟁이를 뜻하는 고대 그리스어의 나노스(nanos)에서 유래된 나노(nano)는 10억분의 1을 나타내는 단위이다. $1\,nm$(나노미터)는 $1\,m$의 10억분의 1인 $\dfrac{1}{10^9}\,m$이고, $1\,\mu m$(마이크로미터)는 $1\,nm$의 10^3배이다. 이때 지름의 길이가 $50\,\mu m$인 구 모양의 먼지 입자의 지름의 길이는 몇 m인지 구하시오.

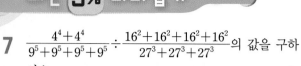

7 $\dfrac{4^4+4^4}{9^5+9^5+9^5+9^5} \div \dfrac{16^2+16^2+16^2+16^2}{27^3+27^3+27^3}$ 의 값을 구하시오.

8 $4^{21}+8^{14}+2^{n+3}=4^{22}$을 만족시키는 자연수 n의 값을 구하시오.

^{중요}
9 $2^{x+2}=32$일 때, $\left(\dfrac{1}{8}\right)^x$의 값은?

① 128   ② $\dfrac{1}{256}$ ③ 256

④ $\dfrac{1}{512}$ ⑤ 512

교과서 속 심화
10 $a=2^n$, $b=3^n$일 때, $48^n \div 18^n \div 4^n \times 9^n$을 a, b를 사용하여 나타내면?

① a^2b ② ab ③ $\dfrac{a}{b}$

④ ab^2 ⑤ a^2b^2

11 2 이상의 자연수 x에 대하여 $A=2^{x-1}$, $B=\dfrac{1}{5^{x+1}}$일 때, 다음 중 100^x과 같은 것은?

① $\dfrac{A^2}{B^2}$ ② $\dfrac{5A}{2B}$ ③ $\dfrac{2A}{5B}$

④ $\dfrac{25A^2}{4B^2}$ ⑤ $\dfrac{4A^2}{25B^2}$

12 $3^{x-1} \times (2^x+2^x+2^x)=216$을 만족시키는 자연수 x의 값은?

① 2   ② 3   ③ 4

④ 5   ⑤ 6

13 $2^n \times (3^{n+2} - 3^{n+1})$의 약수의 개수가 49개일 때, 자연수 n의 값을 구하시오.

14 $5^x \times (3^x + 3^{x+2}) = a \times 15^{x+1}$일 때, a의 값을 구하시오.
(단, x는 자연수)

15 다음 보기의 수를 작은 것부터 차례로 나열하시오.

보기
ㄱ. 2^{8888} ㄴ. 3^{6666} ㄷ. 5^{4444}
ㄹ. 7^{3333} ㅁ. 9^{2222}

16 $5^7 \times 6^2 \times 8^2 = a \times 10^n$을 만족시키는 자연수 a, n에 대하여 n의 값이 최대일 때, $a - n$의 값을 구하시오.

교과서 속 심화

17 $\dfrac{2^{43} \times 35^{20}}{14^{20}}$은 몇 자리의 자연수인지 구하시오.

02 단항식의 계산

18 다음 식을 간단히 하시오.

$$\left(\frac{3}{2}ab^2\right)^4 \div (ab^2)^3 \div \left(-\frac{9}{4}a^2b\right)^2$$

19 다음 계산 과정을 만족시키는 식 A, B, C를 각각 구하시오.

$$A \xrightarrow{\times(-yz^2)} B \xrightarrow{\div(-2xz)^2} C \xrightarrow{\div 8x^3y^4z^2} -\frac{1}{2}$$

20 단항식 A에 $-\dfrac{2}{3}a^2b^3$을 곱해야 할 것을 잘못하여 나누었더니 $18a^2b^3$이 되었다. 이때 바르게 계산한 식을 구하시오.

21 $A = -\dfrac{x^2}{2y^2}$, $B = 4x^2y^3$일 때, $A^2 \div \dfrac{2}{B^4}$를 간단히 하면?

① $-64x^4y$ ② $-32x^{12}y^8$ ③ $32x^{12}y^8$
④ $64x^4y$ ⑤ $128x^8y^2$

22 $[a]=a^3$, $<a>=a^4$으로 약속할 때, 다음 식을 간단히 하시오.

$$[3\times<x>\times y]\times<-2\times x\times[y]> \\ \div[-3\times<x>\times<y>]$$

23 밑면의 지름의 길이가 $4xy^2$, 높이가 $36x^4y^3$인 원기둥과 밑면의 지름의 길이가 $12x^2y^5$, 높이가 $3xy^2$인 원뿔이 있다. 이때 원기둥의 부피는 원뿔의 부피의 몇 배인지 구하시오.

교과서 **속** 심화

24 오른쪽 그림과 같은 직각삼각형 ABC에서 x축, y축을 각각 회전축으로 하여 1회전 시킬 때 생기는 입체도형의 부피를 각각 V_1, V_2라 할 때, $V_2 \div V_1$을 간단히 하시오.

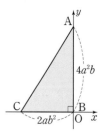

25 다음 그림과 같이 가로, 세로의 길이가 각각 ab^6, a^3b^2 인 직사각형을 가로, 세로로 빈틈없이 이어 붙여 가장 작은 정사각형을 만들려고 한다. 이때 필요한 직사각형의 개수는? (단, a, b는 서로소인 자연수)

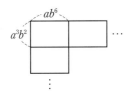

① ab개   ② ab^3개   ③ a^2b^2개

④ a^2b^3개   ⑤ a^2b^4개

26 전압(V), 전류(I), 저항(R) 사이에는 $V=IR$가 성립하고, 가전제품이 1초 동안 소비하는 전력의 양을 P라 하면 $P=VI$가 성립한다. 가전제품 A에 1초 동안 흐르는 전류와 저항이 각각 a, b^4이고, 가전제품 B에 1초 동안 흐르는 전류와 저항이 각각 b^2, a^2이다. 가전제품 A, B가 1초 동안 소비한 전력의 양을 각각 P_A, P_B라 할 때, $\dfrac{P_A}{P_B}$의 값을 구하시오.

03 다항식의 계산

중요

27 다음을 만족시키는 식 A를 구하시오.

$$x-[2x-\{x^2-x-(A-3x)\}]=2x^2-x+2$$

28 두 식 A, B에 대하여 $A◎B=2A-B$, $A*B=A+2B$로 약속하자. $X=4x^2+7x-4$, $Y=5x^2+20x-13$일 때, 다음 □ 안에 알맞은 식을 구하시오.

$$(X◎Y)*\boxed{}=7x^2-4x+11$$

29 $(2x^2-x-4)+A=x^2-3x+2$, $(4x^2-3x-1)-2B=2x^2+x-5$일 때, $\dfrac{A}{2}+\dfrac{B}{3}$를 간단히 하시오.

30 다음 식을 간단히 하시오.

$$(3x-5)\times 3x-(12x^4y^2-4x^3y^2+8x^2y^2)$$
$$\div(-2xy)^2$$

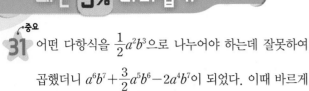
중요

31 어떤 다항식을 $\dfrac{1}{2}a^2b^3$으로 나누어야 하는데 잘못하여 곱했더니 $a^6b^7 + \dfrac{3}{2}a^5b^6 - 2a^4b^7$이 되었다. 이때 바르게 계산한 식을 구하시오.

32 $a - b - c = 0$일 때, $\dfrac{b+c}{a} + \dfrac{c-a}{b} + \dfrac{a-b}{2c}$의 값을 구하시오. (단, $abc \neq 0$)

33 $x : y : z = 2 : 3 : 4$일 때, 다음 식의 값을 구하시오.

$$(4y^3z^2 + 7y^2z^3 + 3xy^2z^2) \div \dfrac{1}{2}xy^2z^2$$

34 다음 그림에서 사다리꼴의 넓이는 삼각형의 넓이의 몇 배인지 구하시오.

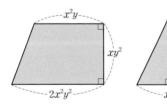

35 오른쪽 그림의 직사각형 ABCD에서 삼각형 AEF의 넓이를 구하시오.

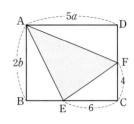

36 다음 그림과 같은 도형의 둘레의 길이를 구하시오.

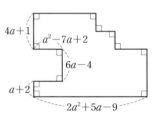

37 오른쪽 그림은 작은 원기둥과 큰 원기둥을 붙여 만든 입체도형이다. 큰 원기둥의 부피가 $36\pi x^3 + 9\pi x^2 y$일 때, 이 입체도형의 겉넓이는?

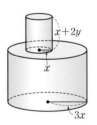

① $44\pi x^2 + 6\pi xy$

② $44\pi x^2 + 10\pi xy$

③ $45\pi x^2 + 8\pi xy$

④ $45\pi x^2 + 10\pi xy$

⑤ $46\pi x^2 + 8\pi xy$

38 오른쪽 그림과 같이 1, 2, 4, 8이 적힌 카드에서 2장을 뽑을 때, 뽑은 2개의 숫자와 거듭제곱, 곱셈, 나눗셈, 괄호를 이용하여 만들 수 있는 가장 큰 수와 가장 작은 수의 곱을 구하시오.

39 1부터 9까지의 자연수를 이용하여 가로, 세로, 대각선에 있는 세 수의 합이 모두 같도록 배열하면 다음 [그림 1]과 같다. 이를 이용하여 가로, 세로, 대각선에 있는 세 단항식의 곱이 모두 같도록 [그림 2]의 각 칸에 ab^9, a^2b^8, a^3b^7, $\cdots$, a^9b를 각각 알맞게 쓰시오.

6	1	8
7	5	3
2	9	4

[그림 1]

	a^5b^5	
a^2b^8		a^4b^6

[그림 2]

40 어느 아이스크림 회사에서 다음 그림과 같은 원뿔 모양의 용기에 담긴 아이스크림을 1600원에 판매하고 있다. 이 회사에서 소형 컵과 대형 컵 용기를 새롭게 개발하였는데, 소형 컵은 원뿔을 밑면에 평행한 평면으로 잘라 높이가 원뿔의 절반이고 두 밑면의 반지름의 길이의 비가 2 : 1인 원뿔대 모양이고, 대형 컵은 밑면의 반지름의 길이가 원뿔의 2배이고 높이가 원뿔의 절반인 원기둥 모양이다. 아이스크림의 가격은 용기의 부피에 정비례하도록 정한다고 할 때, 소형 컵과 대형 컵에 담긴 아이스크림의 가격은 각각 얼마로 정해야 하는지 차례로 구하시오. (단, 용기의 두께는 생각하지 않는다.)

[소형 컵]　　　[대형 컵]

01

$d>0$이고 $d=a^{12}=b^{24}=(abc)^6$일 때, $d=c^x$이다. 이때 자연수 x의 값을 구하시오.

(단, a, b, c는 1보다 큰 수)

02

어떤 자연수를 밑과 지수가 모두 자연수인 a^n의 꼴로 나타내면 2^6은 다음과 같이 모두 4가지의 서로 다른 a^n의 꼴로 나타낼 수 있다. 이때 9^{18}은 모두 몇 가지의 서로 다른 a^n의 꼴로 나타낼 수 있는지 구하시오.

$$2^6=4^3=8^2=64^1$$

03

글자가 쓰인 종이를 확대 복사하여 만든 복사본을 다시 같은 비율로 확대 복사하였다. 이와 같은 방법으로 계속 확대 복사하였더니 7번째 복사본의 글자 크기는 처음 종이의 글자 크기의 2배가 되었다. 이때 84번째 복사본의 글자 크기는 49번째 복사본의 글자 크기의 몇 배인가?

① 2^5배   ② 2^6배   ③ 2^7배

④ 2^8배   ⑤ 2^9배

04 오른쪽 그림과 같이 큰 직사각형을 네 개의 작은 직사각형으로 나누었다. 각 부분의 넓이가 $\dfrac{256}{x}$, $\dfrac{1}{y}$, 2^x, 3^y이고 $xy=18$일 때, $x+y$의 값을 구하시오. (단, x, y는 서로소인 자연수)

$\dfrac{256}{x}$	$\dfrac{1}{y}$
2^x	3^y

TOP
05 한 자리의 자연수 x, y, z에 대하여 $\left(-\dfrac{b^2}{a}\right)^x \div \left(\dfrac{a^y}{b^2}\right)^3 \times \left(-\dfrac{3a^2}{b^4}\right)^2 = \dfrac{9b^z}{a^3}$일 때, xyz의 값을 구하시오. (단, a, b는 서로소인 자연수)

06 자연수 n에 대하여 다음 식을 간단히 하시오. (단, $x \neq 0$)

$$(-x)^n \times (-x)^{n+1} \div x^n + x \times (x^{2n} \times x + x^n) \div x^{n+1}$$

1~2 서술형 완성하기

1 분수 $\dfrac{4}{21}$를 소수로 나타낼 때, 소수점 아래 n번째 자리의 숫자를 a_n이라 하자. 이때 $a_1-a_2+a_3-a_4+\cdots+a_{49}-a_{50}$의 값을 구하시오.

> 풀이 과정

> 답

2 분수 $\dfrac{a}{90}$는 유한소수로 나타낼 수 있고, 기약분수로 고치면 $\dfrac{7}{b}$이다. 이때 $\dfrac{b}{a}$에 어떤 자연수 A를 곱하여 유한소수로 나타내려고 할 때, 가장 작은 자연수 A의 값을 구하시오. (단, $100 \le a \le 200$이고, a, b는 자연수이다.)

> 풀이 과정

> 답

3 $1 < n \le 50$일 때, $\dfrac{1}{n}$이 유한소수가 되지 않도록 하는 자연수 n의 개수를 구하시오.

> 풀이 과정

> 답

4 $2^{2a+1}+2^b=24$, $2^{1+b}=32$일 때, $3^b \div 3^a$의 값을 구하시오. (단, a, b는 자연수)

> 풀이 과정

> 답

5 $\dfrac{2^{18} \times 75^6}{6^n}$이 15자리의 자연수일 때, 자연수 n의 값을 구하시오.

풀이 과정

답

6 $A = (24x^4y^4 - 4x^6y^2) \div (-2x^2y)^2$,
$B = (3x^3y - 9x^2y) \div 3xy$일 때,
$A - 2(B - 3C) = 3x(x+2) + 6y(y-2)$를 만족시키는 다항식 C를 구하시오.

풀이 과정

답

7 $0 < b < a < 10$인 두 자연수 a, b에 대하여 두 순환소수 $0.\dot{a}\dot{b}$와 $0.\dot{b}\dot{a}$의 합이 $1.\dot{8}$일 때, 두 순환소수의 차를 순환소수로 나타내시오.

풀이 과정

답

8 m, n이 자연수이고 $25^n \times (0.4)^3 = 10 \times 2^m$이 성립할 때, $m+n$의 값을 구하시오.

풀이 과정

답

3 일차부등식

● 정답과 해설 12쪽

01 부등식의 해와 그 성질

1 부등식과 그 해

(1) 부등식: 부등호 $<$, $>$, $\leq$, $\geq$를 사용하여 수 또는 식 사이의 대소 관계를 나타낸 식 **예** $4<7$, $x\geq-2$, $-2x\leq x+5$

(2) 부등식의 해: 미지수가 x인 부등식을 참이 되게 하는 x의 값

(3) 부등식을 푼다: 부등식의 해를 모두 구하는 것

2 부등식의 성질

(1) $a>b$이면 $a+c>b+c$, $a-c>b-c$ ← 부등호의 방향이 그대로

(2) $a>b$, $c>0$이면 $ac>bc$, $\dfrac{a}{c}>\dfrac{b}{c}$ ← 부등호의 방향이 그대로

(3) $a>b$, $c<0$이면 $ac<bc$, $\dfrac{a}{c}<\dfrac{b}{c}$ ← 부등호의 방향이 반대로

참고 부등식의 성질은 부등호 $<$를 $\leq$로, $>$를 $\geq$로 바꾸어도 성립한다.

개념 더하기

■ 부등식의 사칙계산

$a<x<b$, $c<y<d$일 때

(1) $a+c<x+y<b+d$

(2) $a-d<x-y<b-c$

이때 연산되는 두 식 모두에 부등호 $\leq$가 있는 경우에만 연산 결과에도 $\leq$가 있음에 주의한다.

대표 문제

1 다음 중 문장을 부등식으로 나타낸 것으로 옳지 <u>않은</u> 것은?

① 어떤 수 x를 3배하고 5를 뺀 수는 10보다 크지 않다. ⇨ $3x-5\leq10$

② 어떤 수 x에 4를 더한 수는 20을 초과한다.
⇨ $x+4>20$

③ 1인당 입장료가 x원인 박물관의 4명의 총입장료는 16000원 미만이다. ⇨ $4x<16000$

④ 한 개에 1400원인 사과 x개와 한 개에 2100원인 배 2개의 총가격은 9000원 이상이다.
⇨ $1400x+4200\geq9000$

⑤ 형의 용돈 7000원과 동생의 용돈 x원의 합은 10000원보다 작지 않다. ⇨ $7000+x>10000$

2 x가 절댓값이 2보다 크지 않은 정수일 때, 부등식 $6x-10<-2(x+4)$의 해의 개수를 구하시오.

3 $a>b$일 때, 다음 보기 중 옳은 것을 모두 고르시오.

보기

ㄱ. $4a+1<4b+1$　　ㄴ. $\dfrac{1}{3}a-4>\dfrac{1}{3}b-4$

ㄷ. $-3a+7<-3b+7$　　ㄹ. $-\dfrac{1}{2}a-2>-\dfrac{1}{2}b-2$

4 $-3<x\leq9$일 때, 다음 식의 값의 범위를 구하시오.

(1) $2x-5$

(2) $-\dfrac{x}{3}+1$

개념 더하기

5 $-1\leq x\leq3$, $-2\leq y\leq4$일 때, $x+y$의 최댓값을 m, $x-y$의 최솟값을 n이라 하자. 이때 $m+n$의 값을 구하시오.

1 **일차부등식**: 부등식의 모든 항을 좌변으로 이항하여 정리한 식이

(일차식)<0, (일차식)>0, (일차식)≤0, (일차식)≥0

중에서 어느 하나의 꼴로 나타나는 부등식

2 **일차부등식의 풀이**

❶ 일차항은 모두 좌변으로, 상수항은 모두 우변으로 이항한다.

❷ 양변을 정리하여 $ax<b$, $ax>b$, $ax\leq b$, $ax\geq b(a\neq0)$ 중에서 어느 하나의 꼴로 나타낸다.

❸ 양변을 x의 계수 a로 나눈다. 이때 $a<0$이면 부등호의 방향이 바뀐다.

3 **복잡한 일차부등식의 풀이**

(1) 괄호가 있는 경우: 분배법칙을 이용하여 괄호를 풀고, 동류항끼리 정리하여 푼다.

(2) 계수가 소수인 경우: 양변에 10의 거듭제곱을 곱하여 계수를 정수로 고쳐서 푼다.

(3) 계수가 분수인 경우: 양변에 분모의 최소공배수를 곱하여 계수를 정수로 고쳐서 푼다.

개념 더하기

■ 절댓값 기호를 포함하는 경우

(1) $|X| = \begin{cases} X & (X\geq0) \\ -X & (X<0) \end{cases}$

임을 이용한다.

(2) $a>0$일 때

$|X|<a$이면 $-a<X<a$

$|X|>a$이면

$X<-a$ 또는 $X>a$

■ 문자를 포함하는 경우

x에 대한 부등식 $ax>b$에서

(1) $a=0$, $b\geq0$ ➡ 해가 없다.

(2) $a=0$, $b<0$ ➡ 해가 무수히 많다.

대표 문제

6 일차부등식 $-8x-7\leq-5x+11$을 풀고, 그 해를 수직선 위에 나타내시오.

7 일차부등식 $0.3x-0.2>\dfrac{2(x-1)}{5}$을 참이 되게 하는 가장 큰 정수 x의 값을 구하시오.

8 일차부등식

$4(x-1)+3\geq8x+a$의 해를 수

직선 위에 나타내면 오른쪽 그림과 같을 때, 상수 a의 값을 구하시오.

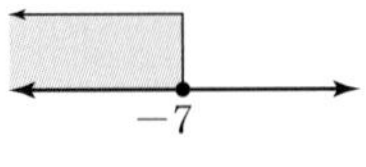

9 다음 두 일차부등식의 해가 서로 같을 때, 상수 a의 값을 구하시오.

$$2-\frac{2}{3}x\geq\frac{3}{2}-\frac{x}{6}, \quad 6x-5\leq a-x$$

개념 더하기

10 부등식 $|2x-1|<9$를 푸시오.

개념 더하기

11 부등식 $ax+1>x+b$의 해가 없을 때, 상수 a, b의 조건을 구하시오.

03 일차부등식의 활용 (1)

1 일차부등식을 활용하여 문제를 해결하는 과정

미지수 정하기 ➡ 일차부등식 세우기 ➡ 일차부등식 풀기 ➡ 문제의 뜻에 맞는지 확인하기

2 수, 평균에 대한 문제

(1) 연속하는 세 자연수 ➡ $x-1$, x, $x+1$ 또는 x, $x+1$, $x+2$

(2) 연속하는 세 짝수(홀수) ➡ $x-2$, x, $x+2$ 또는 x, $x+2$, $x+4$

(3) 세 수 a, b, c의 평균 ➡ $\dfrac{a+b+c}{3}$

3 가격, 개수에 대한 문제

가격이 다른 두 물건 A, B를 합하여 a개를 살 때, 물건 A의 개수를 x개라 하면 물건 B의 개수는 $(a-x)$개이다.

➡ (물건 A의 가격) + (물건 B의 가격) ☐ (총금액)

└─→ 문제의 뜻에 맞게 부등호를 넣는다.

4 예금액에 대한 문제

현재의 예금액이 a원이고 매달 b원씩 예금할 때, x개월 후의 예금액 ➡ $(a+bx)$원

대표 문제

12 연속하는 세 홀수의 합이 38보다 작지 않다고 한다. 이와 같은 홀수 중 가장 작은 세 수를 구하시오.

13 주사위를 던져 나온 눈의 수의 3배에서 2를 뺐더니 그 눈의 수에 6을 더한 값보다 크다고 한다. 이를 만족시키는 주사위의 모든 눈의 수의 합을 구하시오.

14 근웅이는 다섯 번의 쪽지 시험 중 네 번의 쪽지 시험에서 각각 84점, 86점, 81점, 74점을 받았다. 전체 평균 점수가 80점 이상이 되려면 다섯 번째 쪽지 시험에서 최소 몇 점을 받아야 하는지 구하시오.

15 태희가 온라인 쇼핑몰에서 1개에 2100원인 식품을 주문하려고 한다. 배송료가 2500원일 때, 배송료를 포함한 결제 금액이 22000원 이하가 되게 하려면 식품을 최대 몇 개까지 주문할 수 있는지 구하시오.

16 문구점에 한 자루에 각각 200원, 400원인 두 종류의 볼펜이 있다. 두 종류의 볼펜을 합하여 15자루를 사고 4000원을 낸 후 거스름돈을 받으려고 할 때, 400원짜리 볼펜은 최대 몇 자루까지 살 수 있는지 구하시오.

17 현재 도현이와 다현이의 예금액은 각각 5000원, 25000원이고 다음 달부터 매달 도현이는 3000원씩, 다현이는 2000원씩 예금한다고 한다. 도현이의 예금액이 다현이의 예금액보다 많아지는 것은 몇 개월 후부터인지 구하시오. (단, 이자는 생각하지 않는다.)

1 도형에 대한 문제

도형의 둘레의 길이나 넓이 또는 부피에 대한 공식을 이용하여 일차부등식을 세운다.

2 유리한 경우에 대한 문제

주어진 두 가지 방법에 따른 비용을 각각 계산한 후, 비용이 적게 드는 쪽이 유리한 방법임을 이용하여 일차부등식을 세운다.

> 주의 '유리하다'는 것은 돈이 적게 든다는 뜻이므로 등호가 포함된 부등호 ≤, ≥는 사용하지 않는다.

> 참고 a명 이상의 단체는 입장료를 $p\,\%$ 할인해 줄 때, a명의 단체 입장료 ➡ (1명의 입장료)$\times\left(1-\dfrac{p}{100}\right)\times a$(원)

3 정가, 원가에 대한 문제

(1) 원가 x원에 $a\,\%$의 이익을 붙인 정가 ➡ $\left(1+\dfrac{a}{100}\right)x$원　←(정가)=(원가)+(이익)=$x+\dfrac{a}{100}\times x=\left(1+\dfrac{a}{100}\right)x$원

(2) 정가 y원에서 $b\,\%$ 할인한 판매 가격 ➡ $\left(1-\dfrac{b}{100}\right)y$원　←(판매 가격)=(정가)-(할인하는 가격)=$y-\dfrac{b}{100}\times y=\left(1-\dfrac{b}{100}\right)y$원

대표 문제

18 오른쪽 그림과 같은 사다리꼴의 넓이가 $60\,\mathrm{cm}^2$ 이상이 되게 할 때, 사다리꼴의 윗변의 길이는 몇 cm 이상이어야 하는지 구하시오.

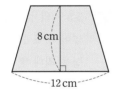

19 오른쪽 그림과 같은 직사각형 ABCD를 $\overline{\mathrm{AB}}$를 축으로 하여 1회전 시킬 때 생기는 입체도형의 부피가 $300\pi\,\mathrm{cm}^3$ 이상일 때, $\overline{\mathrm{AB}}$의 길이는 최소 몇 cm인지 구하시오.

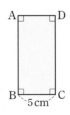

20 페인트 통에 들어 있던 페인트를 $6\,\mathrm{L}$ 사용한 후 그 나머지의 $\dfrac{2}{3}$를 사용해도 $10\,\mathrm{L}$ 이상의 페인트가 남아 있다. 이때 처음 페인트 통에 들어 있던 페인트의 양은 최소 몇 L인지 구하시오.

21 집 근처 가게에서 한 개에 800원인 오렌지를 할인 매장에서는 150원 할인해서 파는데 할인 매장에 다녀오려면 왕복 교통비가 2000원이 든다. 할인 매장에서 사는 것이 유리하려면 오렌지를 몇 개 이상 사야 하는지 구하시오.

22 원가가 300원인 스티커의 정가를 $25\,\%$ 할인하여 팔아서 원가의 $40\,\%$ 이상의 이익을 얻으려고 한다. 이때 정가는 최소 얼마로 정해야 하는지 구하시오.

23 어느 공장에서 가공식품 3000개를 생산하였는데 그중 500개가 불량품이었다. 정상 제품만을 팔아서 손해를 보지 않게 하려면 생산 가격에 최소 몇 $\%$의 이익을 붙여서 팔아야 하는지 구하시오.

05 일차부등식의 활용 (3)

1 **거리, 속력, 시간에 대한 문제**

(거리)=(속력)×(시간), (속력)=$\dfrac{(거리)}{(시간)}$, (시간)=$\dfrac{(거리)}{(속력)}$

2 **농도에 대한 문제**

소금물의 농도가 $a\,\%$ 이하이면 $\dfrac{(소금의\ 양)}{(소금물의\ 양)}\times 100\leq a$ ➡ (소금의 양)$\leq\dfrac{a}{100}\times$(소금물의 양)

참고 ・(소금물의 농도)=$\dfrac{(소금의\ 양)}{(소금물의\ 양)}\times 100\,(\%)$, (소금의 양)=$\dfrac{(소금물의\ 농도)}{100}\times$(소금물의 양)

・소금물에 물을 더 넣거나 소금물에서 물을 증발시켜도 소금의 양은 변하지 않는다.

3 **성분의 함량에 대한 문제**

(1) 식품 A의 $100\,\mathrm{g}$당 단백질의 양이 $a\,\mathrm{g}$일 때 ➡ (식품 A의 $1\,\mathrm{g}$당 단백질의 양)=$\dfrac{a}{100}\mathrm{g}$

(2) 합금 B의 구리의 비율이 $b\,\%$일 때 ➡ (합금 B에 포함된 구리의 양)=$\dfrac{b}{100}\times$(합금 B의 양)

대표 문제

24 서원이는 학교에 8시 30분까지 가야 한다. 서원이가 집에서 8시에 출발하여 분속 $50\,\mathrm{m}$로 걷다가 늦을 것 같아서 도중에 분속 $150\,\mathrm{m}$로 뛰었더니 지각하지 않았다. 집에서 학교까지의 거리가 $2.5\,\mathrm{km}$일 때, 서원이가 걸어간 거리는 최대 몇 km인지 구하시오.

25 해나가 집과 우체국 사이를 왕복하는데 갈 때는 분속 $50\,\mathrm{m}$로, 올 때는 분속 $80\,\mathrm{m}$로 걸었다. 갈 때 걸린 시간보다 올 때 단축한 시간이 15분 이하일 때, 집과 우체국 사이의 거리는 몇 km 이하인지 구하시오.

26 형과 동생이 같은 지점에서 동시에 출발하여 형은 동쪽으로 분속 $200\,\mathrm{m}$로 달려가고, 동생은 서쪽으로 분속 $50\,\mathrm{m}$로 걸어가고 있다. 형과 동생이 $2.5\,\mathrm{km}$ 이상 떨어지려면 출발한 지 최소 몇 분이 지나야 하는지 구하시오.

27 $5.5\,\%$의 설탕물 $100\,\mathrm{g}$이 있다. 이 설탕물에 설탕을 더 넣어 농도 $10\,\%$ 이하의 설탕물을 만들려고 할 때, 설탕을 최대 몇 g까지 더 넣을 수 있는지 구하시오.

28 $5\,\%$의 소금물과 $10\,\%$의 소금물을 섞어서 $6\,\%$ 이상의 소금물 $500\,\mathrm{g}$을 만들려고 한다. 이때 $10\,\%$의 소금물은 몇 g 이상 섞어야 하는지 구하시오.

29 오른쪽 표는 두 식품 A, B의 $100\,\mathrm{g}$당 칼슘의 양을 나타낸 것이다. 식품 A $440\,\mathrm{g}$과 식품 B를 함께 섭취할 때, 칼슘을 $640\,\mathrm{mg}$ 이상 얻으려면 식품 B를 몇 g 이상 섭취해야 하는지 구하시오.

식품	칼슘(mg)
A	84
B	104

01 부등식의 해와 그 성질

중요

1 오른쪽 그림은 세 수 a, b, c 를 수직선 위에 나타낸 것이다. 다음 보기 중 옳은 것을 모두 고르시오.

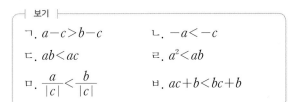

┌ 보기 ┐
ㄱ. $a-c>b-c$ ㄴ. $-a<-c$
ㄷ. $ab<ac$ ㄹ. $a^2<ab$
ㅁ. $\dfrac{a}{|c|}<\dfrac{b}{|c|}$ ㅂ. $ac+b<bc+b$

2 다음 중 옳은 것을 모두 고르면? (정답 2개)

① $a<b$이면 $|a|<|b|$이다.
② $a<b$이면 $a^2<b^2$이다.
③ $a<b$이면 $a^3<b^3$이다.
④ $-3a<-3b$이면 $2a-3>2b-3$이다.
⑤ $-5a+2<-5b+2$이면 $\dfrac{1}{a}>\dfrac{1}{b}$이다.

중요

3 $-2\leq 3x-8\leq 4$일 때, $\dfrac{3-5x}{4}$의 최솟값을 a, 최댓값을 b라 하자. 이때 $b-a$의 값은?

① 1   ② 2   ③ $\dfrac{5}{2}$
④ 5   ⑤ 6

4 $-2<x\leq 5$일 때, 다음 방정식을 만족시키는 정수 y의 개수를 구하시오.

$$2x-3y=4(x-3)$$

5 두 수 x, y의 값의 범위가 각각 $-2<x\leq 4$, $1\leq \dfrac{y}{2}<4$일 때, $3x-y$의 값의 범위는?

① $-26<3x-y\leq 10$ ② $-14<3x-y\leq 10$
③ $-14\leq 3x-y<10$ ④ $-8<3x-y\leq 4$
⑤ $-8\leq 3x-y<4$

6 $[x]$는 유리수 x를 소수점 아래 둘째 자리에서 반올림한 수를 나타내고, $\{x\}$는 유리수 x를 소수점 아래 둘째 자리에서 버림한 수를 나타낸다고 하자. $[a]=2.8$, $\{b\}=3.9$일 때, $a+b$의 값의 범위를 구하시오.

02 일차부등식과 그 풀이

중요

7 일차부등식 $0.\dot{3}x+2.4\geq3(0.5x-1.2)$를 만족시키는 자연수 x의 개수를 구하시오.

8 일차방정식 $-\dfrac{2a+10}{3}=3a-\dfrac{2}{3}x$의 해가 16보다 클 때, 상수 a의 값의 범위를 구하시오.

중요

9 $a<-2$일 때, x에 대한 일차부등식 $-2x+4<a(x-2)$를 푸시오.

10 $bc>0$, $abc<0$, $b+c<0$일 때, x에 대한 일차부등식 $ax+a+bx+b+cx+c<0$의 해를 구하시오.

11 일차부등식 $(6a-5)x\leq b$를 만족시키는 x의 최댓값이 $-\dfrac{1}{6}$일 때, 상수 a, b에 대하여 $a+b$의 값을 구하시오.

교과서 속 심화

12 일차부등식 $ax+2a-3b>0$의 해를 수직선 위에 나타내면 다음 그림과 같다. $a-2b=7$일 때, 상수 a, b에 대하여 ab의 값은?

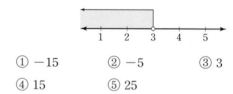

① -15 ② -5 ③ 3
④ 15 ⑤ 25

13 일차부등식 $a(x-1)-2b<0$의 해가 $x>\dfrac{2}{3}$일 때, 일차부등식 $(2a-3b)x+a+2b<0$의 해를 구하시오.

(단, a, b는 상수)

교과서 **속** 심화
14 일차부등식 $\dfrac{2x-5}{4}>a-3$을 만족시키는 x의 값 중 가장 작은 정수가 5일 때, 상수 a의 값의 범위를 구하시오.

15 두 식 A, B에 대하여 연산 $\odot$를 $A \odot B = A-B+1$로 약속하자. 부등식 $(2x+1) \odot (5x+2) > 3 \odot k$를 만족시키는 최대의 정수 x가 6일 때, 상수 k의 값의 범위를 구하시오.

16 일차부등식 $3(2x-4) \leq a$를 만족시키는 자연수 x의 개수가 4개일 때, 상수 a의 값의 범위는?

① $a<12$ ② $a \geq 18$

③ $12 \leq a < 18$ ④ $12 < a \leq 18$

⑤ $12 \leq a \leq 18$

17 $\dfrac{|-5x+4|}{2} \leq 3$이고 $A=2x-1$일 때, A의 값이 될 수 있는 정수의 개수를 구하시오.

18 x에 대한 일차부등식 $ax+b>bx+2$에 대하여 다음 보기 중 옳은 것을 모두 고르시오.

| 보기 |

ㄱ. $a>b$이면 $x>\dfrac{2-b}{a-b}$이다.

ㄴ. $a<b$이면 $x>-\dfrac{2-b}{a-b}$이다.

ㄷ. $a=b$, $b>2$이면 해는 무수히 많다.

ㄹ. $a=b$, $b<2$이면 해는 없다.

03 일차부등식의 활용 (1)

19 다음 조건을 모두 만족시키는 두 자리의 자연수를 구하시오.

┌ 조건 ┐
(개) 각 자리의 숫자의 합이 10이다.
(내) 십의 자리의 숫자와 일의 자리의 숫자를 바꾼 수는 처음 수의 2배에서 136을 뺀 수보다 작다.

교과서 속 심화
20 전체 학생 수가 20명인 효신이네 반에서 남학생의 키의 평균은 165 cm, 여학생의 키의 평균은 158 cm이다. 효신이네 반 전체 학생의 키의 평균이 162 cm 이상일 때, 여학생은 최대 몇 명인지 구하시오.

21 예린이네 중학교 2학년 전체 학생 수는 120명이다. 이 중에서 45명의 1학기 기말고사 수학 성적의 평균은 중간고사에 비해 8점이 올랐고, 나머지 학생들의 수학 성적의 평균은 변화가 없었다. 2학년 전체 학생의 기말고사 수학 성적의 평균이 68점 이상일 때, 중간고사 수학 성적의 평균은 몇 점 이상인지 구하시오.
(단, 학생 수는 변함없다.)

22 현진이는 마트에서 1개에 600원인 감자와 1개에 400원인 양파를 사려고 한다. 양파의 개수를 감자의 개수의 2배가 되도록 사고 100원짜리 종이봉투 한 장에 모두 담아 오려고 할 때, 종이봉투를 포함한 총가격이 8500원 이하가 되게 하려면 감자를 최대 몇 개까지 살 수 있는지 구하시오.

중요
23 어느 책 대여점의 책 한 권의 대여료는 1100원이다. 또 책의 대여 기간은 3일이고, 4일째부터는 하루에 400원씩 추가 요금을 내야 한다. 정가가 10500원인 책을 구입하는 것보다 저렴하게 보려고 할 때, 대여점에서 이 책을 최대 며칠까지 대여할 수 있는지 구하시오.

중요
24 승환이와 진아는 루게릭 요양 병원 건립을 위해 작년 한 해 동안 매달 각각 2500원, 1500원씩 기부했다. 올해 1월부터 매달 승환이는 3000원씩, 진아는 4000원씩 기부한다면 두 사람이 기부하는 금액을 바꾼 지 몇 개월 후부터 승환이의 기부액이 진아의 기부액보다 적어지는지 구하시오.

04 일차부등식의 활용 (2)

25 어느 삼각형의 세 변의 길이가 각각 $a+1$, $a+2$, $a+9$ 일 때, 다음 중 a의 값이 될 수 <u>없는</u> 것은?

① 6   ② 7   ③ 8

④ 9   ⑤ 10

중요

26 오른쪽 그림과 같은 사다리꼴 ABCD에서 점 P가 꼭짓점 A 에서 꼭짓점 B까지 변 AB를 따라 움직인다. 이때 삼각형 DPC의 넓이가 사다리꼴 ABCD의 넓이의 절반 이상이 되도록 하는 $\overline{AP}$의 길이의 최솟값을 구하시오.

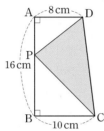

교과서 속 심화

27 수현이네 가족은 소풍을 가기 위해 차를 타고 주유소 에 들러 기름을 넣고 공원까지 24 km를 갔고, 다시 돌아오면서 나머지 기름의 $\frac{1}{8}$을 사용했더니 주행 가능 거리가 336 km 이하가 되었다. 수현이네 차는 기름 1 L로 12 km를 갈 수 있을 때, 처음에 넣은 기름의 양의 최댓값은?
(단, 주유소에서 기름을 넣기 전 기름의 양은 0 L이다.)

① 28 L   ② 30 L   ③ 32 L

④ 34 L   ⑤ 36 L

28 어느 사진 전시회의 입장료는 한 사람당 4000원인데 50명 이상의 단체에게는 20 %를 할인해 주고, 100명 이상의 단체에게는 30 %를 할인해 준다고 한다. 50명 이상 100명 미만의 단체는 몇 명 이상이어야 100명의 단체 입장권을 사는 것이 유리한지 구하시오.

29 꽃 가게 주인이 화분을 500개 구입하여 운반하는 중에 20개를 깨뜨렸다. 그 나머지를 팔아서 전체 구입 가격의 20 % 이상의 이익이 남게 하려면 화분 한 개에 구입 가격의 몇 % 이상의 이익을 붙여서 팔아야 하는지 구하시오.

30 어느 백화점의 신발 매장에서는 원가의 2배 가격으로 정가를 정하여 판매하는데, 세일 기간에는 원가에 그 절반 이상의 이익을 더하여 판매한다. 이때 세일 기간 중의 판매 가격은 원래의 정가에서 최대 몇 % 할인한 가격인지 구하시오.

05 일차부등식의 활용 (3)

31 형제인 석진이와 지민이는 집에서 출발하여 $1\,km$ 떨어진 문구점에 가려고 한다. 석진이가 지민이보다 먼저 출발하여 분속 $30\,m$로 $300\,m$ 앞서 가고 있을 때, 지민이가 자전거를 타고 분속 $60\,m$로 석진이를 따라나섰다. 둘 사이의 거리가 처음으로 $150\,m$ 이하가 되는 것은 지민이가 출발한 지 최소 몇 분 후인지 구하시오.

32 민이가 터미널에서 버스를 기다리는데 출발 시각까지 1시간이 남아서 근처 상점 한 곳에서 필요한 물건을 사 오려고 한다. 터미널에서 각 상점까지의 거리는 다음 표와 같고, 갈 때는 시속 $4.8\,km$로, 올 때는 시속 $3.6\,km$로 걷는다고 한다. 물건을 사는 데 25분이 걸릴 때, 민이가 갔다 올 수 있는 상점을 모두 고르시오.

상점	서점	문방구	편의점	카페	꽃집
거리	1170 m	1300 m	1200 m	1090 m	1250 m

33 A역에서 B역을 거쳐 C역으로 가는 기차가 시속 $60\,km$로 A역을 출발하여 C역과 거리가 $120\,km$ 떨어진 B역을 통과하고 있다. 그런데 이 속력으로 계속 가면 도착 예정 시각보다 30분이 지연된다고 한다. 지연되는 시간이 10분 이하가 되도록 C역에 도착하려면 B역에서부터는 시속 몇 km 이상으로 달려야 하는지 구하시오.

34 $5\,\%$의 소금물 $300\,g$을 끓여서 물을 증발시키고 증발시킨 물의 양만큼 소금을 더 넣어 농도가 $12\,\%$ 이상이 되게 하려고 한다. 이때 최소 몇 g의 물을 증발시켜야 하는지 구하시오.

35 $10\,\%$의 설탕물 $500\,g$을 끓여서 물을 증발시키고, 증발시킨 물의 양의 절반만큼 설탕을 더 넣은 후, 다시 끓여서 더 넣은 설탕의 양의 절반만큼 물을 증발시켜 농도가 $20\,\%$ 이상이 되게 하려고 한다. 이때 처음에 증발시켜야 하는 물의 양의 최솟값을 구하시오.

교과서 속 심화

36 식용 곤충인 쌍별이와 꽃벵이의 $100\,g$당 단백질 함유량은 각각 $64\,g$, $58\,g$이라고 한다. 두 종류의 식용 곤충을 합하여 $80\,g$으로 단백질 함유량이 $50\,g$을 넘지 않는 고단백의 쿠키를 만들려고 할 때, 쿠키 1개를 만드는 데 쌍별이는 최대 몇 g까지 넣을 수 있는지 구하시오.

37 모양과 크기가 모두 같은 금화 12개가 있다. 이 중에서 11개는 진짜 금화이고 나머지 한 개는 다른 것보다 가볍거나 무거운 가짜 금화라고 한다. 12개의 금화를 각각 ①, ②, …, ⑫라 할 때, 양팔 저울을 세 번 사용하여 다음과 같은 결과를 얻었다고 한다. 이때 가짜 금화를 구하시오.

> (가) (①, ②, ③, ④의 무게의 합)<(⑥, ⑦, ⑧, ⑨의 무게의 합)
>
> (나) (①, ②, ⑨, ⑪의 무게의 합)>(③, ④, ⑤, ⑫의 무게의 합)
>
> (다) (③의 무게)=(④의 무게)

38 어느 정당의 대표 위원 선거에 A, B, C, D, E 5명의 후보가 출마하였고, 300명의 선거 인단이 투표를 하여 가장 많은 표를 얻은 한 명이 대표 위원으로 선출된다. 5명의 후보는 모두 자기 자신에게 투표를 하였고 무효표나 기권은 없었다고 할 때, 개표가 모두 끝나기 전에 당선이 확정되려면 최소한 몇 표를 먼저 얻어야 하는지 구하시오.

39 다음 표는 어느 통신 회사의 한 달 동안의 A, B 두 요금제를 나타낸 것이다. 한 달 통화 시간이 100분이고, 한 달 사용 데이터가 200 MB(메가바이트) 초과 800 MB 미만인 진형이가 요금제를 선택하려고 할 때, 데이터를 최소 몇 MB 초과하여 사용해야 무료 데이터 제공량이 더 많은 B 요금제가 유리한지 구하시오. (단, 추가되는 다른 요금은 생각하지 않는다.)

	A 요금제	B 요금제
기본요금	12000원	20000원
10초당 통화료	18원	10원
1 MB당 데이터 사용료	20원	20원
무료 제공	데이터 200 MB	데이터 1000 MB

01 $[a, b]$는 a, b 중 크지 않은 수를 나타낼 때, $\left[\dfrac{x}{3}-2,\ x-4\right]=-x$를 만족시키는 x의 값을 구하시오. (단, $x \neq 3$)

02 부등식 $(a+1)x+1>3x+4a$의 해가 없을 때, 일차부등식 $-2ax-7a<x+1$을 참이 되게 하는 정수 x의 최솟값을 구하시오. (단, a는 상수)

TOP
03 부등식 $|ax-3| \leq 5$의 해가 $-2 \leq x \leq 8$일 때, 상수 a의 값을 구하시오.

04 오른쪽 그림과 같이 밑면의 가로의 길이가 $10\,\mathrm{cm}$, 세로의 길이가 $5\,\mathrm{cm}$, 높이가 $5\,\mathrm{cm}$인 직육면체를 면 BFGC와 평행한 면으로 잘랐다. 이 과정을 반복하여 만든 모든 입체도형의 겉넓이의 총합이 $650\,\mathrm{cm}^2$ 이상이 되도록 하려면 최소 몇 번을 잘라야 하는지 구하시오.

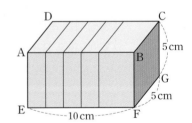

05 어느 공항에서 비행기 탑승 수속을 시작하는데 이미 300명이 줄을 서서 기다리고 있고 1분에 10명씩 새로운 사람이 줄을 선다고 한다. 현재 탑승 수속 창구는 3개이고, 줄을 서 있는 사람들이 탑승 수속을 모두 마치는 데 15분이 걸릴 예정이었는데 문제가 생겨 7분 동안 탑승 수속을 하지 못했다. 남은 8분 이내에 줄을 서 있는 사람들이 모두 탑승 수속을 마치기 위해서는 현재보다 탑승 수속 창구가 몇 개 이상 추가되어야 하는지 구하시오.

(단, 탑승 수속 창구에서 탑승 수속을 마치는 속도는 모두 같다.)

06 어떤 물탱크에 물을 가득 채우는 데 A 수도관만으로 3시간, B 수도관만으로 2시간 30분이 걸린다. 그런데 물탱크에 구멍이 나서 12시간 만에 가득 차 있던 물이 모두 빠져나갔다. 이 구멍이 난 물탱크에 A 수도관으로 물을 채우다가 중간에 A, B 두 수도관을 동시에 사용하여 총 2시간 이내에 물을 가득 채우려고 할 때, 두 수도관을 동시에 사용한 시간은 몇 분 이상이어야 하는지 구하시오. (단, 구멍으로 물이 빠져나가는 속력은 일정하다.)

TOP
07 다음 표는 두 식품 A, B의 100 g에 들어 있는 탄수화물의 양과 열량 및 100 g당 가격을 각각 나타낸 것이다. 두 식품 A, B를 구입한 가격의 비가 3 : 1이고, 구입한 두 식품 A, B를 모두 섭취했을 때 얻게 되는 탄수화물의 양이 18 g 이상이다. 두 식품 A, B를 모두 섭취하였을 때 얻게 되는 열량은 최소 몇 kcal인지 구하시오.

식품	A	B
탄수화물(g)	15	6
열량(kcal)	25	30
가격(원)	300	200

08 기웅이가 자신이 태어난 날을 10배하고 50을 더한 후, 태어난 달을 더했더니 230이 되었다. 이때 기웅이의 생일은 몇 월 며칠인지 구하시오.

③ 서술형 완성하기

모든 문제는 풀이 과정을 자세히 서술한 후 답을 쓰세요.

1 $-5 \leq x < 17$이고 $A = -\dfrac{3}{5}(x-2)$일 때, A의 값이 될 수 있는 수 중 가장 큰 정수를 m, 가장 작은 정수를 n이라 하자. 이때 $m+n$의 값을 구하시오.

풀이 과정

답

2 일차부등식 $0.5x + \dfrac{1}{2} > ax + \dfrac{2}{3}a$ 의 해를 수직선 위에 나타내면 오른쪽 그림과 같을 때, 상수 a의 값을 구하시오.

풀이 과정

답

3 일차부등식 $\dfrac{2x-1}{4} - \dfrac{x-2}{3} < \dfrac{a}{2}$ 를 만족시키는 자연수 x의 개수가 3개일 때, $2y + 6a = 3$을 만족시키는 y의 값의 범위를 구하시오. (단, a는 상수)

풀이 과정

답

4 밑면의 모양이 정사각형인 직육면체에서 밑면의 한 변의 길이와 직육면체의 높이의 곱은 15이다. 직육면체의 부피가 25 이상이 될 때, 밑면의 둘레의 길이의 최솟값을 구하시오.

풀이 과정

답

5 A 마트와 B 마트에서는 다음과 같이 삼각김밥을 판매하고 있고 삼각김밥 1개의 가격은 두 마트 모두 800원이다. 두 마트 중 한 곳에서만 구매할 수 있을 때, 삼각김밥을 몇 개 이상 사야 A 마트에서 사는 것이 유리한지 구하시오.

> A 마트: 삼각김밥 전체 구매 금액의 15 %를 할인해 드립니다.
> B 마트: 삼각김밥을 구매하면 개수와 상관없이 1개를 덤으로 드립니다.

풀이 과정

답

6 주석 40 %를 포함한 합금 A와 주석 15 %를 포함한 합금 B를 녹여서 주석을 45 g 이상 포함하는 합금 200 g을 만들려고 한다. 이때 합금 A는 최소 몇 g이 필요한지 구하시오.

풀이 과정

답

7 $\dfrac{x-y+1}{4}$의 값이 정수일 때, 부등식 $-2 \le 2x-1 \le 4$, $3 \le 4-y \le 4$를 만족시키는 정수 x, y의 값을 각각 구하시오.

풀이 과정

답

8 유리가 KTX를 타기 위해 집에서 7 km 떨어진 역에 가는데 KTX 출발 시각까지 1시간 50분의 여유를 가지고 집을 나섰다. 처음에는 시속 4 km로 걸어가다가 중간에 15분 동안 편의점에 들른 뒤, 늦을 것 같아 처음 걷던 속력보다 50 % 올린 속력으로 뛰어가서 아슬아슬하게 KTX를 탔다. 이때 유리가 걸어간 거리는 최대 몇 km인지 구하시오.

풀이 과정

답

4 연립일차방정식

● 정답과 해설 21쪽

01 미지수가 2개인 일차방정식과 연립일차방정식

1 미지수가 2개인 일차방정식

(1) 미지수가 2개인 일차방정식: 미지수가 2개이고, 그 차수가 모두 1인 방정식

➡ $ax+by+c=0$(a, b, c는 상수, $a \neq 0$, $b \neq 0$)의 꼴로 나타낼 수 있다.

(2) 미지수가 2개인 일차방정식의 해(또는 근): 미지수가 x, y인 일차방정식을 참이 되게 하는 x, y의 값 또는 순서쌍 (x, y)

(3) 일차방정식을 푼다: 일차방정식의 해를 모두 구하는 것

2 미지수가 2개인 연립일차방정식

(1) 미지수가 2개인 연립일차방정식(또는 연립방정식): 미지수가 2개인 두 일차방정식을 한 쌍으로 묶어 나타낸 것

(2) 연립방정식의 해: 두 일차방정식을 동시에 만족시키는 x, y의 값 또는 순서쌍 (x, y)

(3) 연립방정식을 푼다: 연립방정식의 해를 구하는 것

대표 문제

1 다음 보기 중 미지수가 2개인 일차방정식인 것을 모두 고르시오.

┌─ 보기 ├─
ㄱ. $y=3x-1$　　　ㄴ. $y=xy-4$
ㄷ. $2x+y=5-2x$　　ㄹ. $x^2-3x+3=y$
ㅁ. $x-5y=5(x-y)$

2 다음 중 x와 y 사이의 관계식이 미지수가 2개인 일차방정식이 <u>아닌</u> 것은?

① 400원짜리 연필 x자루와 500원짜리 지우개 y개의 값은 2800원이다.

② 가로와 세로의 길이가 각각 x cm, y cm인 직사각형의 둘레의 길이는 20 cm이다.

③ 밑변의 길이가 x cm, 높이가 y cm인 삼각형의 넓이는 10 cm²이다.

④ 시속 x km로 1시간을 달린 후 시속 y km로 3시간을 달린 거리는 총 230 km이다.

⑤ 우리 반 남학생 18명의 수학 성적의 총점은 x점, 여학생 12명의 수학 성적의 총점은 y점일 때, 우리 반 전체 학생의 수학 성적의 평균은 70점이다.

3 x, y의 값이 자연수일 때, 일차방정식 $x+3y=13$을 만족시키는 x, y의 순서쌍 (x, y)를 모두 구하시오.

4 일차방정식 $x-4y+a=0$에 대하여 $x=-5$일 때 $y=-\dfrac{1}{2}$이다. $x=3$일 때 y의 값을 구하시오.

(단, a는 상수)

5 x, y의 값이 자연수일 때, 연립방정식 $\begin{cases} 3x+y=10 \\ x+2y=5 \end{cases}$의 해를 구하시오.

6 연립방정식 $\begin{cases} 2x+ay=12 \\ 3x-y=7 \end{cases}$의 해가 $(1-b, 2)$일 때, $a+b$의 값을 구하시오. (단, a는 상수)

02 연립방정식의 풀이

1 **대입법:** 한 방정식을 한 미지수에 대한 식으로 나타낸 다음 다른 방정식에 대입하여 연립방정식을 푸는 방법

❶ 한 일차방정식을 한 미지수에 대한 식으로 나타낸다. → $x = (y$에 대한 식) 또는
　　　　　　　　　　　　　　　　　　　　　　　　　$y = (x$에 대한 식)의 꼴로 나타낸다.

❷ ❶의 식을 다른 일차방정식에 대입하여 해를 구한다.

❸ ❷에서 구한 해를 ❶의 식에 대입하여 다른 미지수의 값을 구한다.

> **참고** 대입법은 연립방정식을 이루는 두 방정식 중 어느 하나가 x 또는 y에 대한 식으로 나타내기 편리할 때, 즉 x 또는 y의 계수가 1이나 -1일 때 이용하면 편리하다.

2 **가감법:** 두 방정식을 변끼리 더하거나 빼어서 연립방정식을 푸는 방법

❶ 적당한 수를 곱하여 없애려는 미지수의 계수의 절댓값을 같게 만든다.

❷ 두 방정식을 변끼리 더하거나 빼어서 한 미지수를 없애고 방정식을 푼다.

❸ ❷에서 구한 해를 한 일차방정식에 대입하여 다른 미지수의 값을 구한다.

> **참고** 없애려는 미지수의 계수의 부호가 같으면 두 방정식을 변끼리 빼고, 다르면 두 방정식을 변끼리 더한다.

대표 문제

7 다음 연립방정식을 푸시오.

(1) $\begin{cases} y = 9 - 2x \\ 5x + 4y = 6 \end{cases}$

(2) $\begin{cases} 2x + 3y = 8 \\ 3x - 8y = -13 \end{cases}$

8 연립방정식 $\begin{cases} x = y + 5 \\ 2x - 7y = 5 \end{cases}$ 의 해가 $x = a$, $y = b$일 때,

$\dfrac{a}{2b} - \dfrac{12b}{a}$ 의 값을 구하시오.

9 $(-4, 3)$과 $(2, -5)$가 모두 일차방정식 $ax - by = 7$의 해일 때, 상수 a, b에 대하여 $a + b$의 값을 구하시오.

10 연립방정식 $\begin{cases} -3x + 5y = 16 \\ 2x - 9y = a - 10 \end{cases}$ 의 해가 일차방정식 $4x + 7y = 6$을 만족시킬 때, 상수 a의 값을 구하시오.

11 연립방정식 $\begin{cases} 5x - 2y = -4 \\ ax + y = 5a + 10 \end{cases}$ 을 만족시키는 y의 값이 x의 값의 3배일 때, 상수 a의 값을 구하시오.

12 연립방정식 $\begin{cases} x + 3y = 16 \\ 2x - 5y = 10 \end{cases}$ 의 해가 연립방정식 $\begin{cases} ax + by = 10 \\ 3x + by = ay + 4 \end{cases}$ 의 해와 같을 때, 상수 a, b에 대하여 $a + b$의 값을 구하시오.

03 복잡한 연립방정식의 풀이

개념 더하기

1 복잡한 연립방정식의 풀이

(1) 괄호가 있는 경우: 분배법칙을 이용하여 괄호를 풀고, 동류항끼리 정리하여 푼다.

(2) 계수가 소수인 경우: 양변에 10의 거듭제곱을 곱하여 계수를 정수로 고쳐서 푼다.

(3) 계수가 분수인 경우: 양변에 분모의 최소공배수를 곱하여 계수를 정수로 고쳐서 푼다.

2 $A=B=C$ 꼴의 방정식의 풀이

$A=B=C$ 꼴의 방정식은 다음 세 연립방정식 중 가장 간단한 것을 선택하여 푼다.

$$\begin{cases} A=B \\ A=C \end{cases} \quad \begin{cases} A=B \\ B=C \end{cases} \quad \begin{cases} A=C \\ B=C \end{cases}$$

3 해가 특수한 연립방정식

연립방정식의 한 일차방정식에 적당한 수를 곱하였을 때

(1) 두 일차방정식의 x, y의 계수와 상수항이 각각 같으면 해가 무수히 많다.

(2) 두 일차방정식의 x, y의 계수는 각각 같고 상수항은 다르면 해가 없다.

■ 분모에 미지수 x, y가 있는 연립방정식의 풀이

❶ $\dfrac{1}{x}=A$, $\dfrac{1}{y}=B$로 놓고 A, B에 대한 연립방정식을 세운다.

❷ A, B에 대한 연립방정식을 푼다.

❸ ❷에서 구한 A, B의 값의 역수가 각각 x, y의 값이다.

대표 문제

13 연립방정식 $\begin{cases} 5(y-x)+3=20-(x-5) \\ x:y=1:3 \end{cases}$ 을 푸시오.

14 연립방정식 $\begin{cases} 0.3y-0.1x=-0.7 \\ \dfrac{x-1}{7}+\dfrac{y-1}{3}=\dfrac{9}{7} \end{cases}$ 를 만족시키는 x, y 에 대하여 $x-y$의 값을 구하시오.

15 방정식 $3x-y-3=x+2y-10=2x-2y+6$을 푸시오.

16 연립방정식 $\begin{cases} 6x+3y=2b \\ ax-y=4 \end{cases}$ 의 해가 없을 때, 상수 a, b의 조건을 구하시오.

개념 더하기

17 연립방정식 $\begin{cases} \dfrac{4}{x}+\dfrac{3}{y}=2 \\ \dfrac{5}{x}-\dfrac{2}{y}=-9 \end{cases}$ 를 푸시오.

04 연립방정식의 활용 (1)

1 연립방정식을 활용하여 문제를 해결하는 과정

미지수 정하기 ➡ 연립방정식 세우기 ➡ 연립방정식 풀기 ➡ 문제의 뜻에 맞는지 확인하기

2 수에 대한 문제

(1) 십의 자리의 숫자가 x, 일의 자리의 숫자가 y인 두 자리의 자연수 ➡ $10x+y$

십의 자리의 숫자와 일의 자리의 숫자를 바꾼 수 ➡ $10y+x$

(2) x를 y로 나누면 몫이 q이고 나머지가 r이다. ➡ $x=qy+r$ (단, $0 \le r < y$)

3 가격, 개수, 나이에 대한 문제

(1) (물건의 총 판매 금액)=(물건의 단가)×(판매 개수)

(2) (x년 후의 나이)=(현재 나이)+x, (x년 전의 나이)=(현재 나이)-x

4 도형에 대한 문제

도형의 둘레의 길이나 넓이에 대한 공식을 이용하여 연립방정식을 세운다.

대표 문제

18 두 자리의 자연수가 있다. 각 자리의 숫자의 합은 13이고, 십의 자리의 숫자와 일의 자리의 숫자를 바꾼 수는 처음 수보다 45만큼 크다. 이때 처음 수를 구하시오.

19 서로 다른 두 수가 있다. 두 수의 차는 14이고, 큰 수를 작은 수로 나누면 몫은 5이고 나머지는 2이다. 이때 두 수의 합은?

① 18　　　　② 20　　　　③ 22

④ 24　　　　⑤ 26

20 정민이네 가족과 다솔이네 가족이 동물원에 놀러 갔는데 정민이네 가족의 입장료는 6200원, 다솔이네 가족의 입장료는 5300원이었다. 정민이네 가족은 어른 2명과 어린이 2명이고 다솔이네 가족은 어른 1명과 어린이 3명일 때, 어른과 어린이 1명의 입장료를 각각 구하시오.

21 지연이네 중학교의 올해 신입생은 230명이다. 1학년 8개 반에 신입생들을 배치하였더니 각 반의 정원이 28명 또는 29명이었다. 이때 정원이 28명인 반은 모두 몇 개인가?

① 2개　　　　② 3개　　　　③ 4개

④ 5개　　　　⑤ 6개

22 현재 어머니의 나이와 딸의 나이의 합은 46세이다. 13년 후에는 어머니의 나이가 딸의 나이의 2배보다 3세만큼 많아진다. 이때 현재 어머니와 딸의 나이를 각각 구하시오.

23 어떤 직사각형의 가로, 세로의 길이를 각각 6만큼, 4만큼 늘였더니 둘레의 길이가 52가 되었다. 또 처음 직사각형의 가로, 세로의 길이를 각각 3배, 2배로 늘였더니 둘레의 길이가 84가 되었다. 이때 처음 직사각형의 넓이를 구하시오.

05 연립방정식의 활용 (2)

1 증가, 감소에 대한 문제

(1) x가 $a\%$ 증가하면 ➡ 증가량: $\dfrac{a}{100}x$, 증가한 후의 양: $x+\dfrac{a}{100}x=\left(1+\dfrac{a}{100}\right)x$

(2) y가 $b\%$ 감소하면 ➡ 감소량: $\dfrac{b}{100}y$, 감소한 후의 양: $y-\dfrac{b}{100}y=\left(1-\dfrac{b}{100}\right)y$

2 정가, 원가에 대한 문제

(1) 원가 x원에 $a\%$의 이익을 붙인 정가 ➡ $\left(1+\dfrac{a}{100}\right)x$원 ← (정가)=(원가)+(이익)$=x+\dfrac{a}{100}\times x=\left(1+\dfrac{a}{100}\right)x$원

(2) 정가 y원에서 $b\%$ 할인한 판매 가격 ➡ $\left(1-\dfrac{b}{100}\right)y$원 ← (판매 가격)=(정가)-(할인하는 가격)$=y-\dfrac{b}{100}\times y=\left(1-\dfrac{b}{100}\right)y$원

3 일에 대한 문제

전체 일의 양을 1로 놓고, 한 사람이 일정한 시간 동안 할 수 있는 일의 양을 각각 x, y로 놓은 후
(각 사람이 한 일의 양의 합)=1임을 이용하여 연립방정식을 세운다.

대표 문제

24 비상 중학교의 작년 학생 수는 500명이었다. 올해는 작년에 비해 남학생은 8% 증가하고, 여학생은 2% 감소하여 520명이 되었다. 이때 올해의 남학생과 여학생 수를 각각 구하시오.

25 A, B 두 상품을 합하여 3400원에 산 후 A 상품은 30%, B 상품은 25%의 이익을 붙여 팔았더니 920원의 이익이 생겼다. 이때 A 상품의 판매 가격을 구하시오.

26 A가 먼저 6일 동안 일한 후 나머지를 B가 5일 동안 일하면 마칠 수 있는 일이 있다. 이 일을 A가 먼저 10일 동안 한 후 나머지를 B가 3일 동안 하여 마쳤을 때, B가 혼자서 이 일을 마치려면 며칠이 걸리는가?

① 6일 ② 8일 ③ 10일
④ 12일 ⑤ 16일

27 비어 있는 어떤 물탱크에 물을 가득 채우려고 한다. 이 물탱크는 물을 A 호스로 20분 동안 넣은 후 B 호스로 30분 동안 넣으면 가득 찬다. 또 A, B 두 호스로 물을 동시에 24분 동안 넣어도 가득 찬다고 할 때, 이 물탱크에 A 호스로만 물을 가득 채우려면 몇 분이 걸리는지 구하시오.

06 연립방정식의 활용 (3)

1 거리, 속력, 시간에 대한 문제

(거리)=(속력)×(시간), (속력)=$\dfrac{(거리)}{(시간)}$, (시간)=$\dfrac{(거리)}{(속력)}$

참고 각 단위가 다른 경우에는 방정식을 세우기 전에 단위를 통일해야 한다.

2 농도에 대한 문제

(소금물의 농도)=$\dfrac{(소금의 양)}{(소금물의 양)}$×100(%)

(소금의 양)=$\dfrac{(소금물의 농도)}{100}$×(소금물의 양)

참고 농도가 서로 다른 두 소금물을 섞는 문제 또는 소금물에 물을 더 넣거나 증발시키는 문제는 소금의 양이 변하지 않음을 이용하여 방정식을 세운다.

3 성분의 함량에 대한 문제

a%이면 $\dfrac{a}{100}$

(1) (식품에 포함된 영양소의 양)=(영양소가 차지하는 비율)×(식품의 양)
(2) (합금에 포함된 금속의 양)=(금속이 차지하는 비율)×(합금의 양)

■ 트랙을 도는 문제

A, B가 트랙의 같은 지점에서 동시에 출발하여

(1) 반대 방향으로 돌다 만나면
(A, B가 움직인 거리의 합)
=(트랙의 길이)

(2) 같은 방향으로 돌다 만나면
(A, B가 움직인 거리의 차)
=(트랙의 길이)

■ 터널을 통과하는 문제

(1) 터널을 완전히 통과하는 동안 기차가 움직인 거리
➡ (기차의 길이)
+(터널의 길이)

(2) 기차가 보이지 않는 동안 기차가 움직인 거리
➡ (터널의 길이)
-(기차의 길이)

대표 문제

28 선영이가 등산을 하는데 올라갈 때는 시속 3 km로 걷고, 내려올 때는 다른 길로 시속 4 km로 걸었더니 모두 3시간이 걸렸다. 등산을 한 총거리가 10 km일 때, 내려온 거리를 구하시오.

29 둘레의 길이가 15 km인 트랙의 같은 지점에서 동시에 출발하여 서로 반대 방향으로 우철이는 시속 8 km로 뛰고, 연희는 시속 12 km로 자전거를 타고 달렸다. 우철이와 연희가 처음으로 다시 만날 때까지 우철이가 뛴 거리는?

① 2 km ② 3 km ③ 4 km
④ 5 km ⑤ 6 km

30 일정한 속력으로 달리고 있는 기차가 길이 1600 m인 터널을 완전히 통과하는 데 50초가 걸리고, 길이 3200 m인 터널을 완전히 통과하는 데 1분 30초가 걸렸다. 이때 기차의 길이를 구하시오.

31 3 %의 소금물과 6 %의 소금물을 섞어서 4 %의 소금물 600 g을 만들려고 한다. 3 %의 소금물과 6 %의 소금물을 각각 몇 g씩 섞어야 하는지 구하시오.

32 구리와 아연으로만 이루어진 두 합금 A, B가 있다. 합금 A는 구리와 아연을 1 : 1의 비율로 포함한 합금이고, 합금 B는 구리와 아연을 3 : 1의 비율로 포함한 합금이다. 이 두 종류의 합금을 녹여서 구리와 아연을 2 : 1의 비율로 포함한 합금 390 g을 만들려고 할 때, 필요한 두 합금 A, B의 양을 각각 구하시오.

01 미지수가 2개인 일차방정식과 연립일차방정식

1 다음 중 미지수가 2개인 일차방정식인 것을 모두 고르면? (정답 2개)

① $x(x+1)=y-2$

② $\dfrac{x}{4}+\dfrac{y}{5}=1$

③ $\dfrac{xy}{x+y}=\dfrac{1}{3}$

④ $x(y-3)=y(x+1)$

⑤ $2(3x+4y)=1+6x+y$

2 다음 등식이 미지수가 2개인 일차방정식이 되도록 하는 상수 a, b의 조건을 구하시오.

$$ax+by+2=2x-(b-3)y+3$$

중요
3 x, y의 값이 자연수일 때, 일차방정식 $6x+5y=240$의 해는 모두 몇 개인가?

① 4개 ② 5개 ③ 6개

④ 7개 ⑤ 8개

4 두 수 a, b에 대하여 $a\triangle b=3a-2b$로 약속할 때, 자연수 x, y에 대하여 $(3x-8)\triangle 2y=(1-2y)\triangle(-3x)$를 만족시키는 순서쌍 (x, y)의 개수를 구하시오.

중요
5 일차방정식 $(a+b)x+(2a-3b)y=0$의 한 해가 $(1, 2)$일 때, 일차방정식 $ax+2b-3a=4by$를 만족시키는 x, y에 대하여 $x-4y$의 값을 구하시오.

(단, a, b는 상수, $ab\neq0$)

6 서로 다른 한 자리의 자연수 x, y에 대하여 $0.\dot{x}\dot{y}-0.\dot{y}\dot{x}=0.\dot{2}\dot{7}$일 때, $0.\dot{x}\dot{y}+0.\dot{y}\dot{x}$의 최댓값을 기약분수로 나타내시오.

7 연립방정식 $\begin{cases} 6x+4y=3x+4a \\ 12x-7y=5y-5a \end{cases}$ 를 만족시키는 x, y에 대하여 $x:y$를 가장 간단한 자연수의 비로 나타내시오. (단, a는 상수, $a \neq 0$)

8 연립방정식 $\begin{cases} 3x-2y+5=a \\ x+4y-5a=3 \end{cases}$ 을 만족시키는 x와 y의 값의 비가 $1:2$일 때, 이 연립방정식의 해를 구하시오. (단, a는 상수)

중요
9 다음 두 연립방정식의 해가 서로 같을 때, 상수 a, b에 대하여 ab의 값을 구하시오.

$$\begin{cases} ax+2by=-1 \\ 3x-2y=5 \end{cases}, \quad \begin{cases} 3ax-by=11 \\ 2x+7y=-5 \end{cases}$$

10 다음 연립방정식의 해 x, y의 값이 모두 정수가 되도록 하는 모든 정수 a의 값의 합을 구하시오.

$$\begin{cases} 5x+2y=17 \\ ax+y=5 \end{cases}$$

교과서 속 심화
11 연립방정식 $\begin{cases} ax+by=1 \\ ay-bx=-8 \end{cases}$ 에서 a와 b를 서로 바꾸어 놓고 풀었더니 해가 $x=2$, $y=-3$이었다. 이때 처음 연립방정식을 푸시오. (단, a, b는 상수)

12 연립방정식 $\begin{cases} ax+by=7 \\ cx-3y=1 \end{cases}$ 을 푸는데 경민이는 바르게 풀어서 $x=2$, $y=3$을 얻고, 은정이는 x의 계수 c를 잘못 보고 풀어서 $x=11$, $y=-15$를 얻었다고 한다. 이때 상수 a, b, c에 대하여 abc의 값을 구하시오.

03 복잡한 연립방정식의 풀이

13 연립방정식 $\begin{cases} 0.\dot{2}x+0.\dot{1}y=0.\dot{7} \\ 0.0\dot{3}x-0.0\dot{2}y=0.07 \end{cases}$ 의 해가 $(a,\ b)$일 때, $a+b$의 값은?

① 4   ② 5   ③ 6

④ 7   ⑤ 8

14 다음 두 비례식을 모두 만족시키는 $x,\ y$에 대하여 x^2+y^2의 값을 구하시오.

$$(x+7):(3y-2)=3:4,$$
$$(x+3y):(y-x)=1:3$$

15 연립방정식 $\begin{cases} 2(x+y-3)+y=-2 \\ 2x-7(y+3)=23 \end{cases}$ 의 해가 일차방정식 $2x-ay=8$을 만족시킬 때, 상수 a의 값을 구하시오.

16 $xy<0,\ x-y>0$일 때, 연립방정식 $\begin{cases} 4|x|-2|y|=6 \\ |x|+3|y|=5 \end{cases}$ 의 해를 $x=a,\ y=b$라 하자. 이때 $a-10b$의 값을 구하시오.

교과서 속 심화

17 연립방정식 $\begin{cases} \dfrac{1}{4}x+y=6 \\ \dfrac{3x-2y}{6}-\dfrac{2x+4y}{3}=a \end{cases}$ 를 만족시키는 x의 값이 y의 값의 4배일 때, 상수 a의 값은?

① -9 ② -7 ③ -5

④ -3 ⑤ -1

18 연립방정식 $\begin{cases} 0.4x+0.3y=5 \\ \dfrac{x}{5}+\dfrac{2y}{5}=-5 \end{cases}$ 의 해가 비례식 $(2x+y):(x+a+y)=2:3$을 만족시킬 때, 상수 a의 값을 구하시오.

19 연립방정식 $\begin{cases} 2^{7x+2} \div 4^{y-2} = 16^{x+2} \\ 3^{5x} \div 9^{y-1} = 27^{x-2} \end{cases}$ 의 해가 일차방정식

$(k+2)x - ky = 4$를 만족시킬 때, 상수 k의 값을 구하시오.

20 방정식 $ax + by = 3(ax - by) - 12 = x + y + 8$의 해가 $x=4$, $y=3$일 때, 상수 a, b에 대하여 ab의 값은?

① -3 ② 3 ③ 6

④ 12 ⑤ 18

중요
21 방정식 $1.5x + \dfrac{y}{2} = \dfrac{3x-y}{7} = x - y + 6$을 푸시오.

22 다음 두 방정식의 해가 서로 같을 때, 상수 a, b에 대하여 $a-b$의 값을 구하시오.

$$(a+1)x - 2by = 3x + 2y = x - 2,$$
$$-3ax + (b-1)y = -4x + y = 16 - y$$

23 연립방정식 $\begin{cases} ax + y = x + 1 \\ x + by = y + 1 \end{cases}$ 의 해가 무수히 많을 때,

자연수 a, b에 대하여 $a+b$의 값을 구하시오.

(단, $a \neq 1$, $b \neq 1$)

24 연립방정식 $\begin{cases} \dfrac{3}{2x} + \dfrac{5}{3y} = 2 \\ \dfrac{3}{2x} - \dfrac{7}{3y} = 8 \end{cases}$ 의 해가 $x=a$, $y=b$일 때,

ab의 값을 구하시오.

04 연립방정식의 활용 (1)

중요
25 다음 조건을 모두 만족시키는 두 자리의 자연수를 구하시오.

┤ 조건 ├
(개) 이 수는 각 자리의 숫자의 합의 6배와 같다.
(내) 십의 자리의 숫자와 일의 자리의 숫자를 바꾸면 처음 수보다 9만큼 작아진다.

교과서 속 심화
26 다음 재희와 민정이의 대화를 보고 재희와 민정이가 가진 볼펜의 개수를 각각 구하시오.

재희: 내가 가진 볼펜 중 두 자루를 너에게 주면 내가 가진 볼펜의 개수와 네가 가진 볼펜의 개수가 같아져.
민정: 내가 가진 볼펜 중 두 자루를 너에게 주면 네가 가진 볼펜의 개수가 내가 가진 볼펜의 개수의 3배가 돼.

27 다음은 성훈이가 편의점에서 음료를 사고 받은 영수증의 일부이다. 각 빈칸에 들어갈 수로 옳지 <u>않은</u> 것을 모두 고르면? (정답 2개)

품목	단가(원)	수량(병)	금액(원)
오렌지 주스	1500	①	②
자몽 주스	③	2	3600
보리차	1000	4	4000
물	950	④	⑤
합계		12	14950

① 4 ② 4500 ③ 1800
④ 3 ⑤ 1900

중요
28 지금으로부터 10년 전에는 할머니의 나이가 손자의 나이의 15배였고, 지금으로부터 8년 후에는 할머니의 나이와 손자의 나이의 합이 100세가 될 때, 지금으로부터 8년 후의 할머니의 나이를 구하시오.

29 오른쪽 그림과 같이 크기가 같은 직사각형 10개를 겹치지 않게 빈 틈없이 붙여 큰 직사각형을 만들었더니 그 둘레의 길이가 88 cm 였다. 이때 작은 직사각형 한 개의 둘레의 길이를 구하시오.

30 다음 그림의 △ABC에서 ∠A의 크기가 ∠B의 크기의 3배보다 21°만큼 크고, ∠C의 외각의 크기가 141°일 때, ∠A와 ∠B의 크기를 각각 구하시오.

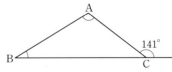

05 연립방정식의 활용 (2)

31 전체 회원 수가 96명인 어느 동호회에서 남자 회원의 $\frac{1}{9}$과 여자 회원의 $\frac{1}{7}$이 봉사 활동에 참여하였다. 봉사 활동에 참여한 인원은 전체 인원의 $\frac{1}{8}$일 때, 이 동호회의 남자 회원 수와 여자 회원 수를 각각 구하시오.

32 어느 회사의 입사 지원자의 남녀의 비는 2 : 1, 합격자의 남녀의 비는 5 : 3, 불합격자의 남녀의 비는 3 : 1이었다. 합격자의 수가 400명일 때, 전체 입사 지원자는 몇 명인지 구하시오.

중요
33 USB 메모리를 생산하는 두 공장 A, B에서 작년에 만든 USB 메모리의 개수는 모두 20000개였다. 올해 공장 A에서는 생산량을 10 % 늘리고 공장 B에서는 생산량을 5 % 줄여서 전체 생산량은 4 % 증가하였다. 올해 두 공장 A, B에서 생산한 USB 메모리의 개수를 각각 구하시오.

34 호진이는 올해 배드민턴을 치기 위해 배드민턴 라켓 한 세트와 운동복 한 벌을 합하여 360000원에 구입하였다. 라켓과 운동복의 가격을 작년과 비교해 보았더니 라켓은 10 %, 운동복은 40 %가 올라서 전체적으로 20 % 올랐다. 이때 호진이가 올해 구입한 배드민턴 라켓 한 세트의 가격과 운동복 한 벌의 가격을 각각 구하시오.

35 원가가 500원인 물건 A와 원가가 600원인 물건 B를 합하여 50000원어치를 산 후, 물건 A에는 10 %의 이익을 붙이고 물건 B에는 15 %의 이익을 붙여서 모두 팔았더니 총 6500원의 이익이 생겼다. 이때 물건 A, B 중 더 많이 산 물건의 개수를 구하시오.

36 어느 인터넷 쇼핑몰에서는 두 종류의 음악 CD를 정가에서 10 % 할인한 금액으로 판매하는데, 두 종류의 음악 CD의 판매 가격의 합이 23670원이었다. 두 종류의 음악 CD의 정가의 차가 2500원일 때, 각각의 판매 가격을 구하시오.

37 민아네 반에서는 환경 미화를 위해 게시판을 꾸미기로 하였다. 민아가 먼저 4시간 동안 일한 후 나머지를 솔지가 10시간 동안 일하면 마칠 수 있고, 민아와 솔지가 함께 6시간 동안 일한 후 나머지를 솔지가 3시간 동안 일하면 마칠 수 있다. 민아와 솔지가 함께 하면 이 일을 마치는 데 몇 시간이 걸리는지 구하시오.

06 연립방정식의 활용 (3)

38 재경이는 저녁 6시에 집에서 3 km 떨어진 도서관에 가는데 처음에는 시속 4 km로 걸어가다가 중간에 30분 동안 떡볶이를 먹고 그때부터 시속 10 km로 뛰어 저녁 7시 6분에 도서관에 도착하였다. 이때 재경이가 뛰어간 거리를 구하시오.

39 길이가 3.5 km인 호수의 둘레를 연우와 지현이가 각각 일정한 속력으로 산책하고 있다. 연우와 지현이가 한 지점에서 동시에 출발하여 서로 같은 방향으로 돌면 70분 후에 처음으로 다시 만나고, 만난 직후 지현이가 반대 방향으로 돌기 시작하여 20분이 지나면 두 사람이 다시 만나기까지 남은 거리는 700 m가 된다. 연우의 속력이 지현이의 속력보다 빠를 때, 연우와 지현이의 속력을 각각 구하시오.

40 배를 타고 강을 8 km 거슬러 올라가는 데 1시간 20분이 걸렸고, 처음 출발 장소로 다시 강을 따라 내려오는 데 40분이 걸렸다. 이때 강물이 흐르는 속력과 정지한 물에서의 배의 속력을 각각 구하시오.

(단, 강물과 배의 속력은 각각 일정하다.)

41 4 %의 소금물 A와 3 %의 소금물 B를 섞은 후 물을 더 부어 2 %의 소금물 500 g을 만들었다. 소금물 A의 양과 더 부은 물의 양의 비가 1 : 2일 때, 두 소금물 A, B의 처음의 양을 각각 구하시오.

교과서 속 심화

42 다음 표는 달걀과 우유의 각 100 g에 들어 있는 열량과 단백질의 양을 나타낸 것이다. 달걀과 우유를 합하여 열량 280 kcal와 단백질 18 g을 섭취하려고 할 때, 섭취해야 하는 달걀과 우유의 양을 각각 구하시오.

구분 식품	열량(kcal)	단백질(g)
달걀	160	12
우유	60	3

43 오른쪽 그림과 같이 주어진 연산에 따라 두 수를 순서대로 계산할 때, 다음 그림은 각각의 두 수를 계산한 결과를 나타낸 것이다. 이때 x, y의 값을 각각 구하시오.

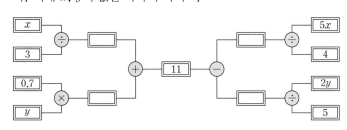

44 선준, 재신, 용하는 동전을 함께 모은 저금통을 열어서 그 금액을 똑같이 나누어 가졌다. 저금통을 열어 보니 100원짜리 동전과 500원짜리 동전으로만 12000원이 들어 있었을 때, 다음 세 사람의 대화를 보고 저금통에 들어 있던 100원짜리 동전의 개수를 구하시오.

(단, 세 사람은 100원짜리 동전과 500원짜리 동전을 각각 1개 이상씩 가졌다.)

> 선준: 나는 동전 16개를 가졌어.
> 재신: 내가 가진 동전의 개수는 선준이가 가진 동전의 개수의 2배야.
> 용하: 그럼 가진 동전의 개수는 내가 제일 많네.

45 국내 프로야구에서의 승률은 1987년에서 1997년까지 무승부를 0.5승으로 계산하였으나, 2011년 이후에는 무승부를 계산에서 제외하고 있다. 이때 승률 계산 방법은 각각 다음과 같다.

> • 1987년~1997년: {(승 수)+(무승부 수)×0.5}÷(총 경기 수)
> • 현재: (승 수)÷{(승 수)+(패 수)}

어느 프로야구 팀이 50경기에서 8번 패하였고 이를 1997년 방식으로 계산하면 승률이 0.74가 된다고 할 때, 2018년 방식으로 계산한 이 팀의 승률을 구하시오.

01 연립방정식 $\begin{cases} 5x+8y=1 \\ 7x+ay=41 \end{cases}$ 의 해 x, y에서 각각 1을 빼면 연립방정식 $\begin{cases} bx-4y=28 \\ 6x+7y=-4 \end{cases}$ 의 해가 될 때, 상수 a, b에 대하여 ab의 값을 구하시오.

02 연립방정식 $\begin{cases} 4x+3y=40 \\ mx-y=5 \end{cases}$ 를 만족시키는 x, y의 값이 모두 정수일 때, 자연수 m의 값을 구하시오.

TOP
03 연립방정식 $\begin{cases} x^{x+y}=y^4 \\ y^{x+y}=x^4 \end{cases}$ 을 만족시키는 자연수 x, y의 순서쌍 (x, y)를 모두 구하시오.

04 연립방정식 $\begin{cases} \dfrac{5}{2x-4y} - \dfrac{1}{x+2y} = 4 \\ \dfrac{7}{x-2y} - \dfrac{5}{2x+4y} = 13 \end{cases}$ 의 해가 $x=a$, $y=b$일 때, $\dfrac{a}{b}$의 값을 구하시오.

TOP
05 연립방정식 $\begin{cases} 5ab - 4a - 4b = -6 \\ 5a + 4ab + 5b = 28 \end{cases}$ 을 만족시키는 두 유리수 a, b에 대하여 $\dfrac{1}{a} + \dfrac{1}{b}$의 값을 구하시오.

06 수빈이와 주하가 가위바위보를 하여 이긴 사람은 3계단 올라가고, 진 사람은 2계단 내려가고, 비기면 함께 1계단씩 내려가기로 하였다. 20번의 가위바위보를 한 후 수빈이는 처음보다 10계단을 내려가 있었고 주하는 처음보다 15계단을 올라가 있었을 때, 수빈이가 이긴 횟수와 진 횟수와 비긴 횟수의 비를 가장 간단한 자연수의 비로 나타내시오.

07 상효는 매일 피아노를 치는데 학교에 가는 날에는 180분씩, 가지 않는 날에는 300분씩 친다고 한다. 이렇게 하루도 빠지지 않고 며칠 동안 피아노를 친 시간의 합이 1680분이고, 이는 하루에 평균 210분씩 연주한 것과 같다. 이와 같이 피아노를 친 기간 동안 상효가 학교에 간 날은 모두 며칠인지 구하시오.

TOP
08 동준이네 학교 축구 동아리에서 학생들이 금액을 똑같이 나누어 공동으로 축구 장비를 사려고 하였는데 갑자기 5명이 동아리에서 나가는 바람에 남은 사람들이 추가로 만 원씩 비용을 더 부담하기로 하였다. 그런데 또다시 3명이 다른 동아리로 옮겨서 다시 남은 사람들이 추가로 만 원씩 비용을 더 부담하여 축구 장비를 샀다. 이때 축구 장비의 가격을 구하시오.

09 형진이는 걸어서, 진서는 자전거를 타고 호수의 둘레를 돌기로 하였다. 두 사람이 한 지점에서 동시에 출발하여 서로 반대 방향으로 도는데 처음에는 진서가 형진이의 속력의 2배로 돌았더니 45분 후에 처음으로 만났고, 이후 진서가 처음 속력의 1.5배로 돌기 시작하여 30분이 지난 후 두 사람이 다시 만날 때까지 1 km가 남았다. 이때 호수의 둘레의 길이를 구하시오.

10 일정한 속력으로 달리고 있는 기차가 길이 $1400\,\mathrm{m}$인 터널을 완전히 통과하는 데 3분이 걸렸고, 길이 $4600\,\mathrm{m}$인 터널을 통과할 때는 5분 동안 기차의 모습이 전혀 보이지 않았다. 이 기차가 길이 $2\,\mathrm{km}$인 터널을 완전히 통과하는 데 걸리는 시간을 구하시오.

11 농도가 다른 두 소금물 A와 B가 있다. A와 B를 1 : 1의 비율로 섞으면 농도가 $3\,\%$가 되고, A와 B를 1 : 3의 비율로 섞으면 농도가 $2\,\%$가 될 때, A와 B를 1 : 4의 비율로 섞으면 농도는 몇 $\%$가 되는지 구하시오.

12 소금물이 각각 $200\,\mathrm{g}$씩 들어 있는 세 종류의 비커 A, B, C에서 소금물을 각각 $100\,\mathrm{g}$씩 덜어 내어 비커 A의 소금물은 B와 C에 각각 $50\,\mathrm{g}$씩, 비커 B의 소금물은 A와 C에 각각 $50\,\mathrm{g}$씩, 비커 C의 소금물은 A와 B에 각각 $50\,\mathrm{g}$씩 옮겨 담았더니 두 비커 A, B의 소금물에 들어 있는 소금의 양이 각각 $15\,\mathrm{g}$, $16\,\mathrm{g}$이 되었다. 비커 C에 들어 있던 처음 소금물의 농도가 $4\,\%$일 때, 소금물을 옮겨 담은 후 비커 C에 들어 있는 소금의 양을 구하시오.

④ 서술형 완성하기

1 연립방정식 $\begin{cases} 2x+ay=31 \\ y=2x+b-15 \end{cases}$ 의 해가 $(8, 3)$ 이다. x, y 의 값이 자연수일 때, 일차방정식 $ax+by=20$ 의 해를 모두 구하시오. (단, a, b 는 상수)

풀이 과정

답

2 유리수 a, b, c, d 에 대하여 $(a, b)◎(c, d)=ac+bd-a$ 로 약속할 때, 다음 방정식을 푸시오.

$$(2, x)◎(y, 5)=(4, x-6)◎(y+4, -1)$$
$$=(1, 2)◎(2, 5)$$

풀이 과정

답

3 두 방정식 $\dfrac{1}{2x-y}-\dfrac{2}{2x+y}=2$ 와

$\dfrac{2}{2x-y}+\dfrac{3}{2x+y}=18$ 을 모두 만족시키는 x, y 에 대하여 xy 의 값을 구하시오.

풀이 과정

답

4 두 자연수 a, b 에 대하여 a 를 b 로 나누면 몫이 9이고 나머지가 6이다. 또 a 의 3배에서 1을 뺀 수를 b 로 나누면 몫이 28이고 나머지는 7이다. 이때 자연수 a, b 의 값을 각각 구하시오.

풀이 과정

답

5 한 개당 원가가 600원인 초콜릿과 300원인 쿠키가 있다. 초콜릿은 원가의 50 %의 이익을 붙이고 쿠키는 원가의 30 %의 이익을 붙여서 총 164개를 팔아 16020원의 이익이 생겼다. 이때 어떤 상품을 몇 개 더 팔았는지 구하시오.

풀이 과정

답

6 5 %의 소금물과 6 %의 소금물을 섞은 후에 물을 45 g 더 넣었더니 4 %의 소금물 150 g이 만들어졌다. 이때 6 %의 소금물에 들어 있던 소금의 양을 구하시오.

풀이 과정

답

7 총 600개의 블록을 다음 그림과 같이 같은 색 블록끼리 모아서 빨간색 블록은 1초에 4개씩 쓰러지도록, 파란색 블록은 1초에 5개씩 쓰러지도록 각각 일정한 간격으로 세운 도미노를 화살표 방향으로 쓰러뜨렸더니 2분 14초 만에 모든 블록이 쓰러졌다.

위의 도미노에서 파란색 블록을 모두 없애고 빨간색 블록만 세운 도미노를 화살표 방향으로 쓰러뜨리면 모든 블록이 쓰러지는 데 몇 초가 걸리는지 구하시오.

풀이 과정

답

8 다음 표는 두 식품 A, B의 각 100 g에 들어 있는 단백질과 콜레스테롤의 양, 100 g당 가격을 나타낸 것이다. 두 식품을 구입한 금액의 비가 2 : 3이고, 두 식품으로부터 섭취할 수 있는 콜레스테롤의 양이 35 g일 때, 두 식품으로부터 섭취할 수 있는 단백질의 양을 구하시오.

구분 식품	단백질(g)	콜레스테롤(g)	가격(원)
A	15	4	600
B	32	3	200

풀이 과정

답

5 일차함수와 그 그래프

● 정답과 해설 31쪽

01 함수

1 함수

(1) 두 변수 x, y에 대하여 x의 값이 변함에 따라 y의 값이 오직 하나씩 정해지는 대응 관계가 있을 때, y를 x의 함수라 한다.

> 참고 x의 값 하나에 대하여 y의 값이 대응하지 않거나 2개 이상 대응하면 y는 x의 함수가 아니다.

(2) 두 변수 x, y 사이에 다음과 같은 규칙적인 변화 관계가 있을 때, y는 x의 함수이다.

① 정비례 관계식: $y=ax\,(a\neq0)$

② 반비례 관계식: $y=\dfrac{a}{x}\,(a\neq0,\ x\neq0)$

③ $y=(x$에 대한 일차식$)$: $y=ax+b\,(a\neq0)$

2 함숫값

(1) 함수의 표현: y가 x의 함수인 것을 기호로 $y=f(x)$와 같이 나타낸다.

(2) 함숫값: 함수 $y=f(x)$에서 x의 값에 대응하는 y의 값 기호 $f(x)$

> 예 함수 $f(x)=4x$에서 $x=2$일 때의 함숫값은 $f(2)=4\times2=8$

대표 문제

1 다음 중 y가 x의 함수가 <u>아닌</u> 것은?

① 자연수 x를 2로 나눈 나머지 y

② 한 변의 길이가 $x\,\mathrm{cm}$인 정삼각형의 둘레의 길이 $y\,\mathrm{cm}$

③ 자연수 x의 약수 y

④ 우유 $1000\,\mathrm{mL}$를 x명이 나눠 마실 때, 우유 한 잔의 양 $y\,\mathrm{mL}$

⑤ x원어치 물건을 사고 3000원을 냈을 때, 거스름돈 y원

2 무게가 $300\,\mathrm{g}$인 케이크를 x조각으로 똑같이 자를 때, 한 조각의 무게를 $y\,\mathrm{g}$이라 하자. 이때 다음 표에서 $a+b$의 값과 x와 y 사이의 관계식을 차례로 구하시오.

x(조각)	1	a	3	4	5
y(g)	300	150	100	75	b

3 함수 $f(x)=-6x$에 대하여 $3f(-2)+2f(5)$의 값을 구하시오.

4 어떤 사람의 아래팔뼈의 길이가 $L\,\mathrm{cm}$일 때, 그 사람의 키 $h\,\mathrm{cm}$는 다음과 같은 함수로 추정할 수 있다고 한다. 민수의 아래팔뼈의 길이가 $26\,\mathrm{cm}$일 때, 민수의 키는 몇 cm로 추정할 수 있는지 구하시오.

$$h=83+3.5L$$

5 함수 $f(x)=($자연수 x의 약수의 개수$)$에 대하여 $f(64)+f(162)$의 값을 구하시오.

6 함수 $f(x)=\dfrac{a}{x}$에 대하여 $f(4)=5$, $f(b)=-4$일 때, $a+b$의 값을 구하시오. (단, a는 상수)

1 일차함수

함수 $y=f(x)$에서 y가 x에 대한 일차식

$$y=ax+b\,(a,\ b는\ 상수,\ a\neq0)$$

로 나타날 때, 이 함수를 x에 대한 일차함수라 한다.

2 일차함수 $y=ax+b\,(a\neq0)$의 그래프

(1) **평행이동**: 한 도형을 일정한 방향으로 일정한 거리만큼 옮기는 것

(2) **일차함수 $y=ax+b$의 그래프**: 일차함수 $y=ax$의 그래프를 y축의 방향으로 b만큼 평행이동한 직선

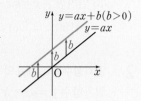

참고 특별한 말이 없으면 일차함수 $y=ax+b$에서 x의 값의 범위는 수 전체로 생각한다.

대표 문제

7 다음 보기 중 y가 x의 일차함수인 것을 모두 고르시오.

┌ 보기 ┐

ㄱ. 하루 중에서 밤의 길이가 x시간일 때, 낮의 길이는 y시간이다.

ㄴ. 한 변의 길이가 $x\,\text{cm}$인 정사각형의 넓이는 $y\,\text{cm}^2$이다.

ㄷ. 반지름의 길이가 $4\,\text{cm}$이고 중심각의 크기가 $x°$인 부채꼴의 둘레의 길이는 $y\,\text{cm}$이다.

ㄹ. 시속 $x\,\text{km}$로 달리는 자동차가 y시간 동안 간 거리는 $60\,\text{km}$이다.

ㅁ. x각형의 외각의 크기의 합은 $y°$이다.

8 $y=x(ax+b)-3x+2$에서 y가 x의 일차함수가 되도록 하는 상수 a, b의 조건을 구하시오.

9 일차함수 $f(x)=-\dfrac{1}{4}x+3$에 대하여 $f(2p)=p+5$일 때, p의 값을 구하시오.

10 일차함수 $y=-\dfrac{a}{3}x+2a-\dfrac{3}{4}$의 그래프가 두 점 $\left(3,\ \dfrac{5}{4}\right)$, $(3k,\ 11k)$를 지날 때, ak의 값을 구하시오.

(단, a는 상수)

11 일차함수 $y=2ax+5$의 그래프를 y축의 방향으로 -3만큼 평행이동하면 일차함수 $y=-6x+2b$의 그래프와 겹쳐질 때, 상수 a, b의 값을 각각 구하시오.

12 일차함수 $y=4x-6$의 그래프를 y축의 방향으로 m만큼 평행이동한 그래프가 두 점 $(1,\ n)$, $(2,\ 3)$을 지날 때, $m+n$의 값을 구하시오.

03 일차함수의 그래프의 절편과 기울기

개 념 활용하기

1 일차함수의 그래프의 x절편과 y절편

(1) x절편: 함수의 그래프가 x축과 만나는 점의 x좌표

➡ $y=0$일 때, x의 값

y절편: 함수의 그래프가 y축과 만나는 점의 y좌표

➡ $x=0$일 때, y의 값

(2) 일차함수 $y=ax+b\,(a\neq0)$의 그래프에서

x절편은 $-\dfrac{b}{a}$이고, y절편은 b이다.

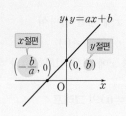

2 일차함수의 그래프의 기울기

일차함수 $y=ax+b$에서 x의 값의 증가량에 대한 y의 값의 증가량의 비율은 항상 일정하고, 그 비율은 x의 계수 a와 같다.

이 증가량의 비율 a를 일차함수 $y=ax+b$의 그래프의 기울기라 한다.

$$(기울기)=\frac{(y의 값의 증가량)}{(x의 값의 증가량)}=a$$

■ 일차함수의 그래프와 x축, y축으로 둘러싸인 도형의 넓이

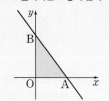

일차함수의 그래프와 x축, y축으로 둘러싸인 도형의 넓이는

➡ $\dfrac{1}{2}\times\overline{\mathrm{OA}}\times\overline{\mathrm{OB}}$

$=\dfrac{1}{2}\times|x절편|\times|y절편|$

대표 문제

13 일차함수 $y=-2x+6$의 그래프를 y축의 방향으로 -4만큼 평행이동한 그래프의 기울기를 a, x절편을 b, y절편을 c라 할 때, $a+b+c$의 값을 구하시오.

16 오른쪽 그림과 같이 세 점이 한 직선 위에 있을 때, k의 값을 구하시오.

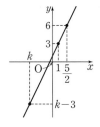

14 일차함수 $y=ax+4$의 그래프의 x절편은 2이고, 일차함수 $y=5x-b$의 그래프의 y절편은 $-\dfrac{3}{2}$이다. 이때 상수 a, b에 대하여 ab의 값을 구하시오.

17 오른쪽 그림과 같이 일차함수 $y=-\dfrac{a}{2}x+5$의 그래프가 x축, y축과 만나는 점을 각각 A, B라 하자. $\triangle$AOB의 넓이가 15일 때, 상수 a의 값을 구하시오. (단, O는 원점)

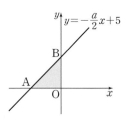

15 두 점 $(-1,\ -3k)$, $\left(-\dfrac{k}{2},\ 1\right)$을 지나는 일차함수의 그래프의 기울기가 8일 때, k의 값을 구하시오.

개 념 활용하기

1 일차함수 $y=ax+b\,(a\neq0)$의 그래프의 성질

  (1) 기울기 a의 부호: 그래프의 모양 결정

    ① $a>0$: x의 값이 증가할 때, y의 값도 증가한다. ➡ 오른쪽 위로 향하는 직선

    ② $a<0$: x의 값이 증가할 때, y의 값은 감소한다. ➡ 오른쪽 아래로 향하는 직선

    참고 a의 절댓값이 클수록 그래프는 y축에 가깝다.

  (2) y절편 b의 부호: 그래프가 y축과 만나는 부분 결정

    ① $b>0$: y축과 양의 부분에서 만난다.

    ② $b<0$: y축과 음의 부분에서 만난다.

2 일차함수의 그래프의 평행·일치

  (1) 기울기가 같은 두 일차함수의 그래프는 서로 평행하거나 일치한다.

    두 일차함수 $y=ax+b$와 $y=cx+d$에 대하여

    ① 기울기는 같고 y절편이 다를 때, 두 그래프는 서로 평행하다. 즉,

      $a=c$, $b\neq d$ ➡ 평행

    ② 기울기가 같고 y절편도 같을 때, 두 그래프는 일치한다. 즉,

      $a=c$, $b=d$ ➡ 일치

  (2) 서로 평행한 두 일차함수의 그래프의 기울기는 같다.

■ 일차함수 $y=ax+b$의 그래프가 지나는 사분면

① $a>0$, $b>0$
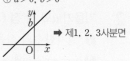
➡ 제1, 2, 3사분면

② $a>0$, $b<0$
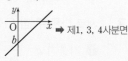
➡ 제1, 3, 4사분면

③ $a<0$, $b>0$
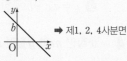
➡ 제1, 2, 4사분면

④ $a<0$, $b<0$
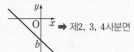
➡ 제2, 3, 4사분면

대표 문제

18 일차함수 $y=mnx+n$의 그래프가 오른쪽 그림과 같을 때, 상수 m, n의 부호는?

  ① $m>0$, $n>0$

  ② $m>0$, $n<0$

  ③ $m<0$, $n>0$

  ④ $m<0$, $n<0$

  ⑤ $m=0$, $n>0$

19 다음 보기 중 일차함수 $y=\dfrac{b}{a}x-b$의 그래프에 대한 설명으로 옳지 <u>않은</u> 것을 모두 고르시오.

                    (단, a, b는 상수)

  ㄱ. x절편은 a이다.

  ㄴ. $a>0$, $b<0$이면 제1, 3, 4사분면을 지난다.

  ㄷ. $b>0$이면 y축과 음의 부분에서 만난다.

  ㄹ. a와 b의 부호가 같으면 오른쪽 아래로 향하는 직선이다.

20 오른쪽 그림과 같이 좌표평면 위에 두 점 $A(2, 7)$, $B(4, 3)$이 있다. 일차함수 $y=ax+1$의 그래프가 $\overline{AB}$와 만나도록 하는 상수 a의 값의 범위를 구하시오.

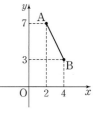

21 다음 두 일차함수의 그래프가 서로 평행하기 위한 상수 a, b의 조건을 구하시오.

$$y=ax+b,\quad y=(2a-3)x+2b-4$$

22 다음 두 일차함수의 그래프가 일치할 때, 상수 a, b에 대하여 $a-b$의 값을 구하시오.

$$y=(2a-b)x+10,\quad y=4x+a+2b+3$$

05 일차함수의 식 구하기

1 기울기와 y절편이 주어질 때

기울기가 a이고, y절편이 b인 직선을 그래프로 하는 일차함수의 식은 $y=ax+b$이다.

2 기울기 a와 한 점 $(x_1,\ y_1)$이 주어질 때

❶ 일차함수의 식을 $y=ax+b$로 놓는다.

❷ $y=ax+b$에 $x=x_1$, $y=y_1$을 대입하여 b의 값을 구한다.

3 서로 다른 두 점 $(x_1,\ y_1)$, $(x_2,\ y_2)$(단, $x_1 \neq x_2$)가 주어질 때

❶ 기울기 $a=\dfrac{y_2-y_1}{x_2-x_1}=\dfrac{y_1-y_2}{x_1-x_2}$를 구하여 일차함수의 식을 $y=ax+b$로 놓는다.

❷ $y=ax+b$에 한 점의 좌표를 대입하여 b의 값을 구한다.

4 x절편 m과 y절편 n이 주어질 때

❶ 두 점 $(m,\ 0)$, $(0,\ n)$을 지나는 직선의 기울기 $a=\dfrac{n-0}{0-m}=-\dfrac{n}{m}$을 구한다.

❷ y절편은 n이므로 구하는 일차함수의 식은 $y=-\dfrac{n}{m}x+n$이다.

대표 문제

23 오른쪽 그림의 그래프와 평행하고, 일차함수 $y=3x+2$의 그래프와 y축 위에서 만나는 직선을 그래프로 하는 일차함수의 식을 구하시오.

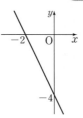

24 일차함수 $y=\dfrac{3}{4}x+5$의 그래프와 평행하고 점 $(2,\ 1)$을 지나는 일차함수의 그래프의 x절편과 y절편의 곱을 구하시오.

25 다음 일차함수의 그래프 중 두 점 $(-1,\ 3)$, $(2,\ 6)$을 지나는 직선과 x축 위에서 만나는 것은?

① $y=x+1$ ② $y=-3x+1$

③ $y=2x+4$ ④ $y=-x+2$

⑤ $y=-\dfrac{3}{4}x-3$

26 두 점 $(0,\ -2)$, $(-3,\ -3)$을 지나는 직선을 y축의 방향으로 3만큼 평행이동한 직선을 그래프로 하는 일차함수의 식을 구하시오.

27 다음 보기의 직선 중 기울기가 2이고 y절편이 1인 직선과 일치하는 것을 모두 고른 것은?

┌─ 보기 ├─
ㄱ. 두 점 $(1,\ 1)$, $(2,\ 3)$을 지나는 직선

ㄴ. x절편이 -2이고 y절편이 4인 직선

ㄷ. x절편이 $-\dfrac{1}{2}$이고 y절편이 1인 직선

ㄹ. y절편이 1이고 점 $(3,\ 7)$을 지나는 직선
└──────────

① ㄱ, ㄴ   ② ㄱ, ㄷ   ③ ㄴ, ㄷ

④ ㄴ, ㄹ   ⑤ ㄷ, ㄹ

일차함수를 활용하여 문제를 해결하는 과정

❶ 변화하는 두 양을 x와 y로 놓는다.

❷ x와 y 사이의 관계를 일차함수 $y=ax+b$로 나타낸다.

❸ 일차함수의 식이나 그래프를 이용하여 주어진 조건에 맞는 값을 구한다.

❹ 구한 값이 문제의 뜻에 맞는지 확인한다.

대표 문제

28 고도가 높아질수록 기압은 낮아지고, 그에 따라 물이 끓는 온도도 일정하게 낮아진다고 한다. 다음 표는 물이 끓는 온도를 고도에 따라 나타낸 것이다. 물음에 답하시오.

고도(m)	0	274	548	822	⋯
끓는 온도(℃)	100	99	98	97	⋯

(1) 고도를 x m, 물이 끓는 온도를 y ℃라 할 때, y를 x에 대한 식으로 나타내시오.

(2) 물이 끓는 온도가 70 ℃가 되는 것은 고도가 몇 m일 때인지 구하시오.

29 길이가 15 cm인 어느 양초에 불을 붙이면 3분마다 2 cm씩 일정하게 탄다고 한다. 양초에 불을 붙인 지 x분 후에 남은 양초의 길이를 y cm라 할 때, 다음 보기 중 옳은 것을 모두 고르시오.

┌ 보기 ├─────────────────────

ㄱ. y를 x에 대한 식으로 나타내면 $y=-\dfrac{2}{3}x+15$ 이다.

ㄴ. 양초에 불을 붙인 지 9분 후에 남은 양초의 길이는 9 cm이다.

ㄷ. 양초가 다 타는 데 걸리는 시간은 23분이다.

└────────────────────────────

30 오른쪽 그래프는 40 mL짜리 방향제를 개봉하고 x일이 지난 후에 남아 있는 방향제의 양을 y mL라 할 때, x와 y 사이의 관계를 나타낸 것이다. 남아 있는 방향제의 양이 16 mL가 되는 것은 개봉하고 며칠이 지난 후인지 구하시오.

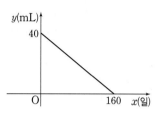

31 다음 그림과 같은 직사각형 ABCD에서 점 P는 점 B를 출발하여 $\overline{BC}$를 따라 점 C까지 초속 3 cm로 움직이고 있다. 사각형 APCD의 넓이가 96 cm²가 되는 것은 점 P가 점 B를 출발한 지 몇 초 후인지 구하시오.

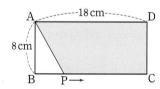

01 함수

중요

1 다음 중 y가 x의 함수가 <u>아닌</u> 것을 모두 고르면?

(정답 2개)

① x살 생일의 나의 발 크기 $y\,\mathrm{mm}$

② 정수 x의 절댓값보다 1만큼 큰 수 y

③ 자연수 x와 서로소인 수 y

④ 둘레의 길이가 $x\,\mathrm{cm}$인 직사각형의 넓이 $y\,\mathrm{cm}^2$

⑤ 농도가 $x\,\%$인 소금물 $200\,\mathrm{g}$에 들어 있는 소금의 양 $y\,\mathrm{g}$

2 두 함수 $f(x)=6ax$와 $g(x)=\dfrac{3}{x}$에 대하여

$f(-2)=4$일 때, $g(b)=a$를 만족시키는 b의 값을 구하시오. (단, a는 상수)

3 함수 $f(x)=\dfrac{a}{x}+3$에 대하여

$f(2p)+f(p)+\dfrac{3}{2}f(-p)$의 값을 구하시오.

(단, a는 상수, $p \neq 0$)

4 y가 x에 정비례하는 함수 $y=f(x)$에 대하여

$f(5)=-2$일 때, $3f(2)-f(5)+4f(1)$의 값은?

① -4 　　② -2 　　③ 0

④ 1 　　⑤ 5

5 함수 $f(x)=-\dfrac{x}{4}$에 대하여 $f\left(\dfrac{a}{2}-3\right)=-2a$일 때,

a의 값을 구하시오.

6 함수 $f(x)=$(자연수 x보다 작은 3의 배수의 개수)에

대하여 $f(1)+f(2)+f(3)+\cdots+f(20)$의 값을 구하시오.

7 함수 $y=f(x)$에 대하여 $f\left(-\dfrac{x}{5}+3\right)=x-5$일 때,

$f(5)$의 값을 구하시오.

8 두 함수 $y=3(a-2b)x+4$와 $y=(a+b-6)x+5b$ 가 x에 대한 일차함수가 되지 않도록 하는 상수 a, b 의 값을 각각 구하시오.

9 일차함수 $f(x)=-\dfrac{1}{2}x+5$에 대하여

$f\left(\dfrac{1}{4}\right)-f\left(-\dfrac{1}{4}\right)=\dfrac{3-a}{2}$가 성립할 때, $f(a)$의 값은?

① $\dfrac{5}{2}$ ② $\dfrac{11}{4}$ ③ 3

④ $\dfrac{13}{4}$ ⑤ $\dfrac{7}{2}$

중요

10 일차함수 $f(x)=(a-1)x+2b-a$에 대하여 $f(3)=-1$일 때, $f(2)+f(4)$의 값을 구하시오.

(단, a, b는 상수)

중요

11 다음 그림과 같은 직사각형 ABCD에서 두 점 A, D 는 각각 일차함수 $y=\dfrac{2}{3}x+6$과 $y=-x+5$의 그래프 위에 있고, 두 점 B, C는 x축 위에 있다.
$\overline{\mathrm{BO}}:\overline{\mathrm{CO}}=2:1$일 때, 직사각형 ABCD의 넓이를 구하시오. (단, O는 원점)

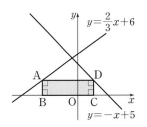

12 좌표평면 위의 점 $\mathrm{P}(-4,\,1)$과 x축에 대하여 대칭인 점을 Q라 할 때, 일차함수 $y=-3x+a$의 그래프를 y 축의 방향으로 -7만큼 평행이동한 직선이 점 Q를 지 난다. 이때 상수 a의 값을 구하시오.

13 점 $(2a,\,-a)$를 지나는 일차함수 $y=2x+5$의 그래 프를 y축의 방향으로 $a-3$만큼 평행이동하였다. 이때 평행이동한 그래프 위의 점 중에서 x좌표와 y좌표가 같은 점의 좌표를 구하시오.

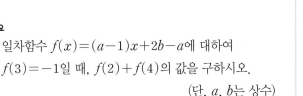

03 일차함수의 그래프의 절편과 기울기

14 일차함수 $y=7x-2a$의 그래프를 y축의 방향으로 6 만큼 평행이동한 그래프의 x절편과 y절편의 합이 6일 때, 상수 a의 값을 구하시오.

중요
15 두 일차함수 $y=-\dfrac{2}{3}x+4$와 $y=3x-\dfrac{a}{2}$의 그래프가 x축과 만나는 점을 각각 P, Q라 할 때, $\overline{PQ}=8$이다. 이때 상수 a의 값을 모두 구하시오.

교과서 속 심화
16 아래 그래프는 버스 D가 출발한 지 x분 후 네 대의 버스 A, B, C, D의 출발점으로부터의 거리 y m를 각각 나타낸 것이다. 다음 보기 중 옳은 것을 모두 고르시오.

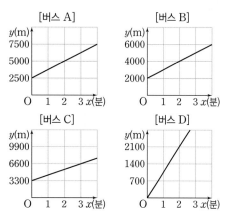

보기

ㄱ. 버스 B의 속력은 분속 1000 m이다.

ㄴ. 두 버스 A, B의 속력은 서로 같다.

ㄷ. 버스 C는 버스 A보다 느리다.

ㄹ. 네 대의 버스 중 버스 D가 가장 빠르다.

17 일차함수 $y=f(x)$의 그래프는 x의 값이 3만큼 증가할 때, y의 값이 p만큼 감소한다. 이 일차함수에 대하여 $2f(a)+3b=2f(b)+3a$가 성립할 때, $2p$의 값은? (단, $a\neq b$)

① -9 ② -6 ③ -3

④ 0 ⑤ 3

18 오른쪽 그림과 같이 y축 위의 한 점 A를 지나는 두 직선 l, m이 있다. y축에 평행한 직선이 두 직선 l, m과 만나는 점을 각각 B, C라 하고, x축과 만나는 점을 D라 하자. $\overline{BC}:\overline{OD}=3:1$ 일 때, 두 직선 l, m의 기울기의 차를 구하시오.

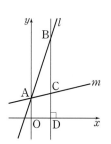

(단, O는 원점)

교과서 속 심화
19 두 일차함수 $y=-3ax+b$와 $y=ax-2$의 그래프가 x축 위에서 만난다. 이 두 그래프와 y축으로 둘러싸인 도형의 넓이가 16일 때, 상수 a, b에 대하여 ab의 값은? (단, $a>0$)

① $\dfrac{3}{2}$ ② 2 ③ $\dfrac{5}{2}$

④ 3 ⑤ $\dfrac{7}{2}$

중요

20 일차함수 $y=ax+b$의 그래프가 오른쪽 그림과 같을 때, 다음 중 옳지 <u>않은</u> 것은?

(단, a, b는 상수)

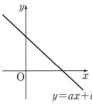

① $a<0$, $b>0$이다.

② 일차함수 $y=ax$의 그래프와 평행하다.

③ 일차함수 $y=-ax-b$의 그래프와 x축 위에서 만난다.

④ 일차함수 $y=ax-b$의 그래프는 제2사분면을 지나지 않는다.

⑤ 일차함수 $y=-ax+b$의 그래프는 제1, 2, 3사분면을 지난다.

교과서 속 심화

21 다음 보기의 일차함수의 그래프가 오른쪽 그림과 같을 때, 일차함수와 그 그래프를 바르게 짝 지으시오.

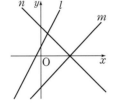

┌─ 보기 ─────────────────┐

ㄱ. $y=\dfrac{a}{2}x+b$

ㄴ. $y=-\dfrac{a}{2}x-b$

ㄷ. $y=ax-b-1$

└─────────────────────┘

22 $-2 \le x \le 1$을 만족시키는 x의 값에 대하여 일차함수 $y=(a-4)x+3b$에서 y의 최솟값은 1, 최댓값은 7이다. $a<4$일 때, ab의 값을 구하시오. (단, a, b는 상수)

23 두 일차함수 $y=ax+b-1$, $y=cx+d$의 그래프가 오른쪽 그림과 같을 때, 다음 보기 중 옳은 것을 모두 고르시오. (단, a, b, c, d는 상수)

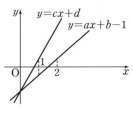

┌─ 보기 ─────────────────┐

ㄱ. $a<c$　　　　　ㄴ. $b<1$

ㄷ. $d-b=1$　　　ㄹ. $2a+b+c+d<1$

ㅁ. $(a+b-1)(c+d)<0$

└─────────────────────┘

중요

24 점 (ac, ab)가 제4사분면 위의 점일 때, 일차함수 $y=-\dfrac{c}{a}x-\dfrac{b}{c}$의 그래프가 지나지 <u>않는</u> 사분면은?

(단, a, b, c, d는 상수)

① 제1사분면　　　② 제2사분면

③ 제3사분면　　　④ 제4사분면

⑤ 알 수 없다.

25 점 $(-1, 3)$을 지나는 일차함수 $y=ax+b$의 그래프가 두 점 $A(4, 5)$, $B(4, 8)$을 이은 선분 AB와 만날 때, 이 그래프의 y절편의 최솟값과 최댓값을 차례로 구하시오. (단, a, b는 상수)

교과서 **속** 심화

26 오른쪽 그림과 같이 좌표평면 위에 가로의 길이가 4, 세로의 길이가 3인 직사각형 ABCD 가 있다. $C(-2, 1)$일 때, 일차함수 $y=(a-1)x+7$의 그래프가 이 직사각형과 만나도록 하는 상수 a의 값의 범위는?

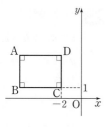

(단, $\overline{AD}$는 x축과 평행하다.)

① $-\dfrac{3}{2} \le a \le 2$ ② $-\dfrac{3}{2} \le a \le 4$

③ $\dfrac{1}{2} \le a \le 2$ ④ $\dfrac{3}{2} \le a \le 4$

⑤ $3 \le a \le \dfrac{15}{4}$

27 일차함수 $y=(3m-4)x+2n-3$의 그래프는 일차함수 $y=(n+1)x-m$의 그래프와 평행하고, 일차함수 $y=nx-2m$의 그래프와 y절편이 같다. 이때 상수 m, n에 대하여 $8(m-n)$의 값을 구하시오.

28 오른쪽 그림과 같은 사각형 ABCD가 평행사변형일 때, 점 D의 좌표를 구하시오.

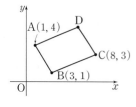

05 일차함수의 식 구하기

29 일차함수 $y=f(x)$의 그래프의 기울기는 $\dfrac{3}{4}$이고, 일차함수 $y=g(x)$의 그래프의 y절편은 -2이다. $f(2)=g(2)=4$일 때, $4f(1)-g(3)$의 값은?

① 1   ② 6   ③ 7

④ 13   ⑤ 20

중요
30 일차함수 $y=-\dfrac{a}{2}x+2$의 그래프를 y축의 방향으로 b 만큼 평행이동하면 두 점 $(-3, 2)$, $(1, 3)$을 지나는 직선과 일치한다. 이때 상수 a, b에 대하여 $a+b$의 값을 구하시오.

31 보검이와 수지는 기울기가 a, y절편이 b인 일차함수의 그래프를 그리려고 한다. 그런데 보검이는 기울기를 잘못 보아서 두 점 $(2, 4)$, $(0, -2)$를 지나는 직선을, 수지는 y절편을 잘못 보아서 두 점 $(-2, -5)$, $(2, -1)$을 지나는 직선을 그렸다. 이때 기울기가 a, y절편이 b인 일차함수의 그래프의 x절편을 구하시오.

32 세 점 $(-3, -7)$, $(k-2, 5)$, $(3k-5, 14)$를 지나는 직선을 그래프로 하는 일차함수의 식이 $y=ax+b$일 때, 상수 a, b에 대하여 ab의 값을 구하시오.

33 다음을 모두 만족시키는 두 직선 m, n이 점 $(2-k, k-1)$을 지날 때, 직선 n의 기울기는?

> 직선 m: x절편이 2이고 점 $(1, 2)$를 지난다.
> 직선 n: y절편이 -8이다.

① -2 ② -1 ③ $\dfrac{1}{2}$

④ 1 ⑤ 2

34 일차함수 $y=3x+6$의 그래프가 x축과 만나는 점과 y축에 대하여 대칭인 점을 A라 하고, 일차함수 $y=x+5$의 그래프가 y축과 만나는 점과 x축에 대하여 대칭인 점을 B라 하자. 이때 두 점 A, B를 지나는 직선을 그래프로 하는 일차함수의 식을 구하시오.

35 다음 보기 중 x절편이 $\dfrac{1}{2}$, y절편이 -2인 일차함수의 그래프에 대한 설명으로 옳은 것을 모두 고른 것은?

> ⊢ 보기 ⊢
> ㄱ. 기울기는 2이다.
> ㄴ. 점 $(3, 10)$을 지난다.
> ㄷ. 제1, 3, 4사분면을 지난다.
> ㄹ. 이 일차함수의 그래프와 x축, y축으로 둘러싸인 도형의 넓이는 $\dfrac{1}{2}$이다.

① ㄱ, ㄴ   ② ㄴ, ㄹ   ③ ㄱ, ㄷ, ㄹ

④ ㄴ, ㄷ, ㄹ   ⑤ ㄱ, ㄴ, ㄷ, ㄹ

36 y절편이 x절편의 4배이고, 두 점 $(a, 2a-3)$, $(a+1, -a-4)$를 지나는 직선을 그래프로 하는 일차함수의 식을 구하시오.

(단, 이 직선은 원점을 지나지 않는다.)

37 좌표평면 위의 세 점 $(3, 0)$, $(0, p)$, $(q, 9)$를 지나는 직선과 x축, y축으로 둘러싸인 삼각형의 넓이가 12일 때, pq의 값을 구하시오. (단, $p<0$)

06 일차함수의 활용

교과서 속 심화

38 연비가 20 km/L인 어떤 자동차에 5 L의 연료가 들어 있다. 이 자동차가 60 km를 일정한 속력으로 달린 후 15 L의 연료를 넣고 x km를 더 달렸을 때, 남아 있는 연료의 양을 y L라 하자. 이때 y를 x에 대한 식으로 나타내시오.

39 어느 지역의 택시 요금은 달린 거리가 3 km 이하일 때는 기본요금이고, 3 km를 초과하여 달린 거리에 대해서는 100 m마다 200원의 요금이 추가된다. 이 지역의 택시가 4 km를 달렸을 때의 요금이 5000원이고, x km를 달렸을 때의 요금을 y원이라 할 때, 다음 보기 중 옳은 것을 모두 고르시오.

┤ 보기 ├
ㄱ. 이 지역 택시의 기본요금은 3000원이다.
ㄴ. $x>3$일 때, $y=2000x+3000$이다.
ㄷ. 5 km를 달렸을 때, 택시 요금은 7000원이다.

40 지용이는 사탕 48개가 들어 있는 통 안에서 사탕을 매일 4개씩 꺼내어 태양이에게 주고 6개의 새로운 사탕을 통 안에 다시 넣었다. 지용이가 태양이에게 준 사탕의 총개수가 통 안에 남아 있는 사탕의 개수의 절반이 될 때까지 며칠이 걸리는지 구하시오.

41 오른쪽 그림과 같이 용량이 360 L인 수조가 있다. 수도꼭지 A를 열면 매분 18 L의 물이 채워지고 수도꼭지 B를 열면 매분 12 L의 물이 빠져나간다. 현재 이 수조에 24 L의 물이 들어 있고, 수도꼭지 A를 먼저 열고 5분 후 수도꼭지 B를 연다면 이 수조에 물이 가득 찰 때까지 걸리는 시간은 수도꼭지 B를 연 지 몇 분 후인지 구하시오.

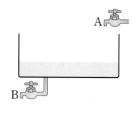

중요
42 오른쪽 그림과 같은 직사각형 ABCD에서 점 P는 점 A를 출발하여 변을 따라 점 B를 향해, 점 Q는 점 B를 출발하여 변을 따라 점 C를 향해 각각 1초에 2 cm씩 움직이고 있다. 두 점 P, Q가 동시에 출발하여 사각형 PBQD의 넓이가 274 cm²가 될 때의 $\overline{QC}$의 길이를 구하시오.

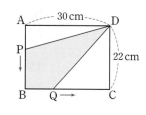

43 중기와 혜교가 달리기 경기를 하는데 혜교는 중기보다 10 m 앞선 지점에서 출발하고, 중기는 초속 6 m, 혜교는 초속 4 m로 달린다고 한다. 두 사람이 동시에 출발했을 때, 중기가 혜교보다 24 m 앞선 지점에 있게 되는 것은 출발한 지 몇 초 후인가?

① 15초 후   ② 16초 후   ③ 17초 후
④ 18초 후   ⑤ 19초 후

44 오른쪽 그림은 좌표평면 위의 다섯 개의 점 A(-5, 3), B(-4, -2), C(0, 3), D(3, -4), E(7, 2)를 선분으로 연결하여 W 모양의 도형을 만든 것이다. 일차함수 $y=ax+1$의 그래프가 이 도형과 만나는 점의 개수가 최대가 되도록 하는 상수 a의 값의 범위를 구하시오.

(단, $a\neq0$)

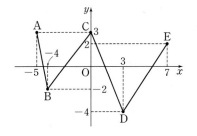

45 다음 그림과 같이 똑같은 모양의 육각형을 한쪽 방향으로 한 변이 완전히 겹치도록 계속해서 이어 붙여 새로운 도형을 만들려고 한다. 이때 20개의 육각형으로 만든 도형의 둘레의 길이를 구하시오.

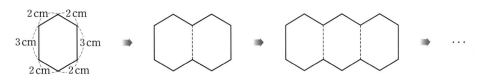

46 오른쪽 그래프는 어떤 화학물질 80 mL를 빛에 노출했을 때, 시간에 따른 화학물질의 양의 변화를 측정하여 나타낸 것이다. 다음 날 같은 시각에 이 화학물질 100 mL를 가

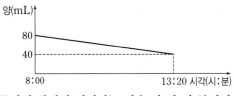

지고 같은 조건으로 실험을 시작했을 때, 화학물질이 완전히 없어지는 것은 몇 시 몇 분인지 구하시오.

01
x의 값이 자연수일 때, 두 함수

$$f(x)=\begin{cases} 0\ (x가\ 5의\ 배수일\ 때) \\ 1\ (x가\ 5의\ 배수가\ 아닐\ 때) \end{cases}, g(x)=\begin{cases} 0\ (x가\ 7의\ 배수일\ 때) \\ 1\ (x가\ 7의\ 배수가\ 아닐\ 때) \end{cases}$$

에 대하여 $h(x)=\{1-f(x)\}\{1-g(x)\}$라 하자. 이때
$h(1)+h(2)+h(3)+\cdots+h(2018)+h(2019)$의 값을 구하시오.

02
오른쪽 그림과 같이 $0 \le x \le a$에서 두 일차함수 $y=\dfrac{1}{4}x$와

$y=\dfrac{1}{4}x+4$의 그래프 사이에 있고 x좌표와 y좌표가 모두 정수

인 점 $(x,\ y)$의 개수가 90개일 때, 정수 a의 값을 구하시오.

(단, 두 그래프 위의 점은 포함하지 않는다.)

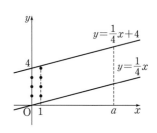

03
오른쪽 그림과 같이 일차함수 $y=ax+\dfrac{8}{3}$의 그래프가 $\overline{OC}$, $\overline{AB}$

와 만나는 점을 각각 E, F라 하자. 사각형 OAFE의 넓이가 사

각형 OABC의 넓이의 $\dfrac{7}{12}$일 때, 양수 a에 대하여 a^2의 값을 구

하시오. (단, O는 원점)

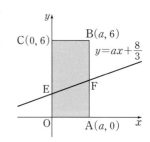

04 일차함수 $f(x)=ax+b$가 $1 \leq f(2) \leq 5$, $3 \leq f(3) \leq 7$을 만족시킨다. 일차함수 $y=f(x)$의 그래프의 기울기가 최소가 되도록 하는 상수 a, b에 대하여 $a+b$의 값을 구하시오.

05 두 일차함수 $f(x)$와 $g(x)$가 다음 조건을 모두 만족시킬 때, 일차함수 $f(x)$의 식을 구하시오.

┤ 조건 ├

㈎ $f(x^2)=f(x)g(x)+4$

㈏ $f(3)=2$

㈐ $g(1)=3$

06 오른쪽 그림과 같이 두 점 $A(-1, 3)$, $B(3, 2)$에 대하여 $\overline{AP}+\overline{BP}$의 값이 최소가 되도록 하는 x축 위의 점 P의 좌표를 구하시오.

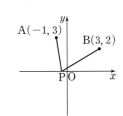

TOP
07 오른쪽 그림과 같은 직각삼각형 ABC에서 점 P가 점 A를 출발하여 초속 $3\,cm$로 변을 따라 점 B를 거쳐 점 C를 향해 움직인다. x초 후의 $\triangle APC$의 넓이를 $y\,cm^2$라 할 때, x와 y 사이의 관계를 나타낸 그래프와 x축으로 둘러싸인 도형의 넓이를 구하시오.

(단, $0 < x < 10$)

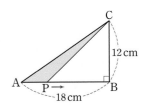

6 일차함수와 일차방정식

개념+ ^{대표} 문제 확인하기

● 정답과 해설 41쪽

01 일차함수와 일차방정식

1 일차함수와 일차방정식의 관계

(1) **일차방정식의 그래프**: 미지수가 2개인 일차방정식의 해의 순서쌍 (x, y)를 좌표로 하는 점을 모두 좌표평면 위에 나타낸 것

(2) **직선의 방정식**: x, y의 값의 범위가 수 전체일 때, 일차방정식
$$ax+by+c=0(a, b, c는 상수, a\neq0 또는 b\neq0) \leftarrow x, y의 값의 범위가 수 전체일 때, 그 그래프는 직선이 된다.$$

(3) 미지수가 2개인 일차방정식 $ax+by+c=0(a\neq0, b\neq0)$의 그래프는 일차함수 $y=-\dfrac{a}{b}x-\dfrac{c}{b}$의 그래프와 서로 같다.

2 일차방정식 $x=m$, $y=n$의 그래프

(1) 일차방정식 $x=m(m\neq0)$의 그래프: 점 $(m, 0)$을 지나고 <u>y축에 평행한</u> 직선
$\quad\quad\quad\quad\quad\quad\quad\quad\quad\quad\quad\quad\quad\quad\quad\quad\quad\quad\quad_{\rightarrow x축에 수직인}$

(2) 일차방정식 $y=n(n\neq0)$의 그래프: 점 $(0, n)$을 지나고 <u>x축에 평행한</u> 직선
$\quad\quad\quad\quad\quad\quad\quad\quad\quad\quad\quad\quad\quad\quad\quad\quad\quad\quad\quad_{\rightarrow y축에 수직인}$

참고 • 일차방정식 $x=0$의 그래프는 y축과 같고, 일차방정식 $y=0$의 그래프는 x축과 같다.
• 일차방정식 $x=m$은 x의 값 하나에 y의 값이 무수히 많이 대응하므로 함수가 아니다.
• 일차방정식 $y=n$은 x의 값 하나에 y의 값이 오직 n 하나로 대응하므로 함수이지만 x에 대한 일차항이 없으므로 일차함수는 아니다.

대표 문제

1 다음 보기 중 일차방정식 $3x-4y+6=0$의 그래프에 대한 설명으로 옳은 것을 모두 고르시오.

┤ 보기 ├
ㄱ. y절편은 $\dfrac{3}{2}$이다.

ㄴ. 일차함수 $y=\dfrac{3}{4}x+\dfrac{3}{2}$의 그래프와 같다.

ㄷ. 일차방정식 $-6x+8y+3=0$의 그래프와 평행하다.

ㄹ. 제2사분면을 지나지 않는다.

2 일차방정식 $ax+by-2=0$의 그래프가 오른쪽 그림과 같을 때, 상수 a, b의 값을 각각 구하시오.

3 다음 조건을 만족시키는 직선의 방정식을 보기에서 모두 고르시오.

┤ 보기 ├
ㄱ. $x+y=0$ ㄴ. $y=\dfrac{1}{x}$

ㄷ. $3y-4=0$ ㄹ. $2x+3=0$

ㅁ. $x+y+1=10$ ㅂ. $2x-3y=2x+3$

(1) x축에 평행한 직선
(2) x축에 수직인 직선

4 일차방정식 $ax+by+5=0$의 그래프가 x축에 평행하고, 제1사분면과 제2사분면을 지나기 위한 상수 a, b의 조건을 구하시오.

5 네 직선 $x=-3$, $2x-3=0$, $y+2=0$, $y=3$으로 둘러싸인 부분의 넓이를 구하시오.

02 일차함수의 그래프와 연립일차방정식

1 연립방정식의 해와 그래프

연립방정식 $\begin{cases} ax+by+c=0 \\ a'x+b'y+c'=0 \end{cases}$의 해는 두 일차방정식의 그래프, 즉 일차함수의 그래프의 교점의 좌표와 같다.

2 연립방정식의 해의 개수와 두 그래프의 위치 관계

연립방정식 $\begin{cases} ax+by+c=0 \\ a'x+b'y+c'=0 \end{cases}$의 해의 개수는 두 일차방정식의 그래프의 교점의 개수와 같다.

(1) 연립방정식의 해가 하나뿐이다.
⟺ 두 직선이 한 점에서 만난다.
⟺ 기울기가 다르다.
⟺ $\dfrac{a}{a'} \ne \dfrac{b}{b'}$

(2) 연립방정식의 해가 없다.
⟺ 두 직선이 서로 평행하다.
⟺ 기울기가 같고, y절편은 다르다.
⟺ $\dfrac{a}{a'} = \dfrac{b}{b'} \ne \dfrac{c}{c'}$

(3) 연립방정식의 해가 무수히 많다.
⟺ 두 직선이 일치한다.
⟺ 기울기와 y절편이 각각 같다.
⟺ $\dfrac{a}{a'} = \dfrac{b}{b'} = \dfrac{c}{c'}$

대표 문제

6 다음 그림은 연립방정식 $\begin{cases} ax+2y=3 \\ x+by=2 \end{cases}$를 풀기 위해 두 일차방정식의 그래프를 각각 그린 것이다. 이때 상수 a, b에 대하여 ab의 값을 구하시오.

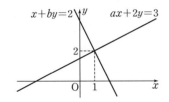

7 두 직선 $6x-5y-13=0$과 $4x-7y-5=0$의 교점을 지나고, 직선 $2y+5=0$에 수직인 직선의 방정식을 구하시오.

8 다음 세 일차방정식의 그래프가 한 점에서 만날 때, 상수 a의 값을 구하시오.

$$x+2y=1, \quad ax-2y=2, \quad -2x+y=8$$

9 세 직선 $x+y-4=0$, $2x-y+1=0$, $y+3=0$으로 둘러싸인 도형의 넓이를 구하시오.

10 두 일차방정식 $-4x+2y-a=0$과 $bx-y-2=0$의 그래프가 다음을 만족시킬 때, 상수 a, b의 조건을 구하시오.

(1) 교점이 존재하지 않는다.
(2) 한 점에서 만난다.

11 연립방정식 $\begin{cases} ax-2y=-5 \\ 4x+by=10 \end{cases}$의 해가 무수히 많을 때, 직선 $ax+by+3=0$의 x절편을 구하시오.

(단, a, b는 상수)

01 일차함수와 일차방정식

1 일차방정식 $ax+y-b=0$의 그래프는 오른쪽 그림의 직선 l과 평행하고, 직선 m과 x축 위에서 만난다. 이때 상수 a, b에 대하여 ab의 값을 구하시오.

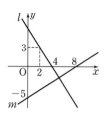

4 두 점 $\left(\dfrac{a-3}{4},\ 2\right)$, $\left(\dfrac{2b-1}{6},\ 3\right)$을 지나는 직선은 y축에 평행하고, 두 점 $\left(-7,\ \dfrac{3a-1}{2}\right)$, $\left(5,\ \dfrac{-b+3}{4}\right)$을 지나는 직선은 y축에 수직이다. 이때 $a+b$의 값을 구하시오.

중요

2 일차방정식 $ax+by-c=0$의 그래프가 오른쪽 그림과 같을 때, 다음 중 일차방정식 $bx-cy-a=0$의 그래프로 알맞은 것은?

(단, a, b, c는 상수)

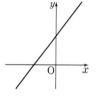

① ② ③

④ ⑤

교과서 **속** 심화

5 일차방정식 $ax+6y+2b=0$의 그래프가 오른쪽 그림과 같을 때, 일차방정식 $bx-ay+8=0$의 그래프가 지나지 <u>않는</u> 사분면을 모두 구하시오. (단, a, b는 상수)

3 점 $\left(\dfrac{a}{b},\ bc\right)$가 제2사분면 위의 점일 때, 다음 중 일차방정식 $a^2x+aby-bc=0$의 그래프에 대한 설명으로 옳지 <u>않은</u> 것은? (단, a, b, c는 상수)

① 제1, 3, 4사분면을 지난다.
② y절편은 음수이다.
③ x절편은 양수이다.
④ 그래프는 오른쪽 위로 향한다.
⑤ 기울기가 1이면 $a=b$이다.

중요

6 네 직선 $2x-8=0$, $3x+6=0$, $2y+10a=0$, $4y-16a=0$으로 둘러싸인 도형의 넓이가 72일 때, 양수 a의 값을 구하시오.

7 오른쪽 그림과 같이 움직이지 않는 점 A와 x축 위를 움직이는 점 P를 지나는 직선이 일차방정식 $y=6$의 그래프와 만나는 점을 Q라 하면 P(3, 0)일 때 Q(5, 6)이고, P(7, 0)일 때 Q(4, 6)이다. 이때 점 A의 좌표를 구하시오.

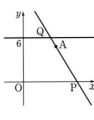

8 다음 네 직선이 한 점에서 만날 때, 상수 a, b의 값을 각각 구하시오.

$$x+ay-1=0, \quad 3x-y-5=0,$$
$$4x+y+b=0, \quad 2x+ay-3=0$$

중요
9 두 점 $(-1, 1)$, $(0, 4)$를 지나는 직선 위에 두 직선 $ax-y+4=0$과 $x-y+1=0$의 교점이 있을 때, 상수 a의 값을 구하시오.

10 세 직선 $ax+by-2=0$, $2x-y+c=0$, $dx-y-2=0$으로 둘러싸인 삼각형의 두 꼭짓점의 좌표가 $(-3, 4)$, $(5, 4)$이고, 나머지 한 꼭짓점이 제4사분면 위에 있을 때, $a+b+c+d$의 값을 구하시오. (단, a, b, c, d는 상수)

교과서 속 심화
11 다음 세 일차방정식의 그래프가 삼각형을 이루지 않도록 하는 모든 상수 a의 값의 합을 구하시오. (단, $a \neq 0$)

$$y=\frac{a}{2}x-\frac{a}{3}, \quad 2x-y=0, \quad x+y-4=0$$

12 세 점 A$(-5, 5)$, B$(-1, -3)$, C$(4, 2)$를 꼭짓점으로 하는 △ABC와 x축에 평행한 직선이 두 점 P, Q에서 만난다고 할 때, $\overline{PQ}$의 길이의 최댓값을 구하시오.

13 오른쪽 그림에서 세 일차방정식

$x-2y-4=0$,

$x+2y+4=0$,

$3x-2y-12=0$의

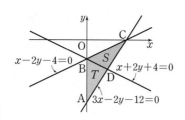

그래프 및 y축에 의해 생긴 △CBD와 △ADB의 넓이를 각각 S, T라 할 때, $\dfrac{S}{T}$의 값을 구하시오.

14 오른쪽 그림과 같이 두 직선이 한 점 P에서 만난다. 이때 점 P를 지나면서 두 직선과 y축으로 둘러싸인 도형의 넓이를 이등분하는 직선의 방정식은?

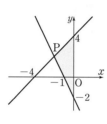

① $x+y-2=0$　　② $x+y-1=0$

③ $x+2y-2=0$　　④ $x+2y-1=0$

⑤ $x+y=0$

15 오른쪽 그림에서 직선 l은 두 직선 $x+y-4=0$, $y=-2$와 x축, y축으로 둘러싸인 사각형 OEBC의 넓이를 이등분한다. 직선 l이 $x+y-4=0$과 평행할 때, 직선 l의 방정식을 구하시오. (단, O는 원점)

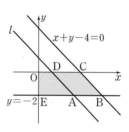

16 중요 연립방정식 $\begin{cases} x-3y=-4 \\ ax+y=b \end{cases}$ 의 해가 무수히 많을 때, 다음 중 일차함수 $y=ax+b$의 그래프가 지나지 <u>않는</u> 사분면은? (단, a, b는 상수)

① 제1사분면　　② 제2사분면　　③ 제3사분면

④ 제4사분면　　⑤ 알 수 없다.

17 두 일차방정식 $ax+by+3=0$과 $x-3y-2=0$의 그래프가 서로 만나지 않을 때, 일차방정식 $\dfrac{a}{b}x+\dfrac{b}{a}y=1$의 그래프의 기울기를 구하시오.

(단, a, b는 상수)

18 다음 중 보기의 연립방정식에 대한 설명으로 항상 옳은 것을 모두 고르면? (정답 2개)

┤ 보기 ├

ㄱ. $\begin{cases} 3x-2y=6 \\ ax+y=-3 \end{cases}$ (단, a는 상수)

ㄴ. $\begin{cases} 3x-by=-6 \\ 2x+y=-4 \end{cases}$ (단, b는 상수)

ㄷ. $\begin{cases} x-2y=1 \\ 4y=2x-c \end{cases}$ (단, c는 상수)

① ㄱ은 적어도 해가 한 개 이상이다.

② ㄴ은 해가 없을 수도 있다.

③ ㄷ은 적어도 해가 한 개 이상이다.

④ a, b, c가 모두 양수일 때, 해가 하나뿐인 연립방정식은 2개이다.

⑤ a, b, c가 모두 음수일 때, 해가 없는 연립방정식은 2개이다.

19 연립방정식 $\begin{cases} 2x-y=-4 \\ 3x-ay=6 \end{cases}$ 을 그래프를 이용하여 풀기 위해 일차방 정식 $2x-y=-4$의 그래프를 오른쪽 그림과 같이 그렸다. 이 연립 방정식이 $x>0$, $y>0$인 해를 가질 때, 상수 a의 값의 범위를 구하 시오.

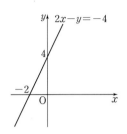

20 오른쪽 그림에서 직선 $4x+3y=12$와 두 직선 $x=0$, $y=0$의 교점 을 각각 A, B라 하자. 직선 $l: px+3y=q$와 두 직선 $x=0$, $y=0$ 의 교점을 각각 D, C라 하면 사각형 ABCD는 넓이가 $\dfrac{85}{6}$인 사다 리꼴이 된다. 이때 상수 p, q에 대하여 $p+q$의 값을 구하시오.

（단, 직선 l의 x절편은 양수이다.）

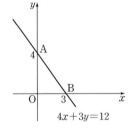

21 오른쪽 그래프는 토끼와 거북의 $100\,\mathrm{m}$ 달리기 경주에서 달린 시간과 출발점에서 떨어진 거리 사이의 관계를 나타낸 것이 다. 다음 보기 중 옳은 것을 모두 고르시오.

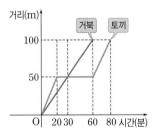

┤ 보기 ├

ㄱ. 토끼는 경주 중 50분 동안 쉬었다.

ㄴ. 토끼와 거북은 출발한 지 30분 후에 다시 만난다.

ㄷ. 거북이 결승점에 도착한 지 20분 후에 토끼가 결승점에 도착한다.

ㄹ. 토끼와 거북이 $100\,\mathrm{m}$ 이후에도 일정한 속력으로 계속 달린다고 하면 경주를 시작한 지 100분 후 다시 만난다.

01 두 직선 $ax+by+c=0$과 $cx+ay+b=0$이 일치하고 이 직선이 점 (m, n)을 지날 때, $m+n$의 값을 구하시오. (단, $abc \neq 0$)

02 오른쪽 그림에서 사각형 ABCD는 정사각형이고 두 점 $P(a, b)$, $Q(c, d)$는 다음 조건을 모두 만족시킨다.

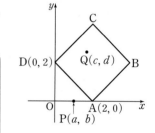

┌─ 조건 ─┐

(가) 점 P는 선분 OA 위의 점이다.

(나) 점 Q는 사각형 ABCD의 둘레 또는 내부에 있는 점이다.

(다) $\dfrac{d-b}{c-a}=1$

이때 점 Q가 존재할 수 있는 영역의 넓이를 구하시오.

TOP
03 좌표평면 위의 세 일차방정식 $x-y-2=0$, $\dfrac{1}{2}x+y-7=0$, $mx-y+2=0$의 그래프에 의해 좌표평면이 6개의 영역으로 나누어질 때, 모든 상수 m의 값의 합을 구하시오.

(단, x축, y축에 의해 좌표평면이 나누어지는 것은 생각하지 않는다.)

04 세 직선 $2x+y=6$, $x=0$, $y=0$으로 둘러싸인 삼각형이 있다. 점 $(0, 2)$를 지나는 직선 $l : ax+by-18=0$이 이 삼각형의 넓이를 이등분할 때, 상수 a, b에 대하여 $a+b$의 값을 구하시오.

05 오른쪽 그림과 같은 정사각형 ABCD에서 직선 l은 점 E(7, 0)을 지나고 정사각형 ABCD의 넓이를 이등분한다. 직선 l이 $\overline{\text{AD}}$, $\overline{\text{BC}}$ 와 만나는 두 점을 각각 M, N이라 할 때, 직선 $y=ax$가 $\overline{\text{MN}}$과 만나도록 하는 상수 a의 값의 범위를 구하시오.

(단, $\overline{\text{BC}}$는 x축과 평행하다.)

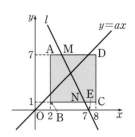

06 원점을 지나는 두 직선 l, m이 일차함수 $y=-\dfrac{1}{4}x+2$의 그래프와 x축, y축으로 둘러싸인 도형의 넓이를 삼등분한다. 직선 m이 직선 l보다 x축에 더 가까울 때, 두 직선 l, m의 기울기를 각각 구하시오.

TOP
07 연립방정식 $\begin{cases} ax+2y-7=4x-7 \\ -6x+3y=2ax \end{cases}$ 가 $x \neq 0$, $y \neq 0$인 해를 가질 때, 상수 a의 값을 구하시오.

08 네 아파트 A, B, C, D가 있다. 아파트 B는 A에서 동쪽으로 $1\,\text{km}$, 북쪽으로 $5\,\text{km}$ 떨어진 곳에, 아파트 C는 A에서 동쪽으로 $5\,\text{km}$, 북쪽으로 $4\,\text{km}$ 떨어진 곳에, 아파트 D는 C에서 동쪽으로 $2\,\text{km}$, 남쪽으로 $2\,\text{km}$ 떨어진 곳에 있다. 이 근방 주민들을 위한 카페를 지으려고 할 때, 카페에서 각 아파트까지의 거리의 합이 최소가 되도록 하려면 카페를 아파트 A에서 동쪽, 북쪽으로 각각 몇 km 떨어진 곳에 지어야 하는지 구하시오.

5~6 서술형 완성하기

● 정답과 해설 47쪽

모든 문제는 풀이 과정을 자세히 서술한 후 답을 쓰세요.

1 함수 $f(x)=ax$에 대하여 $f(2)=-6$일 때, $2f(-1)+f(3)=\frac{1}{6}f(k)$를 만족시키는 k의 값을 구하시오. (단, a는 상수)

풀이 과정

답

2 일차함수 $y=-3x+6$의 그래프는 일차함수 $y=\frac{1}{2}x-4+a$의 그래프와 x축 위에서 만나고, 일차함수 $y=-\frac{1}{2}x+b$의 그래프와 y축 위에서 만난다. 이때 일차함수 $y=-3bx+a$의 그래프가 지나지 <u>않는</u> 사분면을 구하시오. (단, a, b는 상수)

풀이 과정

답

3 현재 시계가 4시 30분을 가리키고 있다. 지금부터 x분 후에 시침과 분침이 이루는 각 중에서 작은 쪽의 각의 크기를 $y°$라 하자. $y=180$일 때, x의 값을 구하시오.

(단, $0<x\leq 60$)

풀이 과정

답

4 일차방정식 $ax-4y+8a=0$의 그래프와 x축, y축으로 둘러싸인 도형의 넓이가 24일 때, 양수 a의 값을 구하시오.

풀이 과정

답

5 일차방정식 $(a+b)x+(a+1)y+4a-2b=0$의 그래프가 점 $(2, -4)$를 지나고 직선 $x=7$에 수직일 때, 상수 a, b에 대하여 ab의 값을 구하시오.

풀이 과정

답

6 성범이와 명일이가 $100\,\mathrm{m}$ 떨어진 두 지점 A, B에서 서로 마주 보고 출발하였다. 오른쪽 그래프는 두 사람이 동시에 출발한 지 x초 후에 B 지점으로부터의 거리를 $y\,\mathrm{m}$라 할 때, x와 y 사이의 관계를 나타낸 것이다. 이때 성범이와 명일이는 출발한 지 몇 초 후에 만나는지 구하시오.

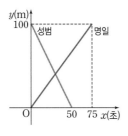

풀이 과정

답

7 오른쪽 그림과 같이 좌표평면 위의 세 점 A$(4, 6)$, B$(1, 2)$, C$(9, 1)$을 꼭짓점으로 하는 △ABC가 있다. y축 위의 점 P에 대하여 △ABC의 넓이와 △APC의 넓이가 서로 같을 때, 점 P의 좌표를 구하시오.

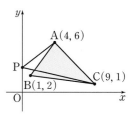

풀이 과정

답

8 오른쪽 그림과 같이 △ABC의 넓이를 이등분하고 직선 AB와 y축의 교점 D를 지나는 직선 DE의 방정식을 구하시오.

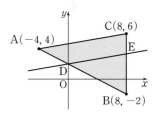

풀이 과정

답

MEMO

15개정 교육과정

개념과 유형이 하나로.

개념⁺유형

정답과 해설

최고수준 **TOP**

중등 수학

2·1

 책 속의 가접 별책 (특허 제 0557442호)

'정답과 해설'은 본책에서 쉽게 분리할 수 있도록 제작되었으므로
유통 과정에서 분리될 수 있으나 파본이 아닌 정상제품입니다.

 visang

정답과 해설

1. 유리수와 순환소수

1 ④　　**2** ③　　**3** -3.241, $-3.24\dot{1}$　**4** 8

5 $a=25$, $b=75$, $c=0.075$　**6** ㄱ, ㄴ, ㄷ

7 132　**8** 3, 6, 9　**9** ②　**10** $\dfrac{1}{9}$　**11** $0.0\dot{5}$

12 ④, ⑤

1　① $3.14=\dfrac{314}{100}$와 같이 $\dfrac{(정수)}{(0이\ 아닌\ 정수)}$의 꼴로 나타낼 수 있으므로 유리수이다.

② $\dfrac{30}{6}=5$는 정수이다.

③ $0.151515\cdots$는 무한소수이다.

④ $\dfrac{3}{11}=0.272727\cdots$이므로 소수로 나타내면 무한소수가 된다.

⑤ $0.020020002\cdots$는 순환소수가 아닌 무한소수이다.

따라서 옳은 것은 ④이다.

2　① $1.45333\cdots=1.45\dot{3}$　② $0.123123123\cdots=0.\dot{1}2\dot{3}$

④ $0.101010\cdots=0.\dot{1}\dot{0}$　⑤ $1.321321321\cdots=1.\dot{3}2\dot{1}$

따라서 옳은 것은 ③이다.

3　$3.241=3.2410$, $3.24\dot{1}=3.24111\cdots$, $3.2\dot{4}\dot{1}=3.2414141\cdots$,

$3.\dot{2}4\dot{1}=3.241241241\cdots$, $3.\dot{2}41\dot{0}=3.241024102410\cdots$

이므로 $3.24\dot{1}>3.\dot{2}4\dot{1}>3.2\dot{4}\dot{1}>3.\dot{2}41\dot{0}>3.241$이다.

따라서 $-3.24\dot{1}<-3.\dot{2}4\dot{1}<-3.2\dot{4}\dot{1}<-3.\dot{2}41\dot{0}<-3.241$

이므로 가장 큰 수는 -3.241, 가장 작은 수는 $-3.24\dot{1}$이다.

4　$\dfrac{2}{7}=0.\dot{2}8571\dot{4}$에서 순환마디는 285714이고, 순환마디를 이루는 숫자의 개수는 6개이다.

이때 $50=6\times8+2$이므로 소수점 아래 50번째 자리의 숫자는 순환마디 285714의 2번째 숫자인 8이다.

5　$\dfrac{3}{40}=\dfrac{3}{2^3\times5}=\dfrac{3\times5^2}{2^3\times5\times5^2}=\dfrac{3\times25}{10^3}=\dfrac{75}{1000}=0.075$

$\therefore a=25$, $b=75$, $c=0.075$

6　ㄱ. $-\dfrac{3}{8}=-\dfrac{3}{2^3}$　　ㄴ. $\dfrac{9}{20}=\dfrac{3^2}{2^2\times5}$

ㄷ. $\dfrac{3}{75}=\dfrac{1}{25}=\dfrac{1}{5^2}$　　ㄹ. $\dfrac{21}{3^2\times5\times7}=\dfrac{1}{3\times5}$

ㅁ. $\dfrac{11}{990}=\dfrac{1}{90}=\dfrac{1}{2\times3^2\times5}$

따라서 유한소수로 나타낼 수 있는 것은 분모의 소인수가 2 또는 5뿐인 것이므로 ㄱ, ㄴ, ㄷ이다.

7　$\dfrac{20}{264}=\dfrac{5}{66}=\dfrac{5}{2\times3\times11}$를 유한소수로 나타내려면 분모의 소인수가 2 또는 5뿐이어야 하므로 3과 11의 공배수, 즉 33의 배수를 곱해야 한다.

따라서 곱할 수 있는 가장 작은 세 자리의 자연수는 $132(=33\times4)$이다.

8　$\dfrac{28}{2^2\times5^2\times x}=\dfrac{7}{5^2\times x}$이 순환소수가 되려면 분모에 2 또는 5 이외의 소인수가 있어야 하므로 10 이하의 자연수 중 x의 값이 될 수 있는 수는 3, 6, 7, 9이다.

그런데 $x=7$이면 $\dfrac{7}{5^2\times7}=\dfrac{1}{5^2}$이므로 구하는 자연수 x의 값은 3, 6, 9이다.

9　순환소수 $x=35.2101010\cdots$을 분수로 나타내려면 소수점 아래의 부분이 같은 두 식을 만들어야 한다.

$\begin{array}{r}1000x=35210.101010\cdots\\[-2pt]-)\quad 10x=\quad\ \ 352.101010\cdots\\\hline 990x=34858\end{array}$　$\therefore x=\dfrac{34858}{990}=\dfrac{17429}{495}$

따라서 가장 편리한 식은 ② $1000x-10x$이다.

10　$0.\dot{2}\dot{5}=2.5\times a$에서 $\dfrac{25}{99}=\dfrac{25}{10}\times a$　$\therefore a=\dfrac{25}{99}\times\dfrac{10}{25}=\dfrac{10}{99}$

$0.\dot{8}\dot{3}=83\times b$에서 $\dfrac{83}{99}=83\times b$　$\therefore b=\dfrac{83}{99}\times\dfrac{1}{83}=\dfrac{1}{99}$

$\therefore a+b=\dfrac{10}{99}+\dfrac{1}{99}=\dfrac{11}{99}=\dfrac{1}{9}$

11　$x+0.4\dot{3}=\dfrac{22}{45}$에서 $x+\dfrac{43-4}{90}=\dfrac{22}{45}$이므로

$x=\dfrac{22}{45}-\dfrac{39}{90}=\dfrac{44}{90}-\dfrac{39}{90}=\dfrac{5}{90}=0.0\dot{5}$

12　① 순환소수가 아닌 무한소수는 유리수가 아니다.

② 모든 순환소수는 분수로 나타낼 수 있다.

③ 순환소수는 모두 유리수이다.

따라서 옳은 것은 ④, ⑤이다.

---

1 ④　　**2** 18　　**3** 24　　**4** 276　　**5** 6

6 정칠각형, 정십팔각형　　**7** 16개　　**8** 7개

9 19개　　**10** 5, 8　　**11** 30　　**12** 882　　**13** $\dfrac{2}{11}$

14 ③　　**15** $\dfrac{655}{3333}$　　**16** 12　　**17** $0.5\dot{2}$　　**18** ㄱ, ㄴ

19 $0.5\dot{6}$　　**20** 91　　**21** 5　　**22** 8　　**23** 22

24 ⑤　　**25** ①, ④　　**26** ㄷ　　**27** 22개　　**28** 8

1 주권이의 방어율은 $\dfrac{8}{10}=0.8$, 세영이의 방어율은 $\dfrac{4}{9}=0.\dot{4}$,

현우의 방어율은 $\dfrac{5}{6}=0.8\dot{3}$이다.

④ 방어율이 가장 높은 선수는 현우이다.

2 주어진 분수의 분모는 222, 111, 259의 공약수이다.

이때 $222=2\times3\times37$, $111=3\times37$, $259=7\times37$이므로 주어진 분수의 분모는 37이다.

$\therefore \dfrac{236}{37}=6.378378378\cdots=6.\dot{3}7\dot{8}$

따라서 순환마디를 이루는 숫자는 3, 7, 8이므로 구하는 합은 $3+7+8=18$

3 순환소수 $0.\dot{a}b\dot{c}$의 순환마디는 abc이고, 순환마디를 이루는 숫자의 개수는 3개이다.

이때 $20=3\times6+2$이므로 순환마디의 2번째 숫자인 b는 소수점 아래 20번째 자리의 숫자와 같은 1이다.

$\therefore b=1$

또 $60=3\times20$이므로 순환마디의 3번째 숫자인 c는 소수점 아래 60번째 자리의 숫자와 같은 6이다.

$\therefore c=6$

또 $70=3\times23+1$이므로 순환마디의 1번째 숫자인 a는 소수점 아래 70번째 자리의 숫자와 같은 4이다.

$\therefore a=4$

$\therefore a+2b+3c=4+2\times1+3\times6=24$

4 $\dfrac{100}{13}=7.\dot{6}9230\dot{7}$이므로 순환마디는 692307이고, 순환마디를 이루는 숫자의 개수는 6개이다.

따라서 $61=6\times10+1$이므로 소수점 아래 첫째 자리의 숫자부터 소수점 아래 61번째 자리의 숫자까지의 합은

$(6+9+2+3+0+7)\times10+6=276$

5 $\dfrac{11}{18}=0.6\dot{1}$이므로 $a_1=6$, $a_2=a_3=a_4=\cdots=a_{30}=1$

$\therefore a_1a_2a_3\cdots a_{30}=6\times\underbrace{1\times1\times\cdots\times1}_{29개}=6$

6 각 도형의 둘레의 길이는 $\dfrac{75}{5}=15$(m)이므로

정육각형의 한 변의 길이는 $\dfrac{15}{6}=\dfrac{5}{2}$(m)

정칠각형의 한 변의 길이는 $\dfrac{15}{7}$ m

정십이각형의 한 변의 길이는 $\dfrac{15}{12}=\dfrac{5}{4}=\dfrac{5}{2^2}$(m)

정십육각형의 한 변의 길이는 $\dfrac{15}{16}=\dfrac{15}{2^4}$(m)

정십팔각형의 한 변의 길이는 $\dfrac{15}{18}=\dfrac{5}{6}=\dfrac{5}{2\times3}$(m)

따라서 한 변의 길이를 유한소수로 나타낼 수 없는 것은 정칠각형, 정십팔각형이다.

7

일	월	화	수	목	금	토	
1	2	3	4	5	6	7	←①
8	9	10	11	12	13	14	←②
15	16	17	18	19	20	21	
22	23	24	25	26	27	28	←③
29	30						←④

위의 그림에서 소수로 나타내면 순환소수가 되는 분수는

①에서 7개의 분수 중 $\dfrac{2}{9}$, $\dfrac{4}{11}$, $\dfrac{5}{12}$, $\dfrac{6}{13}$의 4개,

②에서 7개의 분수 중 $\dfrac{8}{15}$, $\dfrac{10}{17}$, $\dfrac{11}{18}$, $\dfrac{12}{19}$, $\dfrac{14}{21}$의 5개,

③에서 7개의 분수 중 $\dfrac{15}{22}$, $\dfrac{16}{23}$, $\dfrac{17}{24}$, $\dfrac{19}{26}$, $\dfrac{20}{27}$의 5개,

④에서 2개의 분수 중 $\dfrac{22}{29}$, $\dfrac{23}{30}$의 2개이다.

따라서 구하는 분수의 개수는 $4+5+5+2=16$(개)

8 $\dfrac{3}{30}<\dfrac{1}{9}<\dfrac{4}{30}$이고 $\dfrac{9}{10}=\dfrac{27}{30}$이므로 $\dfrac{1}{9}$과 $\dfrac{9}{10}$ 사이에 있는 분모가 30인 분수는 분자가 4 이상 27 미만이어야 한다.

이 분수를 유한소수로 나타낼 수 있으려면 분자가 3의 배수이어야 하므로 구하는 분수는 $\dfrac{6}{30}$, $\dfrac{9}{30}$, $\dfrac{12}{30}$, $\dfrac{15}{30}$, $\dfrac{18}{30}$, $\dfrac{21}{30}$,

$\dfrac{24}{30}$의 7개이다.

9 $\dfrac{27}{560}\times a=\dfrac{3^3\times a}{2^4\times5\times7}$, $\dfrac{32}{525}\times a=\dfrac{2^5\times a}{3\times5^2\times7}$를 모두 유한소수로 나타낼 수 있으려면 a는 3과 7의 공배수, 즉 21의 배수이어야 한다.

따라서 500보다 작은 21의 배수는 23개, 100보다 작은 21의 배수는 4개이므로 500보다 작은 세 자리의 자연수 a의 개수는 $23-4=19$(개)

10 $\dfrac{1044}{29x}=\dfrac{36}{x}=\dfrac{2^2\times3^2}{x}$을 유한소수로 나타낼 수 있으려면 x는 소인수가 2나 5뿐인 수 또는 9의 약수 또는 이들의 곱으로 이루어진 수이어야 한다.

이를 만족시키는 한 자리의 자연수 x의 값은 1, 2, 3, 4, 5, 6, 8, 9이다.

이때 x가 1, 2, 3, 4, 6, 9이면 주어진 수가 자연수가 된다.

따라서 구하는 x의 값은 5, 8이다.

11 $\dfrac{a}{175}=\dfrac{a}{5^2\times7}$를 유한소수로 나타낼 수 있으려면 a는 7의 배수이어야 한다.

이때 $20<a<40$이므로 $a=21$, 28, 35

(i) $a=21$일 때, $\dfrac{21}{5^2\times7}=\dfrac{3}{25}\neq\dfrac{1}{b}$

(ii) $a=28$일 때, $\dfrac{28}{5^2\times7}=\dfrac{4}{25}\neq\dfrac{1}{b}$

(iii) $a=35$일 때, $\dfrac{35}{5^2\times7}=\dfrac{1}{5}=\dfrac{1}{b}$

따라서 (i)~(iii)에 의해 $a=35$, $b=5$이므로

$a-b=35-5=30$

12 $\dfrac{a}{120}=\dfrac{a}{2^3\times3\times5}$ 이므로 ㈎에서 a는 3의 배수가 아니어야 한다.

㈏에서 a는 7의 배수인 세 자리의 자연수이므로 이를 만족시키는 가장 큰 수는 $7\times142=994$, 가장 작은 수는 $7\times16=112$이다.

따라서 구하는 두 수의 차는 $994-112=882$

13 $\dfrac{9}{11}=0.818181\cdots=0.\dot8\dot1=0.\dot a\dot b$ 이므로 $a=8$, $b=1$

$\therefore 0.\dot b\dot a=0.\dot1\dot8=\dfrac{18}{99}=\dfrac{2}{11}$

14 $0.2\dot6=0.262626\cdots$, $\dfrac{3}{10}=0.3$, $\dfrac{4}{11}=0.363636\cdots$,

$0.2\dot6=0.2666\cdots$ 이므로

$0.2\dot6<0.\dot2\dot6<\dfrac{3}{10}<\dfrac{4}{11}$

따라서 가장 큰 수는 $\dfrac{4}{11}$이고, 가장 작은 수는 $0.2\dot6$이므로

두 수의 차는 $\dfrac{4}{11}-0.\dot2\dot6=\dfrac{36}{99}-\dfrac{26}{99}=\dfrac{10}{99}=0.\dot1\dot0$

15 주어진 악보의 각 음에 대응하는 수는 오른쪽 그림과 같다.

이때 구하는 기약분수는 0보다 크고 1보다 작으므로

$0.\dot1965\dot=\dfrac{1965}{9999}=\dfrac{655}{3333}$

레 미 시 라
1 9 6 5

16 $\dfrac{90}{11}\times\left(\dfrac{1}{100}+\dfrac{1}{1000}+\dfrac{1}{10000}+\cdots\right)$

$=\dfrac{90}{11}\times(0.01+0.001+0.0001+\cdots)$

$=\dfrac{90}{11}\times0.0111\cdots=\dfrac{90}{11}\times0.0\dot1=\dfrac{90}{11}\times\dfrac{1}{90}=\dfrac{1}{11}$

이므로 $\dfrac{a}{b}=\dfrac{1}{11}$ 에서 $a=1$, $b=11$

$\therefore a+b=1+11=12$

17 지우는 분자를 제대로 보았고, 준영이는 분모를 제대로 보았다.

$0.\dot4\dot7=\dfrac{47}{99}$ 이므로 처음 기약분수의 분자는 47이다.

$0.7\dot4=\dfrac{74-7}{90}=\dfrac{67}{90}$ 이므로 처음 기약분수의 분모는 90이다.

따라서 처음 기약분수는 $\dfrac{47}{90}$ 이므로 $\dfrac{47}{90}=0.5222\cdots=0.5\dot2$

18 ㄱ. $x=9$일 때, $\dfrac{9}{33}=0.2\dot7$ 이므로 $y=2+7=9$

ㄴ. $\dfrac{x}{33}=\dfrac{3x}{99}$ 에서 분자는 11의 배수가 아니고 분모는 99이므로 순환소수로 나타내면 순환마디를 이루는 숫자의 개수는 항상 2개이다.

ㄷ. $x=1$일 때, $\dfrac{1}{33}=0.\dot0\dot3$ 이므로 $y=0+3=3$

즉, y의 값이 항상 9의 배수인 것은 아니다.

따라서 옳은 것은 ㄱ, ㄴ이다.

19 $0.\dot3\dot4=34\times a$ 에서 $\dfrac{34}{99}=34\times a$ 이므로 $a=\dfrac{1}{99}$

$\dfrac{17}{30}=b+0.0\dot1$ 에서 $\dfrac{17}{30}=b+\dfrac{1}{90}$ 이므로

$b=\dfrac{17}{30}-\dfrac{1}{90}=\dfrac{50}{90}=\dfrac{5}{9}$

$\therefore a+b=\dfrac{1}{99}+\dfrac{5}{9}=\dfrac{56}{99}=0.\dot5\dot6$

20 $2.\dot4\times\dfrac{a}{b}=(0.\dot4)^2$ 에서 $\dfrac{24-2}{9}\times\dfrac{a}{b}=\left(\dfrac{4}{9}\right)^2$

$\dfrac{22}{9}\times\dfrac{a}{b}=\dfrac{16}{81}$, $\dfrac{a}{b}=\dfrac{16}{81}\times\dfrac{9}{22}=\dfrac{8}{99}$

따라서 $a=8$, $b=99$이므로 $b-a=99-8=91$

21 $5.\dot8x-5.8x=0.\dot4$ 이므로 $\dfrac{58-5}{9}x-\dfrac{58}{10}x=\dfrac{4}{9}$

$\dfrac{53}{9}x-\dfrac{58}{10}x=\dfrac{4}{9}$, $530x-522x=40$

$8x=40$ $\therefore x=5$

22 $0.3\dot a=\dfrac{(30+a)-3}{90}=\dfrac{27+a}{90}$ 이므로

$\dfrac{27+a}{90}=\dfrac{a-1}{18}$, $27+a=5a-5$

$4a=32$ $\therefore a=8$

23 $0.\dot a=\dfrac{a}{9}$ 이므로 $\dfrac{1}{6}<\left(\dfrac{a}{9}\right)^2<\dfrac{3}{4}$, $\dfrac{1}{6}<\dfrac{a^2}{81}<\dfrac{3}{4}$

$\dfrac{27}{2}<a^2<\dfrac{243}{4}$ $\therefore 13.5<a^2<60.75$

따라서 한 자리의 자연수 a의 값은 4, 5, 6, 7이므로 구하는 합은

$4+5+6+7=22$

24 $0.53\dot=\dfrac{53-5}{90}=\dfrac{48}{90}=\dfrac{8}{15}=\dfrac{2^3}{15}$ 이므로 자연수 a는

$15\times2\times(자연수)^2$의 꼴이어야 한다.

따라서 a의 값이 될 수 있는 것은 ⑤ $120(=15\times2\times2^2)$이다.

25 ② 순환소수가 아닌 무한소수는 분수로 나타낼 수 없다.

③ $1.\dot5=\dfrac{15-1}{9}=\dfrac{14}{9}$

④ 기약분수 $\dfrac{1}{3}$은 $\dfrac{1}{3}=0.333\cdots$ 이므로 유한소수로 나타낼 수 없다.

⑤ $0.\dot3=\dfrac{3}{9}=\dfrac{1}{3}$, $0.0\dot3=\dfrac{3}{90}=\dfrac{1}{30}$ 이므로 $0.\dot3$과 $0.0\dot3$을 기약분수로 나타내면 그 분모는 서로 다르다.

따라서 옳은 것은 ①, ④이다.

26 길잡이 a, b, c, d에 적당한 수를 대입하여 유한소수로 나타낼 수 있는 경우가 있는지 생각한다.

ㄱ. $a=\dfrac{3}{2}$, $c=\dfrac{1}{3}$일 때, $ac=\dfrac{3}{2}\times\dfrac{1}{3}=\dfrac{1}{2}(=0.5)$

ㄴ. $c=\dfrac{7}{3}$, $d=\dfrac{3}{14}$일 때, $cd=\dfrac{7}{3}\times\dfrac{3}{14}=\dfrac{1}{2}(=0.5)$

ㄷ. $a=\dfrac{1}{2}$, $c=\dfrac{1}{3}$일 때, $a=0.5$, $c=0.\dot{3}$이므로

$a+c=0.5+0.333\cdots=0.8333\cdots=0.8\dot{3}$

이와 같이 순환소수에 어떤 유한소수를 더해도 순환마디는 존재하므로 $a+c$를 소수로 나타내면 항상 순환소수가 된다.

ㄹ. $c=\dfrac{1}{3}$, $d=\dfrac{1}{6}$일 때, $c+d=\dfrac{1}{3}+\dfrac{1}{6}=\dfrac{1}{2}(=0.5)$

따라서 항상 순환소수가 되는 것은 ㄷ이다.

27 길잡이 $\dfrac{\square}{\square}$ 꼴의 분수로 가능한 경우를 모두 찾고, 그에 따른 $\dfrac{\square}{\square\square}$ 꼴의 분수를 생각한다.

순환소수로 나타낼 수 있는 분수는 분모에 2 또는 5 이외의 소인수가 있어야 하므로 1부터 5까지의 자연수 중 $\dfrac{\square}{\square}$ 꼴의 분수에서 분모가 될 수 있는 수는 3뿐이다.

(i) $\dfrac{\square}{\square}$ 꼴이 $\dfrac{1}{3}$일 때

남은 세 수 2, 4, 5 중 $\dfrac{\square}{\square\square}$ 꼴의 분모가 될 수 있는 수는 24, 42, 45, 52, 54의 5개이다.

(ii) $\dfrac{\square}{\square}$ 꼴이 $\dfrac{2}{3}$일 때

남은 세 수 1, 4, 5 중 $\dfrac{\square}{\square\square}$ 꼴의 분모가 될 수 있는 수는 14, 15, 41, 45, 51, 54의 6개이다.

(iii) $\dfrac{\square}{\square}$ 꼴이 $\dfrac{4}{3}$일 때

남은 세 수 1, 2, 5 중 $\dfrac{\square}{\square\square}$ 꼴의 분모가 될 수 있는 수는 12, 15, 21, 51, 52의 5개이다.

(iv) $\dfrac{\square}{\square}$ 꼴이 $\dfrac{5}{3}$일 때

남은 세 수 1, 2, 4 중 $\dfrac{\square}{\square\square}$ 꼴의 분모가 될 수 있는 수는 12, 14, 21, 24, 41, 42의 6개이다.

따라서 (ⅰ)~(ⅳ)에 의해 두 분수의 순서쌍 $\left(\dfrac{\square}{\square},\ \dfrac{\square}{\square\square}\right)$는 모두 $5+6+5+6=22$(개)이다.

28 길잡이 세 기약분수 $\dfrac{n}{11}$, $\dfrac{n}{55}$, $\dfrac{n}{909}$의 분모를 각각 연속하는 9와 0으로 이루어진 적당한 수로 나타낸다.

$\dfrac{n}{11}=\dfrac{9n}{99}$이므로 $a=2$

$\dfrac{n}{55}=\dfrac{18n}{990}$이므로 $b=2$

$\dfrac{n}{909}=\dfrac{11n}{9999}$이므로 $c=4$

$\therefore a+b+c=2+2+4=8$

4 • 정답과 해설

P. 16~17 내신 **1%** 뛰어넘기

01 1　　**02** 11개　　**03** ⑤　　**04** 5개　　**05** 396
06 $(4, 5)$, $(4, 6)$, $(4, 7)$

01 길잡이 1^2, 2^2, 3^2, $\cdots$의 일의 자리의 숫자를 각각 구하여 a_1, a_2, a_3, $\cdots$의 값을 찾는다.

$a_1=1$, $a_2=4$, $a_3=9$, $a_4=6$, $a_5=5$, $a_6=6$, $a_7=9$, $a_8=4$, $a_9=1$, $a_{10}=0$, $a_{11}=1$, $a_{12}=4$, $a_{13}=9$, $\cdots$이므로 무한소수 $0.a_1a_2a_3\cdots$는 순환마디가 1496569410이고, 순환마디를 이루는 숫자의 개수가 10개인 순환소수이다.

따라서 $2019=10\times201+9$이므로 소수점 아래 2019번째 자리의 숫자는 순환마디 1496569410의 9번째 숫자인 1이다.

02 길잡이 $\dfrac{1}{3}<\dfrac{39}{n}<\dfrac{4}{5}$에서 분자를 같은 수로 만들고 분모의 크기를 비교한다.

$\dfrac{39}{n}$를 유한소수로 나타낼 수 있으려면 n은 소인수가 2나 5뿐인 수 또는 39의 약수 또는 이들의 곱으로 이루어진 수이어야 한다.

$\dfrac{1}{3}<\dfrac{39}{n}<\dfrac{4}{5}$에서 $\dfrac{156}{468}<\dfrac{156}{4n}<\dfrac{156}{195}$이므로

$195<4n<468$　$\therefore 48.75<n<117$

따라서 n의 값이 될 수 있는 수는

$2\times5^2(=50)$, $2^2\times13(=52)$, $2^2\times3\times5(=60)$, $2^6(=64)$, $5\times13(=65)$, $3\times5^2(=75)$, $2\times3\times13(=78)$, $2^4\times5(=80)$, $2^5\times3(=96)$, $2^2\times5^2(=100)$, $2^3\times13(=104)$의 11개이다.

03 길잡이 점 A_n의 좌표를 구하여 소수로 나타낸다.

주어진 방법으로 점이 계속 오른쪽 방향으로 이동할 때 점 A_n의 좌표는

$A_n\left(\dfrac{3}{10}+\dfrac{3}{10^2}+\dfrac{3}{10^3}+\cdots+\dfrac{3}{10^n}\right)$

즉, $A_n(\underbrace{0.333\cdots3}_{n개})$

따라서 가까워지는 점에 대응하는 수는

$0.333\cdots=0.\dot{3}=\dfrac{1}{3}$

04 길잡이 $0.\dot{x}y\dot{z}=\dfrac{xyz}{999}$임을 생각한다.

주어진 조건을 만족시키는 순환소수 a는 분모가 999인 분수로 나타낼 수 있다.

$0<a<1$이므로 a를 기약분수로 나타낼 때, 분모가 될 수 있는 수는 1을 제외한 999의 약수인 3, 9, 27, 37, 111, 333, 999이다.

이때 분모가 3, 9인 기약분수는 순환마디를 이루는 숫자의 개수가 1개이므로 ㈏를 만족시키지 않는다.

따라서 구하는 수는 27, 37, 111, 333, 999의 5개이다.

05 길잡이 $0.\dot{1}+0.\dot{2}+0.\dot{3}+\cdots+0.\dot{8}$의 값을 먼저 구한 후 a_1, a_2, a_3, $\cdots$, a_9의 값을 각각 구한다.

$$0.\dot{1}+0.\dot{2}+0.\dot{3}+\cdots+0.\dot{8}=\frac{1}{9}+\frac{2}{9}+\frac{3}{9}+\cdots+\frac{8}{9}$$
$$=\frac{36}{9}=4 \qquad \cdots \text{㉠}$$

이때 a_1, a_2, a_3, $\cdots$, a_9의 값은

$a_1=1.\dot{1}+1.\dot{2}+1.\dot{3}+\cdots+1.\dot{8}$
$\quad=(1+0.\dot{1})+(1+0.\dot{2})+(1+0.\dot{3})+\cdots+(1+0.\dot{8})$
$\quad=(1+1+1+\cdots+1)+(0.\dot{1}+0.\dot{2}+0.\dot{3}+\cdots+0.\dot{8})$
$\quad=1\times 8+4 \quad (\because \text{㉠})$

$a_2=2.\dot{1}+2.\dot{2}+2.\dot{3}+\cdots+2.\dot{8}$
$\quad=(2+0.\dot{1})+(2+0.\dot{2})+(2+0.\dot{3})+\cdots+(2+0.\dot{8})$
$\quad=(2+2+2+\cdots+2)+(0.\dot{1}+0.\dot{2}+0.\dot{3}+\cdots+0.\dot{8})$
$\quad=2\times 8+4 \quad (\because \text{㉠})$

$a_3=3.\dot{1}+3.\dot{2}+3.\dot{3}+\cdots+3.\dot{8}$
$\quad=(3+0.\dot{1})+(3+0.\dot{2})+(3+0.\dot{3})+\cdots+(3+0.\dot{8})$
$\quad=(3+3+3+\cdots+3)+(0.\dot{1}+0.\dot{2}+0.\dot{3}+\cdots+0.\dot{8})$
$\quad=3\times 8+4 \quad (\because \text{㉠})$
$\qquad\qquad\vdots$

$a_9=9.\dot{1}+9.\dot{2}+9.\dot{3}+\cdots+9.\dot{8}$
$\quad=(9+0.\dot{1})+(9+0.\dot{2})+(9+0.\dot{3})+\cdots+(9+0.\dot{8})$
$\quad=(9+9+9+\cdots+9)+(0.\dot{1}+0.\dot{2}+0.\dot{3}+\cdots+0.\dot{8})$
$\quad=9\times 8+4 \quad (\because \text{㉠})$

$\therefore a_1+a_2+a_3+\cdots+a_9$
$\quad=(1\times 8+4)+(2\times 8+4)+(3\times 8+4)$
$\qquad\qquad\qquad\qquad\qquad\qquad +\cdots+(9\times 8+4)$
$\quad=(1+2+3+\cdots+9)\times 8+4\times 9$
$\quad=45\times 8+4\times 9$
$\quad=396$

06 길잡이 $0.x\dot{y}=\dfrac{10x+y-x}{90}$, $0.\dot{x}\dot{y}=\dfrac{10x+y}{99}$임을 이용한다.

㈎에서 $\dfrac{3}{9}<\dfrac{10a+2-a}{90}<\dfrac{45-4}{90}$

$\dfrac{30}{90}<\dfrac{9a+2}{90}<\dfrac{41}{90}$, $30<9a+2<41$, $28<9a<39$

$3.\dot{1}<a<4.\dot{3}$ $\quad\therefore a=4$

㈏에서 $\dfrac{4}{9}<\dfrac{10a+b}{99}<\dfrac{16}{33}$

$\dfrac{44}{99}<\dfrac{10a+b}{99}<\dfrac{48}{99}$, $44<10a+b<48$

이때 $a=4$이므로 $44<40+b<48$

$4<b<8$ $\quad\therefore b=5, 6, 7$

따라서 순서쌍 (a, b)는 $(4, 5)$, $(4, 6)$, $(4, 7)$이다.

---

2. 식의 계산

P. 20~22 개념+ 대표 문제 확인하기

1 ③, ④	**2** 4	**3** 1	**4** 2	**5** ④
6 5, 6, 7	**7** ④	**8** $x=2$, $y=3$		**9** $64xy^{18}$
10 24	**11** $\frac{1}{2}ab^2$	**12** $\dfrac{a^2}{6b^2}$	**13** $\frac{1}{8}$	**14** $2x-y$
15 $-2x^2+10x-11$		**16** $-9a^2+8a^2b$		**17** -5
18 ⑤		**19** $4x^2+3xy-y^2$		

1 ① $a^2\times a^3\times a^4=a^{2+3+4}=a^9$
② $\{(b^2)^3\}^2=(b^6)^2=b^{12}$
③ $x^6\div x^3\div x^2=x^3\div x^2=x$
④ $\{(-2xy^2)^2\}^3=(4x^2y^4)^3=64x^6y^{12}$
⑤ $n^3\div n^5\times n^2=\dfrac{1}{n^2}\times n^2=1$
따라서 옳은 것은 ③, ④이다.

2 $(a^4)^2\div a^6\div a=a^8\div a^6\div a=a^2\div a=a=a^p$에서 $p=1$
$b^7\div b^4\div b^q=b^3\div b^q=1$에서 $q=3$
$\therefore p+q=1+3=4$

3 $\left(\dfrac{aw^3}{x^2y^bz^c}\right)^4=\dfrac{a^4w^{12}}{x^8y^{4b}z^{4c}}=\dfrac{81w^{12}}{x^dy^{16}z^8}$에서
$a^4=81$, $8=d$, $4b=16$, $4c=8$이므로
$a=3(\because a>0)$, $b=4$, $c=2$, $d=8$
$\therefore a+b+c-d=3+4+2-8=1$

4 $4^x+4^x+4^x+4^x=4\times 4^x=4^{1+x}=(2^2)^{1+x}=2^{2(x+1)}=2^{2x+2}$
즉, $2^{2x+2}=2^6$에서 $2x+2=6$ $\quad\therefore x=2$

5 $8a=2^{x+4}=2^x\times 2^4=2^x\times 16$ $\quad\therefore 2^x=\dfrac{8a}{16}=\dfrac{a}{2}$
$\therefore 16^x=(2^4)^x=(2^x)^4=\left(\dfrac{a}{2}\right)^4=\dfrac{a^4}{16}$

6 각 항의 지수를 10으로 같게 하면
$(2^2)^{10}<x^{10}<(2^3)^{10}$, $4^{10}<x^{10}<8^{10}$
이때 지수가 같으면 밑이 큰 수가 더 크므로 $4<x<8$
이를 만족시키는 자연수 x의 값은 5, 6, 7이다.

7 ㄱ. $4x\times(-2xy)=-8x^2y$
ㄴ. $2a^3b\div(-2a^2b^4)=\dfrac{2a^3b}{-2a^2b^4}=-\dfrac{a}{b^3}$
ㄷ. $3xy\times(-2x^2y)\div(-6xy^2)=\dfrac{-6x^3y^2}{-6xy^2}=x^2$
따라서 옳은 것은 ㄱ, ㄷ이다.

8 (좌변)$=81a^{14}b^{2x}\div a^{4y}b^{12}=\dfrac{81a^{14}b^{2x}}{a^{4y}b^{12}}$에서
$\dfrac{81a^{14}b^{2x}}{a^{4y}b^{12}}=\dfrac{81a^2}{b^8}$이므로 $14-4y=2$, $12-2x=8$
$\therefore x=2$, $y=3$

9 $(-4xy^3)^2 \div \left(\dfrac{x}{y^2}\right)^3 \times (-2xy^3)^2$

$=16x^2y^6 \div \dfrac{x^3}{y^6} \times 4x^2y^6 = 16x^2y^6 \times \dfrac{y^6}{x^3} \times 4x^2y^6 = 64xy^{18}$

10 $-4a^2 \div (-3ab^4) \times (3a^2b)^2 = \dfrac{-4a^2}{-3ab^4} \times 9a^4b^2 = \dfrac{12a^5}{b^2}$

$a=2$, $b=-4$를 $\dfrac{12a^5}{b^2}$에 대입하면 $\dfrac{12 \times 2^5}{(-4)^2} = \dfrac{12 \times 32}{16} = 24$

참고 주어진 식을 먼저 간단히 한 후 $a=2$, $b=-4$를 대입하는
것이 편리하다.

11 $-2a^3b^5 \times (-8a^3) \times \dfrac{1}{\boxed{}} \times \dfrac{1}{4a^3b^2} = 8a^2b$

$\therefore \boxed{} = -2a^3b^5 \times (-8a^3) \times \dfrac{1}{4a^3b^2} \div 8a^2b$

$= -2a^3b^5 \times (-8a^3) \times \dfrac{1}{4a^3b^2} \times \dfrac{1}{8a^2b} = \dfrac{1}{2}ab^2$

12 (사각기둥의 부피)$=2a \times 3ab \times a^2b = 6a^4b^2$
(원기둥의 부피)$=36a^2b^4 \times$ (높이)
이때 두 도형의 부피가 서로 같으므로
$6a^4b^2 = 36a^2b^4 \times$ (높이) $\qquad \therefore$ (높이)$=\dfrac{6a^4b^2}{36a^2b^4} = \dfrac{a^2}{6b^2}$

13 (좌변)$=\dfrac{1}{3}x - \dfrac{3}{2}y - \dfrac{1}{6}x + \dfrac{9}{4}y = \dfrac{1}{6}x + \dfrac{3}{4}y$

따라서 $a=\dfrac{1}{6}$, $b=\dfrac{3}{4}$이므로 $ab = \dfrac{1}{6} \times \dfrac{3}{4} = \dfrac{1}{8}$

14 $-2x + 3y - [x + 2 - \{5x - (y-2)\} + 3y]$
$= -2x + 3y - \{x + 2 - (5x - y + 2) + 3y\}$
$= -2x + 3y - (x + 2 - 5x + y - 2 + 3y)$
$= -2x + 3y - (-4x + 4y)$
$= -2x + 3y + 4x - 4y = 2x - y$

15 어떤 식을 A라 하면 $A + (3x^2 - 5x + 2) = 4x^2 - 7$
$\therefore A = 4x^2 - 7 - (3x^2 - 5x + 2) = x^2 + 5x - 9$
따라서 바르게 계산한 식은
$(x^2 + 5x - 9) - (3x^2 - 5x + 2) = -2x^2 + 10x - 11$

16 $-2a(4a - 3ab) - (2a^3 - 4a^3b) \div 2a$
$= -8a^2 + 6a^2b - a^2 + 2a^2b = -9a^2 + 8a^2b$

17 $(3a^2bc + ab^2c - abc^2) \div abc - (ab + 4b^2 - 5bc) \div b$
$= 3a + b - c - (a + 4b - 5c) = 2a - 3b + 4c$
$= 2 \times (-1) - 3 \times 2 + 4 \times \dfrac{3}{4} = -2 - 6 + 3 = -5$

18 $5(A+B) - 3(A - 2B) = 5A + 5B - 3A + 6B$
$\qquad\qquad\qquad\qquad\qquad = 2A + 11B \quad \cdots \ ㉠$
$A = -3x + 2y$, $B = x - 4y$를 ㉠에 대입하면
$2(-3x + 2y) + 11(x - 4y) = -6x + 4y + 11x - 44y$
$\qquad\qquad\qquad\qquad\qquad = 5x - 40y$

19 주어진 원뿔의 높이를 h라 하면
(원뿔의 부피)$=\dfrac{1}{3} \times \pi \times (3x)^2 \times h$
$\qquad\qquad\qquad = 12\pi x^4 + 9\pi x^3 y - 3\pi x^2 y^2$
$3\pi x^2 h = 12\pi x^4 + 9\pi x^3 y - 3\pi x^2 y^2$
$\therefore h = (12\pi x^4 + 9\pi x^3 y - 3\pi x^2 y^2) \div 3\pi x^2 = 4x^2 + 3xy - y^2$
따라서 원뿔의 높이는 $4x^2 + 3xy - y^2$이다.

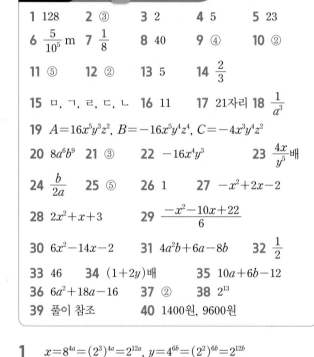

P. 23~29 내신 **5%** 따라잡기

1 128	**2** ③	**3** 2	**4** 5	**5** 23
6 $\dfrac{5}{10^5}$ m	**7** $\dfrac{1}{8}$	**8** 40	**9** ④	**10** ②
11 ⑤	**12** ②	**13** 5	**14** $\dfrac{2}{3}$	
15 ㅁ, ㄱ, ㄹ, ㄷ, ㄴ	**16** 11		**17** 21자리	**18** $\dfrac{1}{a^3}$

19 $A = 16x^5y^3z^2$, $B = -16x^5y^4z^4$, $C = -4x^3y^4z^2$

20 $8a^6b^9$	**21** ③	**22** $-16x^4y^3$	**23** $\dfrac{4x}{y^5}$배
24 $\dfrac{b}{2a}$	**25** ⑤	**26** 1	**27** $-x^2 + 2x - 2$

28 $2x^2 + x + 3$ **29** $\dfrac{-x^2 - 10x + 22}{6}$

30 $6x^2 - 14x - 2$	**31** $4a^2b + 6a - 8b$	**32** $\dfrac{1}{2}$
33 46	**34** $(1 + 2y)$배	**35** $10a + 6b - 12$
36 $6a^2 + 18a - 16$	**37** ②	**38** 2^{13}
39 풀이 참조	**40** 1400원, 9600원	

1 $x = 8^{4a} = (2^3)^{4a} = 2^{12a}$, $y = 4^{6b} = (2^2)^{6b} = 2^{12b}$
$\therefore xy = 2^{12a} \times 2^{12b} = 2^{12a+12b} = 2^{12(a+b)} = 2^{12 \times \frac{7}{12}} = 2^7 = 128$

2 b는 홀수이므로 2를 소인수로 갖지 않고, 4부터 14까지의
홀수를 곱한 것은 2를 소인수로 가질 수 없다.
즉, a는 4부터 14까지의 짝수를 각각 소인수분해하여 곱한
결과에서 2의 거듭제곱의 지수와 같다.
$4 = 2^2$, $6 = 2 \times 3$, $8 = 2^3$, $10 = 2 \times 5$, $12 = 2^2 \times 3$, $14 = 2 \times 7$
이므로 $4 \times 5 \times 6 \times \cdots \times 14 = 2^{2+1+3+1+2+1} \times b = 2^{10} \times b$
$\therefore a = 10$

3 $(-1)^{n-1} \times [(-1)^{2n} + \{(-1)^n\}^{n+1}] \times (-1)^{n-3}$
$= (-1)^{n-1} \times \{(-1)^{\overset{\text{짝수}}{2n}} + (-1)^{\overset{\text{(짝수)} \times \text{(홀수)} = \text{(짝수)}}{n(n+1)}}\} \times (-1)^{n-3}$
$= (-1)^{n-1} \times (1 + 1) \times (-1)^{n-3}$
$= (-1)^{n-1} \times 2 \times (-1)^{\overset{\text{짝수}}{n-3}}$
$= (-1)^{2n-4} \times 2 = (-1)^{\overset{}{2(n-2)}} \times 2 = 1 \times 2 = 2$

참고 양수 a에 대하여 $(-a)^{\text{짝수}} = +a^{\text{짝수}}$, $(-a)^{\text{홀수}} = -a^{\text{홀수}}$

4　$(좌변)=(3\times7)^x\times(2\times3)^4\times(7^2)^{2x+1}$
　　　　$=3^x\times7^x\times2^4\times3^4\times7^{4x+2}=2^4\times3^{x+4}\times7^{5x+2}$
　　$(우변)=7^{4x+7}\times2^4\times3^{x+4}$
　　$7^{5x+2}=7^{4x+7}$에서 $5x+2=4x+7$　　$\therefore x=5$

5　$(x^ay^bz^c)^d=x^{ad}y^{bd}z^{cd}=x^{18}y^{54}z^{30}$이므로
　　$ad=18,\ bd=54,\ cd=30$
　　이를 만족시키는 가장 큰 자연수 d는 18, 54, 30의 최대공
　　약수인 6이므로 $a=3,\ b=9,\ c=5$
　　$\therefore a+b+c+d=3+9+5+6=23$

6　$1\,\mathrm{nm}=\dfrac{1}{10^9}\,\mathrm{m}$이므로
　　$1\,\mu\mathrm{m}=10^3\times1\,\mathrm{nm}=10^3\times\dfrac{1}{10^9}\,\mathrm{m}=\dfrac{1}{10^6}\,\mathrm{m}$
　　$\therefore 50\,\mu\mathrm{m}=50\times\dfrac{1}{10^6}\,\mathrm{m}=5\times10\times\dfrac{1}{10^6}\,\mathrm{m}=\dfrac{5}{10^5}\,\mathrm{m}$

7　$4^4=(2^2)^4=2^8,\ 9^5=(3^2)^5=3^{10},\ 16^2=(2^4)^2=2^8,$
　　$27^3=(3^3)^3=3^9$이므로
　　$(주어진 식)=\dfrac{2^8+2^8}{3^{10}+3^{10}+3^{10}+3^{10}}\div\dfrac{2^8+2^8+2^8+2^8}{3^9+3^9+3^9}$
　　　　　　　$=\dfrac{2\times2^8}{4\times3^{10}}\times\dfrac{3\times3^9}{4\times2^8}=\dfrac{1}{8}$

8　주어진 식의 모든 항을 2의 거듭제곱으로 나타내면
　　$(2^2)^{21}+(2^3)^{14}+2^{n+3}=(2^2)^{22}$
　　$2^{42}+2^{42}+2^{n+3}=2^{44},\ 2\times2^{42}+2^{n+3}=2^{44}$
　　$2^{43}+2^{n+3}=2\times2^{43},\ 2^{n+3}=2^{43}$
　　$n+3=43$　　$\therefore n=40$

9　$2^{x+2}=32$에서 $2^x\times4=32$이므로 $2^x=8$
　　$\therefore \left(\dfrac{1}{8}\right)^x=\left(\dfrac{1}{2^3}\right)^x=\dfrac{1}{2^{3x}}=\dfrac{1}{(2^x)^3}=\dfrac{1}{8^3}=\dfrac{1}{512}$

10　$48^n\div18^n\div4^n\times9^n$
　　$=(2^4\times3)^n\div(2\times3^2)^n\div(2^2)^n\times(3^2)^n$
　　$=\{(2^n)^4\times3^n\}\div\{2^n\times(3^n)^2\}\div(2^n)^2\times(3^n)^2$
　　$=(a^4\times b)\div(a\times b^2)\div a^2\times b^2$
　　$=\dfrac{a^4\times b\times b^2}{a\times b^2\times a^2}=ab$

　　다른 풀이
　　$48^n\div18^n\div4^n\times9^n=\dfrac{48^n\times9^n}{18^n\times4^n}=\left(\dfrac{48\times9}{18\times4}\right)^n=6^n$
　　　　　　　　　　　　　　$=(2\times3)^n=2^n\times3^n=ab$

11　$A=2^{x-1}=\dfrac{2^x}{2}$에서 $2^x=2A$
　　$B=\dfrac{1}{5^{x+1}}$에서 $\dfrac{1}{B}=5^{x+1}=5\times5^x$　　$\therefore 5^x=\dfrac{1}{5B}$
　　$\therefore 100^x=(2^2\times5^2)^x=2^{2x}\times5^{2x}=(2^x)^2\times(5^x)^2$
　　　　　　$=(2A)^2\times\left(\dfrac{1}{5B}\right)^2=\dfrac{4A^2}{25B^2}$

12　$(좌변)=3^{x-1}\times(3\times2^x)=3^x\times2^x=6^x$
　　따라서 $6^x=216=6^3$이므로 $x=3$

13　$2^n\times(3^{n+2}-3^{n+1})=2^n\times(3\times3^{n+1}-3^{n+1})$
　　　　　　　　　　　　$=2^n\times(2\times3^{n+1})$
　　　　　　　　　　　　$=2^{n+1}\times3^{n+1}$
　　약수의 개수가 49개이므로 $(n+2)^2=49=7^2$
　　$n+2=7$　　$\therefore n=5$

14　$(좌변)=5^x\times3^x+5^x\times3^{x+2}=(5\times3)^x+3^2\times(5\times3)^x$
　　　　　　$=15^x+9\times15^x=10\times15^x$
　　$(우변)=a\times15\times15^x=15a\times15^x$
　　즉, $10\times15^x=15a\times15^x$이므로 $10=15a$　　$\therefore a=\dfrac{2}{3}$

15　주어진 수의 지수를 모두 1111로 같게 하면
　　$2^{8888}=(2^8)^{1111}=256^{1111},\ 3^{6666}=(3^6)^{1111}=729^{1111}$
　　$5^{4444}=(5^4)^{1111}=625^{1111},\ 7^{3333}=(7^3)^{1111}=343^{1111}$
　　$9^{2222}=(9^2)^{1111}=81^{1111}$
　　이때 지수가 같으면 밑이 큰 수가 더 크므로
　　$81<256<343<625<729$에서
　　$81^{1111}<256^{1111}<343^{1111}<625^{1111}<729^{1111}$
　　$\therefore 9^{2222}<2^{8888}<7^{3333}<5^{4444}<3^{6666}$
　　따라서 작은 것부터 차례로 나열하면 ㅁ, ㄱ, ㄹ, ㄷ, ㄴ이다.

16　$5^7\times6^2\times8^2=5^7\times(2\times3)^2\times(2^3)^2=5^7\times2^2\times3^2\times2^6$
　　　　　　　　　　$=2^8\times3^2\times5^7=2\times3^2\times(2\times5)^7$
　　　　　　　　　　$=18\times10^7$
　　이므로 n의 값이 최대일 때, $a=18,\ n=7$
　　$\therefore a-n=18-7=11$

17　$\dfrac{2^{43}\times35^{20}}{14^{20}}=\dfrac{2^{43}\times(5\times7)^{20}}{(2\times7)^{20}}=\dfrac{2^{43}\times5^{20}\times7^{20}}{2^{20}\times7^{20}}$
　　　　　　　　$=2^{23}\times5^{20}=2^3\times2^{20}\times5^{20}=2^3\times(2\times5)^{20}$
　　　　　　　　$=2^3\times10^{20}=8\times10^{20}$
　　따라서 21자리의 자연수이다.
　　참고 주어진 수를 $a\times10^n$의 꼴(단, $a,\ n$은 자연수)로 나타냈을 때,
　　a가 k자리의 자연수이면 주어진 수는 $(k+n)$자리의 수이다.

18　$\left(\dfrac{3}{2}ab^2\right)^4\div(ab^2)^3\div\left(-\dfrac{9}{4}a^2b\right)^2$
　　$=\dfrac{81}{16}a^4b^8\div a^3b^6\div\dfrac{81}{16}a^4b^2$
　　$=\dfrac{81}{16}a^4b^8\times\dfrac{1}{a^3b^6}\times\dfrac{16}{81a^4b^2}=\dfrac{1}{a^3}$

19　$C\div8x^3y^4z^2=-\dfrac{1}{2}$이므로 $C=-\dfrac{1}{2}\times8x^3y^4z^2=-4x^3y^4z^2$
　　$B\div(-2xz)^2=C$이므로
　　$B=C\times(-2xz)^2=-4x^3y^4z^2\times4x^2z^2=-16x^5y^4z^4$
　　$A\times(-yz^2)=B$이므로
　　$A=B\div(-yz^2)=-16x^5y^4z^4\times\dfrac{1}{-yz^2}=16x^5y^3z^2$

20 $A \div \left(-\dfrac{2}{3}a^2b^3\right)=18a^2b^3$이므로

$A=18a^2b^3 \times \left(-\dfrac{2}{3}a^2b^3\right)=-12a^4b^6$

따라서 바르게 계산한 식은 $-12a^4b^6 \times \left(-\dfrac{2}{3}a^2b^3\right)=8a^6b^9$

21 $A^2 \div \dfrac{2}{B^4}=A^2 \times \dfrac{B^4}{2}$

$=\left(-\dfrac{x^2}{2y^2}\right)^2 \times \dfrac{(4x^2y^3)^4}{2}$

$=\dfrac{x^4}{4y^4} \times \dfrac{256x^8y^{12}}{2}=32x^{12}y^8$

22 (주어진 식)$=[3x^4y] \times <-2xy^3> \div [-3x^4y^4]$

$=(3x^4y)^3 \times (-2xy^3)^4 \div (-3x^4y^4)^3$

$=27x^{12}y^3 \times 16x^4y^{12} \times \dfrac{1}{-27x^{12}y^{12}}=-16x^4y^3$

23 (원기둥의 부피)$=\pi \times \left(\dfrac{1}{2} \times 4xy^2\right)^2 \times 36x^4y^3$

$=\pi \times 4x^2y^4 \times 36x^4y^3=144\pi x^6y^7$

(원뿔의 부피)$=\dfrac{1}{3} \times \pi \times \left(\dfrac{1}{2} \times 12x^2y^5\right)^2 \times 3xy^2$

$=\dfrac{1}{3} \times \pi \times 36x^4y^{10} \times 3xy^2=36\pi x^5y^{12}$

따라서 원기둥의 부피는 원뿔의 부피의

$144\pi x^6y^7 \div 36\pi x^5y^{12}=\dfrac{4x}{y^5}$(배)이다.

24 직각삼각형 ABC에서 x축을 회전축으로 하여 1회전 시킬 때 생기는 회전체의 부피 V_1은

$V_1=\dfrac{1}{3} \times \pi \times (4a^2b)^2 \times 2ab^2$

$=\dfrac{1}{3} \times \pi \times 16a^4b^2 \times 2ab^2=\dfrac{32}{3}\pi a^5b^4$

y축을 회전축으로 하여 1회전 시킬 때 생기는 회전체의 부피 V_2는

$V_2=\dfrac{1}{3} \times \pi \times (2ab^2)^2 \times 4a^2b$

$=\dfrac{1}{3} \times \pi \times 4a^2b^4 \times 4a^2b=\dfrac{16}{3}\pi a^4b^5$

$\therefore V_2 \div V_1=\dfrac{16}{3}\pi a^4b^5 \div \dfrac{32}{3}\pi a^5b^4$

$=\dfrac{16}{3}\pi a^4b^5 \times \dfrac{3}{32\pi a^5b^4}=\dfrac{b}{2a}$

25 만들 수 있는 가장 작은 정사각형의 한 변의 길이는 ab^6, a^3b^2의 최소공배수이다.

이때 a, b는 서로소인 자연수이므로 (최소공배수)$=a^3b^6$

따라서 $a^3b^6 \div ab^6=a^2$, $a^3b^6 \div a^3b^2=b^4$이므로 필요한 직사각형의 개수는 $a^2 \times b^4=a^2b^4$(개)이다.

참고 a, b가 서로소이면 a^n, b^n(n은 자연수)도 서로소이다.

26 $P=VI=IR \times I=I^2R$이므로

$P_A=a^2 \times b^4=a^2b^4$, $P_B=(b^2)^2 \times a^2=a^2b^4$

$\therefore \dfrac{P_A}{P_B}=\dfrac{a^2b^4}{a^2b^4}=1$

27 (좌변)$=x-\{2x-(x^2-x-A+3x)\}$

$=x-(2x-x^2-2x+A)=x^2+x-A$

따라서 $x^2+x-A=2x^2-x+2$이므로

$A=x^2+x-(2x^2-x+2)=-x^2+2x-2$

28 $X \odot Y=2X-Y=2(4x^2+7x-4)-(5x^2+20x-13)$

$=8x^2+14x-8-5x^2-20x+13=3x^2-6x+5$

즉, $(3x^2-6x+5)*\boxed{}=7x^2-4x+11$이므로

$3x^2-6x+5+2 \times \boxed{}=7x^2-4x+11$

$2 \times \boxed{}=7x^2-4x+11-(3x^2-6x+5)=4x^2+2x+6$

$\therefore \boxed{}=2x^2+x+3$

29 $(2x^2-x-4)+A=x^2-3x+2$에서

$A=x^2-3x+2-(2x^2-x-4)=-x^2-2x+6$

$(4x^2-3x-1)-2B=2x^2+x-5$에서

$2B=4x^2-3x-1-(2x^2+x-5)=2x^2-4x+4$

$\therefore B=x^2-2x+2$

$\therefore \dfrac{A}{2}+\dfrac{B}{3}=\dfrac{-x^2-2x+6}{2}+\dfrac{x^2-2x+2}{3}$

$=\dfrac{3(-x^2-2x+6)+2(x^2-2x+2)}{6}$

$=\dfrac{-3x^2-6x+18+2x^2-4x+4}{6}$

$=\dfrac{-x^2-10x+22}{6}$

30 $(3x-5) \times 3x-(12x^4y^2-4x^3y^2+8x^2y^2) \div (-2xy)^2$

$=9x^2-15x-(12x^4y^2-4x^3y^2+8x^2y^2) \div 4x^2y^2$

$=9x^2-15x-3x^2+x-2=6x^2-14x-2$

31 어떤 다항식을 A라 하면 $A \times \dfrac{1}{2}a^2b^3=a^6b^7+\dfrac{3}{2}a^5b^6-2a^4b^7$

$\therefore A=\left(a^6b^7+\dfrac{3}{2}a^5b^6-2a^4b^7\right) \div \dfrac{1}{2}a^2b^3$

$=\left(a^6b^7+\dfrac{3}{2}a^5b^6-2a^4b^7\right) \times \dfrac{2}{a^2b^3}$

$=2a^4b^4+3a^3b^3-4a^2b^4$

따라서 바르게 계산한 식은

$(2a^4b^4+3a^3b^3-4a^2b^4) \div \dfrac{1}{2}a^2b^3$

$=(2a^4b^4+3a^3b^3-4a^2b^4) \times \dfrac{2}{a^2b^3}=4a^2b+6a-8b$

32 $a-b-c=0$에서 $a=b+c$, $b=a-c$, $c=a-b$

$\therefore \dfrac{b+c}{a}+\dfrac{c-a}{b}+\dfrac{a-b}{2c}=\dfrac{a}{a}+\dfrac{-b}{b}+\dfrac{c}{2c}$

$=1+(-1)+\dfrac{1}{2}=\dfrac{1}{2}$

33 $x:y=2:3$에서 $\dfrac{y}{x}=\dfrac{3}{2}$, $x:z=2:4$에서 $\dfrac{z}{x}=2$이므로

$4y^3z^2+7y^2z^3+3xy^2z^2 \div \dfrac{1}{2}xy^2z^2$

$=(4y^3z^2+7y^2z^3+3xy^2z^2) \times \dfrac{2}{xy^2z^2}$

$=\dfrac{8y}{x}+\dfrac{14z}{x}+6=8\times\dfrac{3}{2}+14\times 2+6=12+28+6=46$

34 (사다리꼴의 넓이)$=\dfrac{1}{2}\times(x^2y+2x^2y^2)\times xy^2$

$\qquad\qquad\qquad\quad =\dfrac{1}{2}x^3y^3+x^3y^4$

(삼각형의 넓이)$=\dfrac{1}{2}\times xy^2\times x^2y=\dfrac{1}{2}x^3y^3$

$\therefore \left(\dfrac{1}{2}x^3y^3+x^3y^4\right)\div\dfrac{1}{2}x^3y^3=\left(\dfrac{1}{2}x^3y^3+x^3y^4\right)\times\dfrac{2}{x^3y^3}$

$\qquad\qquad\qquad\qquad\qquad\qquad\quad =1+2y(배)$

35 (삼각형 AEF의 넓이)

$=5a\times 2b$

$\quad -\left\{\dfrac{1}{2}\times(5a-6)\times 2b+\dfrac{1}{2}\times 6\times 4+\dfrac{1}{2}\times 5a\times(2b-4)\right\}$

$=10ab-\{(5ab-6b)+12+(5ab-10a)\}$

$=10ab-(10ab-6b+12-10a)=10a+6b-12$

36 주어진 도형의 둘레의 길이는

가로의 길이가 $2a^2+5a-9$, 세로의 길이가

$(4a+1)+(6a-4)+(a+2)=11a-1$인 직사각형의 둘레

의 길이보다 $2(a^2-7a+2)$만큼 더 길다.

따라서 둘레의 길이는

$2(2a^2+5a-9)+2(11a-1)+2(a^2-7a+2)$

$=4a^2+10a-18+22a-2+2a^2-14a+4$

$=6a^2+18a-16$

37 (큰 원기둥의 밑넓이)$=\pi\times(3x)^2=9\pi x^2$이므로

(큰 원기둥의 높이)$=$(부피)$\div$(밑넓이)

$\qquad\qquad\qquad\qquad =(36\pi x^3+9\pi x^2y)\div 9\pi x^2=4x+y$

따라서 주어진 입체도형의 겉넓이는

(큰 원기둥의 겉넓이)$+$(작은 원기둥의 옆넓이)

$=\{9\pi x^2\times 2+2\pi\times 3x\times(4x+y)\}+2\pi x\times(x+2y)$

$=18\pi x^2+24\pi x^2+6\pi xy+2\pi x^2+4\pi xy$

$=44\pi x^2+10\pi xy$

38 길잡이 만들 수 있는 가장 큰 수와 가장 작은 수를 구하기 위해 어떤 수와 연산이 필요한지 생각한다.

거듭제곱 꼴의 수에서 지수가 클수록 그 값은 커지므로 4, 8을 뽑는 경우에 가장 큰 수를 만들 수 있다.

$\therefore$ (만들 수 있는 가장 큰 수)$=4^8=(2^2)^8=2^{16}$

나누어지는 수는 작을수록, 나누는 수는 클수록 그 값은 작아지므로 1, 8을 뽑는 경우에 가장 작은 수를 만들 수 있다.

$\therefore$ (만들 수 있는 가장 작은 수)$=1\div 8=1\div 2^3=\dfrac{1}{2^3}$

따라서 구하는 두 수의 곱은 $2^{16}\times\dfrac{1}{2^3}=2^{13}$

39 길잡이 [그림 1]을 보고 [그림 2]의 가로, 세로, 대각선에 있는 세 단항식의 곱이 모두 같도록 하는 a 또는 b의 지수의 합을 생각한다.

[그림 1]의 가로, 세로, 대각선에 있는 세 수의 합은 15로 일정하므로 [그림 2]의 가로, 세로, 대각선에 있는 세 단항식의 곱이 모두 같으려면 가로, 세로, 대각선에 있는 a 또는 b의 지수의 합이 각각 15가 되어야 한다.

즉, 가로, 세로, 대각선에 있는 세 단항식의 곱이 모두 $a^{15}b^{15}$이 되도록 각 칸에 식을 쓰면 다음 [그림 2]와 같다.

6	1	8
7	5	3
2	9	4

[그림 1]

$\Rightarrow$

a^6	a	a^8
a^7	a^5	a^3
a^2	a^9	a^4

$\Rightarrow$

a^6b^4	ab^9	a^8b^2
a^7b^3	a^5b^5	a^3b^7
a^2b^8	a^9b	a^4b^6

[그림 2]

40 길잡이 원뿔, 원뿔대, 원기둥 모양 각각의 용기의 부피를 구한다.

원뿔 모양의 용기의 밑면의 반지름의 길이를 r, 높이를 h라 하면 소형 컵과 대형 컵 용기는 다음 그림과 같다.

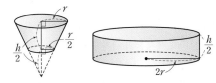

원뿔 모양의 용기의 부피는 $\dfrac{1}{3}\times\pi r^2\times h=\dfrac{1}{3}\pi r^2h$

원뿔대 모양의 소형 컵 용기의 부피는

$\dfrac{1}{3}\times\pi r^2\times h-\dfrac{1}{3}\times\pi\times\left(\dfrac{r}{2}\right)^2\times\dfrac{h}{2}=\dfrac{1}{3}\pi r^2h-\dfrac{1}{24}\pi r^2h$

$\qquad\qquad\qquad\qquad\qquad\qquad\qquad\qquad =\dfrac{7}{24}\pi r^2h$

원기둥 모양의 대형 컵 용기의 부피는

$\pi\times(2r)^2\times\dfrac{h}{2}=2\pi r^2h$

이때 원뿔 모양의 용기에 담긴 아이스크림의 가격은 1600원이고, 소형 컵 용기의 부피는 원뿔 모양의 용기의 부피의

$\dfrac{7}{24}\pi r^2h\div\dfrac{1}{3}\pi r^2h=\dfrac{7}{24}\pi r^2h\times\dfrac{3}{\pi r^2h}=\dfrac{7}{8}(배)$이므로 소형

컵에 담긴 아이스크림의 가격은 $1600\times\dfrac{7}{8}=1400(원)$,

대형 컵 용기의 부피는 원뿔 모양의 용기의 부피의

$2\pi r^2h\div\dfrac{1}{3}\pi r^2h=2\pi r^2h\times\dfrac{3}{\pi r^2h}=6(배)$이므로 대형 컵에

담긴 아이스크림의 가격은 $1600\times 6=9600(원)$이다.

P. 30~31 내신 **1%** 뛰어넘기

01 24 **02** 9가지 **03** ① **04** 11 **05** 24

06 1

01 길잡이 $d^4=(abc)^{24}$에서 a, b를 각각 d를 사용하여 나타낸 후 c, d에 대한 식으로 만든다.

$d=(abc)^6$에서

$d^4=(abc)^{24}=a^{24}b^{24}c^{24}=(a^{12})^2b^{24}c^{24}=d^2dc^{24}=d^3c^{24}$

즉, $d^4=d^3c^{24}$이므로 $d=c^{24}$

$\therefore x=24\ (\because c\neq1)$

02 길잡이 $2^6=4^3=8^2=64^1$에서 지수인 6, 3, 2, 1 사이의 관계를 파악한다.

2^6을 $(2^1)^6=(2^2)^3=(2^3)^2=(2^6)^1$과 같이 나타내면

$1\times6=2\times3=3\times2=6\times1$이므로

서로 다른 a^n의 꼴의 개수는 밑이 소수일 때, 2^6의 지수인 6의 약수의 개수와 같다.

$9^{18}=(3^2)^{18}=3^{36}$에서 $36=2^2\times3^2$이므로 3^{36}의 지수인 36의 약수의 개수는 $(2+1)\times(2+1)=9$(개)이다. 따라서 9^{18}은 모두 9가지의 서로 다른 a^n의 꼴로 나타낼 수 있다.

03 길잡이 복사본의 글자 크기와 처음 종이의 글자 크기 사이의 관계에서 규칙을 찾는다.

7번째 복사본의 글자 크기는 처음 종이의 글자 크기의 2배,

(7×2)번째 복사본의 글자 크기는 처음 종이의 글자 크기의 $2\times2=2^2$(배),

(7×3)번째 복사본의 글자 크기는 처음 종이의 글자 크기의 $2^2\times2=2^3$(배),

$\vdots$

$7n$번째 복사본의 글자 크기는 처음 종이의 글자 크기의 2^n배가 된다.

따라서 $84(=7\times12)$번째 복사본의 글자 크기는 처음 종이의 글자 크기의 2^{12}배이고, $49(=7\times7)$번째 복사본의 글자 크기는 처음 종이의 글자 크기의 2^7배이므로

$2^{12}\div2^7=2^5$(배)

04 길잡이 세로의 길이가 같은 두 직사각형의 넓이가 오른쪽 그림과 같을 때, $a:b=x:y$임을 이용한다.

	a	b
	x	y

오른쪽 그림에서 $\dfrac{256}{x}:\dfrac{1}{y}=2^x:3^y$이므로

$\dfrac{256}{x}$	$\dfrac{1}{y}$
2^x	3^y

$\dfrac{256}{x}\times3^y=\dfrac{1}{y}\times2^x$, $3^y\times y=\dfrac{2^x}{2^8}\times x$

이때 x와 y는 서로소이므로 $x=3^y$, $y=\dfrac{2^x}{2^8}$

또 $xy=18$이므로 $xy=3^y\times\dfrac{2^x}{2^8}=2\times3^2$에서 $x-8=1$, $y=2$

따라서 $x=9$, $y=2$이므로 $x+y=11$

05 길잡이 우변의 계수가 양수임을 이용하여 구한 x의 각 값에 따른 y, z의 값을 구한다.

우변의 계수가 양수이므로 x는 짝수이다.

(좌변)$=\dfrac{b^{2x}}{a^x}\times\dfrac{b^6}{a^{3y}}\times\dfrac{9a^4}{b^8}=\dfrac{9b^{2x-2}}{a^{x+3y-4}}$

즉, $\dfrac{9b^{2x-2}}{a^{x+3y-4}}=\dfrac{9b^z}{a^3}$에서

$x+3y-4=3$ $\cdots$ ㉠, $2x-2=z$ $\cdots$ ㉡

이때 x는 한 자리의 짝수이므로 x의 값이 될 수 있는 수는 2, 4, 6, 8이다.

(i) $x=2$이면 ㉠에서 $y=\dfrac{5}{3}$이므로 y가 자연수라는 조건에 모순이다.

(ii) $x=4$이면 ㉠에서 $y=1$, ㉡에서 $z=6$이므로 조건을 만족시킨다.

(iii) $x=6$이면 ㉠에서 $y=\dfrac{1}{3}$이므로 y가 자연수라는 조건에 모순이다.

(iv) $x=8$이면 ㉠에서 $y=-\dfrac{1}{3}$이므로 y가 자연수라는 조건에 모순이다.

따라서 (i)~(iv)에 의해 $x=4$, $y=1$, $z=6$이므로

$xyz=4\times1\times6=24$

06 길잡이 $(-x)^n=(-1)^nx^n$임을 이용한다.

$(-x)^n\times(-x)^{n+1}\div x^n+x\times(x^{2n}\times x+x^n)\div x^{n+1}$

$=\dfrac{(-x)^{2n+1}}{x^n}+\dfrac{x^{2n+2}+x^{n+1}}{x^{n+1}}$

$=\dfrac{(-1)^{\overset{\rightarrow\,\text{홀수}}{2n+1}}x^{2n+1}}{x^n}+\dfrac{x^{2n+2}}{x^{n+1}}+\dfrac{x^{n+1}}{x^{n+1}}$

$=-1\times x^{n+1}+x^{n+1}+1$

$=-x^{n+1}+x^{n+1}+1=1$

P. 32~33 **1~2 서술형 완성하기**

[과정은 풀이 참조]

1 -96	**2** 63	**3** 38개	**4** 27	**5** 3
6 x^2-2y	**7** $0.0\dot{9}$	**8** 4		

1 $\dfrac{4}{21}=0.\dot{1}9047\dot{6}$이므로 순환마디는 190476이고, 순환마디를 이루는 숫자의 개수는 6개이다. $\cdots$ (i)

이때 $50=6\times8+2$이므로 소수점 아래 첫째 자리부터 소수점 아래 48번째 자리까지 순환마디가 8번 반복된다. $\cdots$ (ii)

$\therefore a_1-a_2+a_3-a_4+\cdots+a_{49}-a_{50}$

$=(1-9+0-4+7-6)\times8+(1-9)$

$=-11\times8-8=-96$ $\cdots$ (iii)

채점 기준	비율
(i) $\dfrac{4}{21}$의 순환마디와 순환마디를 이루는 숫자의 개수 구하기	30 %
(ii) 순환마디가 반복되는 횟수 알기	30 %
(iii) 답 구하기	40 %

2 $\dfrac{a}{90}=\dfrac{a}{2\times3^2\times5}=\dfrac{7}{b}$을 유한소수로 나타낼 수 있으므로 분모에 2 또는 5 이외의 소인수가 없어야 한다.

$\therefore a=3^2\times7\times m\,(m$은 자연수$)$ $\cdots$ (i)

a는 $100 \le a \le 200$이고, 기약분수로 나타냈을 때 분자가 7이

되어야 하므로 $a = 3^2 \times 7 \times 2 (= 126)$

$\dfrac{a}{90} = \dfrac{2 \times 3^2 \times 7}{2 \times 3^2 \times 5} = \dfrac{7}{5}$이므로 $b = 5$ ⋯ (ii)

따라서 $\dfrac{b}{a} \times A = \dfrac{5}{2 \times 3^2 \times 7} \times A$를 유한소수로 나타낼 수 있

으려면 A는 3^2과 7의 공배수, 즉 63의 배수이어야 하므로

가장 작은 자연수 A의 값은 63이다. ⋯ (iii)

채점 기준	비율
(i) 유한소수로 나타내기 위한 a의 조건 구하기	40 %
(ii) a, b의 값 구하기	30 %
(iii) 가장 작은 자연수 A의 값 구하기	30 %

3 유한소수가 되는 분수는 분모의 소인수가 2 또는 5뿐인 수

이므로 분모가 다음과 같은 꼴일 때, 유한소수가 된다.

자연수 k에 대하여 분모 n이

(i) 2^k의 꼴인 경우: 2, 4, 8, 16, 32의 5개

(ii) 5^k의 꼴인 경우: 5, 25의 2개

(iii) $2^k \times 5$의 꼴인 경우: 10, 20, 40의 3개

(iv) $2^k \times 5^2$의 꼴인 경우: 50의 1개 ⋯ (i)

따라서 $\dfrac{1}{n}$이 유한소수가 되지 않도록 하는 자연수 n의 개수는

$49 - (5 + 2 + 3 + 1) = 38$(개) ⋯ (ii)

채점 기준	비율
(i) 유한소수가 되도록 하는 분모의 개수 구하기	70 %
(ii) 자연수 n의 개수 구하기	30 %

4 $2^{1+b} = 32$에서 $2^{1+b} = 2^5$이므로 $1 + b = 5$ $\therefore b = 4$ ⋯ (i)

$b = 4$를 $2^{2a+1} + 2^b = 24$에 대입하면

$2^{2a+1} + 16 = 24$, $2^{2a+1} = 8$

$2^{2a+1} = 2^3$에서 $2a + 1 = 3$이므로 $a = 1$ ⋯ (ii)

$\therefore 3^b \div 3^a = 3^4 \div 3 = 3^3 = 27$ ⋯ (iii)

채점 기준	비율
(i) b의 값 구하기	30 %
(ii) a의 값 구하기	30 %
(iii) $3^b \div 3^a$의 값 구하기	40 %

5 $\dfrac{2^{18} \times 75^6}{6^n} = \dfrac{2^{18} \times (3 \times 5^2)^6}{2^n \times 3^n} = \dfrac{2^{18} \times 3^6 \times 5^{12}}{2^n \times 3^n}$

$= \dfrac{2^6 \times 3^6 \times (2^{12} \times 5^{12})}{2^n \times 3^n}$

$= \dfrac{2^6}{2^n} \times \dfrac{3^6}{3^n} \times 10^{12} = \dfrac{6^6}{6^n} \times 10^{12}$ ⋯ (i)

이 수가 15자리의 자연수가 되려면 $\dfrac{6^6}{6^n}$이 세 자리의 자연수

이어야 한다. ⋯ (ii)

그런데 $6^2 = 36$, $6^3 = 216$, $6^4 = 1296$이므로

$\dfrac{6^6}{6^n} = 6^3$ $\therefore n = 3$ ⋯ (iii)

채점 기준	비율
(i) 주어진 식을 간단히 하기	40 %
(ii) 주어진 수가 15자리의 자연수일 조건 구하기	30 %
(iii) n의 값 구하기	30 %

6 $A = \dfrac{24x^4y^4 - 4x^6y^2}{4x^4y^2} = 6y^2 - x^2$

$B = \dfrac{3x^3y - 9x^2y}{3xy} = x^2 - 3x$ ⋯ (i)

$A - 2(B - 3C) = A - 2B + 6C$

$= (6y^2 - x^2) - 2(x^2 - 3x) + 6C$

$= -3x^2 + 6x + 6y^2 + 6C$ ⋯ (ii)

즉, $-3x^2 + 6x + 6y^2 + 6C = 3x(x+2) + 6y(y-2)$이므로

$6C = 3x^2 + 6x + 6y^2 - 12y - (-3x^2 + 6x + 6y^2)$

$= 6x^2 - 12y$

$\therefore C = x^2 - 2y$ ⋯ (iii)

채점 기준	비율
(i) A, B를 간단히 하기	30 %
(ii) $A - 2(B - 3C)$를 간단히 하기	30 %
(iii) 다항식 C 구하기	40 %

7 $0.\dot{a}\dot{b} + 0.\dot{b}\dot{a} = 1.\dot{8}$이므로

$\dfrac{10a+b}{99} + \dfrac{10b+a}{99} = \dfrac{18-1}{9}$, $\dfrac{11a+11b}{99} = \dfrac{17}{9}$

$11a + 11b = 187$ $\therefore a + b = 17$ ⋯ (i)

a, b는 한 자리의 자연수이고 $a > b$이므로

$a = 9$, $b = 8$ ⋯ (ii)

$\therefore 0.\dot{a}\dot{b} - 0.\dot{b}\dot{a} = 0.\dot{9}\dot{8} - 0.\dot{8}\dot{9}$

$= \dfrac{98}{99} - \dfrac{89}{99} = \dfrac{9}{99} = 0.\dot{0}\dot{9}$ ⋯ (iii)

채점 기준	비율
(i) $a + b$의 값 구하기	30 %
(ii) a, b의 값 구하기	30 %
(iii) 두 순환소수의 차를 순환소수로 나타내기	40 %

8 $25^n \times (0.4)^3 = (5^2)^n \times \left(\dfrac{2}{5}\right)^3 = 5^{2n} \times \dfrac{1}{5^3} \times 2^3$

$= \dfrac{5^{2n}}{5^3} \times 2^3$ ⋯ ㉠

$10 \times 2^m = (2 \times 5) \times 2^m = 5 \times 2^{m+1}$ ⋯ ㉡ ⋯ (i)

㉠, ㉡에서 $\dfrac{5^{2n}}{5^3} \times 2^3 = 5 \times 2^{m+1}$

$\dfrac{5^{2n}}{5^3} = 5$에서 $2n - 3 = 1$이므로 $2n = 4$ $\therefore n = 2$

$2^3 = 2^{m+1}$에서 $3 = m + 1$이므로 $m = 2$ ⋯ (ii)

$\therefore m + n = 2 + 2 = 4$ ⋯ (iii)

채점 기준	비율
(i) 주어진 식의 양변을 정리하기	50 %
(ii) m, n의 값 구하기	40 %
(iii) $m + n$의 값 구하기	10 %

3. 일차부등식

P. 36~40 개념+ 대표 문제 확인하기

1 ⑤	**2** 3개	**3** ㄴ, ㄷ	
4 (1) $-11<2x-5\le13$		(2) $-2\le-\dfrac{x}{3}+1<2$	
5 2	**6** $x\ge-6$, 그림은 풀이 참조		**7** 1
8 27	**9** 2	**10** $-4<x<5$	
11 $a=1$, $b\ge1$	**12** 11, 13, 15		**13** 11
14 75점	**15** 9개	**16** 4자루	**17** 21개월 후
18 3cm	**19** 12cm	**20** 36L	**21** 14개	**22** 560원
23 20%	**24** 1km	**25** 2km	**26** 10분	**27** 5g
28 100g	**29** 260g			

1　⑤ $7000+x\ge10000$

2　$|x|\le2$이므로 $x=-2$, -1, 0, 1, 2
이를 $6x-10<-2(x+4)$에 각각 대입하면
$x=-2$일 때, $6\times(-2)-10<-2\times\{(-2)+4\}$
$\qquad\qquad -22<-4$ (참)
$x=-1$일 때, $6\times(-1)-10<-2\times\{(-1)+4\}$
$\qquad\qquad -16<-6$ (참)
$x=0$일 때, $6\times0-10<-2\times(0+4)$
$\qquad\qquad -10<-8$ (참)
$x=1$일 때, $6\times1-10<-2\times(1+4)$
$\qquad\qquad -4<-10$ (거짓)
$x=2$일 때, $6\times2-10<-2\times(2+4)$
$\qquad\qquad 2<-12$ (거짓)
따라서 주어진 부등식의 해는 -2, -1, 0의 3개이다.

3　ㄱ. $a>b$에서 $4a>4b$이므로
$\qquad 4a+1>4b+1$
ㄴ. $a>b$에서 $\dfrac{1}{3}a>\dfrac{1}{3}b$이므로
$\qquad \dfrac{1}{3}a-4>\dfrac{1}{3}b-4$
ㄷ. $a>b$에서 $-3a<-3b$이므로
$\qquad -3a+7<-3b+7$
ㄹ. $a>b$에서 $-\dfrac{1}{2}a<-\dfrac{1}{2}b$이므로
$\qquad -\dfrac{1}{2}a-2<-\dfrac{1}{2}b-2$
따라서 옳은 것은 ㄴ, ㄷ이다.

4　(1) $-3<x\le9$의 각 변에 2를 곱하면
$\qquad -6<2x\le18$　…㉠
$\qquad$㉠의 각 변에서 5를 빼면 $-11<2x-5\le13$
(2) $-3<x\le9$의 각 변을 -3으로 나누면
$\qquad -3\le-\dfrac{x}{3}<1$　…㉠

㉠의 각 변에 1을 더하면 $-2\le-\dfrac{x}{3}+1<2$

참고　부등식의 각 변에 음수를 곱하거나 각 변을 음수로 나눌 때는 부등호의 방향이 반대로 바뀜에 주의한다.

5　$-1\le x\le3$, $-2\le y\le4$이므로
$-1+(-2)\le x+y\le3+4$　∴ $-3\le x+y\le7$
∴ $m=7$
$-1-4\le x-y\le3-(-2)$　∴ $-5\le x-y\le5$
∴ $n=-5$
∴ $m+n=7+(-5)=2$

6　$-8x-7\le-5x+11$에서 $-3x\le18$　∴ $x\ge-6$
이 해를 수직선 위에 나타내면 오른쪽 그림과 같다.

7　$0.3x-0.2>\dfrac{2(x-1)}{5}$의 양변에 10을 곱하면
$3x-2>4(x-1)$, $3x-2>4x-4$
$-x>-2$　∴ $x<2$
따라서 구하는 가장 큰 정수 x의 값은 1이다.

8　$4(x-1)+3\ge8x+a$에서 $4x-4+3\ge8x+a$
$-4x\ge a+1$　∴ $x\le-\dfrac{a+1}{4}$
이 해가 $x\le-7$이므로 $-\dfrac{a+1}{4}=-7$
$a+1=28$　∴ $a=27$

9　$2-\dfrac{2}{3}x\ge\dfrac{3}{2}-\dfrac{x}{6}$의 양변에 6을 곱하면
$12-4x\ge9-x$, $-3x\ge-3$　∴ $x\le1$　…㉠
$6x-5\le a-x$에서 $6x+x\le a+5$
$7x\le a+5$　∴ $x\le\dfrac{a+5}{7}$　…㉡
㉠, ㉡이 서로 같으므로 $1=\dfrac{a+5}{7}$
$7=a+5$　∴ $a=2$

10　$|2x-1|<9$에서 $-9<2x-1<9$
이 식의 각 변에 1을 더하면
$-8<2x<10$　…㉠
㉠의 각 변을 2로 나누면 $-4<x<5$

개념 더하기 다시 보기
절댓값 기호를 포함하는 부등식의 풀이
절댓값 기호를 포함하는 부등식은 범위를 나누어서 푼다. $a>0$일 때
① $|X|<a$이면 $-a<X<a$
② $|X|>a$이면 $X<-a$ 또는 $X>a$

11　$ax+1>x+b$에서 $(a-1)x>b-1$
이 부등식의 해가 없으므로
$a-1=0$, $b-1\ge0$　∴ $a=1$, $b\ge1$

(1) 부등식의 해가 없는 경우

$ax>b$의 꼴에서 $a=0$으로 만든 후 $0\times x>b$가 참이 되지 않도록 b의 값을 정한다.

$0\times x>b$, 즉 $0>b$가 참이 되지 않으려면 $b\geq0$이어야 하고, $ax\geq b$의 꼴에서 $0\times x\geq b$, 즉 $0\geq b$가 참이 되지 않으려면 $b>0$이어야 한다.

(2) 부등식의 해가 무수히 많은 경우

$ax>b$의 꼴에서 $a=0$으로 만든 후 $0\times x>b$가 참이 되도록 하는 b의 값을 정한다.

$0\times x>b$, 즉 $0>b$가 참이 되려면 $b<0$이어야 하고, $ax\geq b$의 꼴에서 $0\times x\geq b$, 즉 $0\geq b$가 참이 되려면 $b\leq0$이어야 한다.

12 연속하는 세 홀수를 $x-2$, x, $x+2$라 하면

$(x-2)+x+(x+2)\geq38$, $3x\geq38$

$\therefore x\geq\dfrac{38}{3}\left(=12\dfrac{2}{3}\right)$

이를 만족시키는 가장 작은 홀수는 13이므로 구하는 세 수는 11, 13, 15이다.

13 주사위를 던져 나온 눈의 수를 x라 하면

$3x-2>x+6$, $2x>8$ $\therefore x>4$

이때 주사위의 눈은 1, 2, $\cdots$, 6의 6개이므로 $x>4$를 만족시키는 눈의 수는 5, 6이다.

따라서 구하는 눈의 수의 합은 $5+6=11$

14 다섯 번째 쪽지 시험에서 x점을 받는다고 하면

$\dfrac{84+86+81+74+x}{5}\geq80$, $325+x\geq400$

$\therefore x\geq75$

따라서 다섯 번째 쪽지 시험에서 최소 75점을 받아야 한다.

15 식품을 x개 주문한다고 하면

$2100x+2500\leq22000$, $2100x\leq19500$

$\therefore x\leq\dfrac{65}{7}\left(=9\dfrac{2}{7}\right)$

이때 x는 자연수이므로 식품을 최대 9개까지 주문할 수 있다.

16 400원짜리 볼펜을 x자루 산다고 하면 200원짜리 볼펜은 $(15-x)$자루를 사야 하므로

$400x+200(15-x)<4000$, $400x+3000-200x<4000$

$200x<1000$ $\therefore x<5$

이때 x는 자연수이므로 400원짜리 볼펜은 최대 4자루까지 살 수 있다.

17 x개월 후부터 도현이의 예금액이 다현이의 예금액보다 많아진다고 하면 x개월 후 도현이의 예금액은 $(5000+3000x)$원, 다현이의 예금액은 $(25000+2000x)$원이므로

$5000+3000x>25000+2000x$

$1000x>20000$ $\therefore x>20$

이때 x는 자연수이므로 도현이의 예금액이 다현이의 예금액보다 많아지는 것은 21개월 후부터이다.

18 사다리꼴의 윗변의 길이를 $x\,\text{cm}$라 하면

사다리꼴의 넓이는 $\left\{\dfrac{1}{2}\times(x+12)\times8\right\}\text{cm}^2$이므로

$\dfrac{1}{2}\times(x+12)\times8\geq60$, $4(x+12)\geq60$

$4x+48\geq60$, $4x\geq12$ $\therefore x\geq3$

따라서 사다리꼴의 윗변의 길이는 $3\,\text{cm}$ 이상이어야 한다.

19 직사각형 ABCD를 $\overline{\text{AB}}$를 축으로 하여 1회전 시킬 때 생기는 입체도형은 오른쪽 그림과 같이 반지름의 길이가 $5\,\text{cm}$인 원기둥이다.

$\overline{\text{AB}}=x\,\text{cm}$라 하면

$\pi\times5^2\times x\geq300\pi$ $\therefore x\geq12$

따라서 $\overline{\text{AB}}$의 길이는 최소 $12\,\text{cm}$이다.

20 처음 페인트 통에 들어 있던 페인트의 양을 $x\,\text{L}$라 하면

$\dfrac{1}{3}(x-6)\geq10$, $x-6\geq30$ $\therefore x\geq36$

따라서 처음 페인트 통에 들어 있던 페인트의 양은 최소 $36\,\text{L}$이다.

21 오렌지를 x개 산다고 하면

$800x>(800-150)x+2000$, $800x>650x+2000$

$150x>2000$ $\therefore x>\dfrac{40}{3}\left(=13\dfrac{1}{3}\right)$

따라서 할인 매장에서 사는 것이 유리하려면 오렌지를 14개 이상 사야 한다.

22 스티커의 정가를 x원이라 하면

$\left(1-\dfrac{25}{100}\right)x-300\geq\dfrac{40}{100}\times300$, $\dfrac{75}{100}x-300\geq120$

$\dfrac{75}{100}x\geq420$ $\therefore x\geq560$

따라서 스티커의 정가는 최소 560원으로 정해야 한다.

23 가공식품 한 개의 생산 가격을 a원이라 하고, 가공식품 한 개에 생산 가격의 $x\,\%$의 이익을 붙여서 판다고 하면

$(3000-500)\times a\times\left(1+\dfrac{x}{100}\right)\geq3000\times a$

$2500+25x\geq3000(\because a>0)$

$25x\geq500$ $\therefore x\geq20$

따라서 최소 $20\,\%$의 이익을 붙여서 팔아야 한다.

24 걸어간 거리를 $x\,\text{m}$라 하면 전체 거리는 $2.5\,\text{km}$, 즉 $2500\,\text{m}$이므로 뛰어간 거리는 $(2500-x)\,\text{m}$이다.

이때 전체 걸린 시간이 30분 이내여야 지각하지 않으므로

$\dfrac{x}{50}+\dfrac{2500-x}{150}\leq30$

$3x+2500-x\leq4500$, $2x\leq2000$ $\therefore x\leq1000$

따라서 걸어간 거리는 최대 $1000\,\text{m}$, 즉 최대 $1\,\text{km}$이다.

참고 각각의 단위가 다른 경우에는 식을 세우기 전에 단위를 통일해야 한다.

25 집과 우체국 사이의 거리를 x m라 하면

$\dfrac{x}{50}-\dfrac{x}{80}\leq15$, $8x-5x\leq6000$, $3x\leq6000$

$\therefore x\leq2000$

따라서 집과 우체국 사이의 거리는 $2000\,\text{m}$, 즉 $2\,\text{km}$ 이하이다.

26 형과 동생이 출발한 지 x분이 지났다고 하면 형과 동생은 서로 반대 방향으로 가고 있으므로

$200x+50x\geq2500$, $250x\geq2500$ $\therefore x\geq10$

따라서 출발한 지 최소 10분이 지나야 한다.

27 설탕을 x g 더 넣는다고 하면

$\dfrac{5.5}{100}\times100+x\leq\dfrac{10}{100}\times(100+x)$

$55+10x\leq100+x$, $9x\leq45$ $\therefore x\leq5$

따라서 설탕을 최대 5 g까지 더 넣을 수 있다.

28 10 %의 소금물을 x g 섞는다고 하면 5 %의 소금물은 $(500-x)$ g을 섞어야 하므로

$\dfrac{10}{100}\times x+\dfrac{5}{100}\times(500-x)\geq\dfrac{6}{100}\times500$

$10x+5(500-x)\geq3000$, $10x+2500-5x\geq3000$

$5x\geq500$ $\therefore x\geq100$

따라서 10 %의 소금물은 100 g 이상 섞어야 한다.

29 식품 B를 x g 섭취한다고 하면

$\dfrac{84}{100}\times440+\dfrac{104}{100}\times x\geq640$

$36960+104x\geq64000$, $104x\geq27040$ $\therefore x\geq260$

따라서 식품 B를 260 g 이상 섭취해야 한다.

P. 41~47 내신 5% 따라잡기

1 ㄴ, ㄷ, ㅁ **2** ③, ④ **3** ③ **4** 5개

5 ② **6** $6.65\leq a+b<6.85$ **7** 5개 **8** $a>2$

9 $x<2$ **10** $x>-1$ **11** $\dfrac{5}{6}$ **12** ④

13 $x>-\dfrac{4}{15}$ **14** $\dfrac{15}{4}\leq a<\dfrac{17}{4}$

15 $22<k\leq25$ **16** ③ **17** 5개

18 ㄱ, ㄷ, ㄹ **19** 91 **20** 8명 **21** 65점

22 6개 **23** 26일 **24** 13개월 후 **25** ①

26 8cm **27** ④ **28** 88명 **29** 25 % **30** 25 %

31 5분 후 **32** 서점, 편의점, 카페

33 시속 72 km **34** 21 g **35** $\dfrac{1000}{13}$ g

36 60 g **37** ⑨ **38** 149표 **39** 360 MB

---

1 주어진 그림에서 $c<a<0<b$

ㄱ. $a<b$이므로 $a-c<b-c$

ㄴ. $a>c$의 양변에 -1을 곱하면 $-a<-c$

ㄷ. $b>c$이고 $a<0$이므로 $ab<ac$

ㄹ. $a<b$이고 $a<0$이므로 $a^2>ab$

ㅁ. $a<b$이고 $|c|>0$이므로 $\dfrac{a}{|c|}<\dfrac{b}{|c|}$

ㅂ. $a<b$이고 $c<0$이므로 $ac>bc$

$\therefore ac+b>bc+b$

따라서 옳은 것은 ㄴ, ㄷ, ㅁ이다.

2 ① $a=-2$, $b=1$이면 $-2<1$이지만 $|-2|>|1|$이다.

② $a=-2$, $b=1$이면 $-2<1$이지만 $(-2)^2>1^2$이다.

④ $-3a<-3b$에서 $a>b$

$\therefore 2a-3>2b-3$

⑤ $-5a+2<-5b+2$에서 $-5a<-5b$

$\therefore a>b$

이때 $a=3$, $b=2$이면 $3>2$이지만 $\dfrac{1}{3}<\dfrac{1}{2}$이다.

따라서 옳은 것은 ③, ④이다.

3 $-2\leq3x-8\leq4$에서 $6\leq3x\leq12$ $\therefore 2\leq x\leq4$

즉, $-20\leq-5x\leq-10$이므로

$-17\leq3-5x\leq-7$

$\therefore -\dfrac{17}{4}\leq\dfrac{3-5x}{4}\leq-\dfrac{7}{4}$

따라서 $a=-\dfrac{17}{4}$, $b=-\dfrac{7}{4}$이므로

$b-a=-\dfrac{7}{4}-\left(-\dfrac{17}{4}\right)=\dfrac{10}{4}=\dfrac{5}{2}$

4 $2x-3y=4(x-3)$에서 $2x-3y=4x-12$

$-3y=2x-12$ $\therefore y=\dfrac{-2x+12}{3}$ $\cdots\ ㉠$

$-2<x\leq5$에서 $-10\leq-2x<4$

$2\leq-2x+12<16$, $\dfrac{2}{3}\leq\dfrac{-2x+12}{3}<\dfrac{16}{3}$

$\therefore \dfrac{2}{3}\leq y<\dfrac{16}{3}$ $(\because\ ㉠)$

따라서 정수 y는 1, 2, 3, 4, 5의 5개이다.

5 $-2<x\leq4$에서 $-6<3x\leq12$ $\cdots\ ㉠$

$1\leq\dfrac{y}{2}<4$에서 $2\leq y<8$, $-8<-y\leq-2$ $\cdots\ ㉡$

㉠, ㉡에서 $-6-8<3x-y\leq12-2$

$\therefore -14<3x-y\leq10$

6 $[a]=2.8$이므로 $2.75\leq a<2.85$

$\{b\}=3.9$이므로 $3.9\leq b<4$

따라서 $2.75+3.9\leq a+b<2.85+4$이므로

$6.65\leq a+b<6.85$

7 $0.\dot{3}x+2.4\geq3(0.5x-1.2)$에서 $\dfrac{1}{3}x+\dfrac{24}{10}\geq\dfrac{15}{10}x-\dfrac{36}{10}$

양변에 30을 곱하면 $10x+72\geq45x-108$

$-35x\geq-180$ $\qquad\therefore x\leq\dfrac{36}{7}\left(=5\dfrac{1}{7}\right)$

이를 만족시키는 자연수 x는 1, 2, 3, 4, 5의 5개이다.

8 $-\dfrac{2a+10}{3}=3a-\dfrac{2}{3}x$에서 $2a+10=-9a+2x$

$-2x=-11a-10$ $\qquad\therefore x=\dfrac{11a+10}{2}$

이 해가 16보다 크므로 $\dfrac{11a+10}{2}>16$

$11a+10>32,\ 11a>22$ $\qquad\therefore a>2$

9 $-2x+4<a(x-2)$에서 $-2x+4<ax-2a$

$(-a-2)x<-2a-4,\ (a+2)x>2(a+2)$ $\quad\cdots\ \bigcirc$

이때 $a<-2$, 즉 $a+2<0$이므로

$\bigcirc$에서 $x<\dfrac{2(a+2)}{a+2}$ $\qquad\therefore x<2$

10 $bc>0$이고 $abc<0$이므로 $a<0$

$bc>0$이고 $b+c<0$이므로 $b<0,\ c<0$

$ax+a+bx+b+cx+c<0$에서

$(a+b+c)x<-(a+b+c)$ $\quad\cdots\ \bigcirc$

이때 $a+b+c<0$이므로

$\bigcirc$에서 $x>-\dfrac{a+b+c}{a+b+c}$ $\qquad\therefore x>-1$

11 $(6a-5)x\leq b$의 해는 $x\leq-\dfrac{1}{6}$

이때 부등호의 방향이 바뀌지 않았으므로 $6a-5>0$

즉, $(6a-5)x\leq b$에서 $x\leq\dfrac{b}{6a-5}$

따라서 $\dfrac{b}{6a-5}=-\dfrac{1}{6}$이므로 $-6b=6a-5$

$6a+6b=5$ $\qquad\therefore a+b=\dfrac{5}{6}$

12 $ax+2a-3b>0$에서 $ax>-2a+3b$ $\quad\cdots\ \bigcirc$

이 부등식의 해가 $x<3$이므로 $a<0$

즉, $\bigcirc$에서 $x<\dfrac{-2a+3b}{a}$

따라서 $\dfrac{-2a+3b}{a}=3$이므로

$-2a+3b=3a,\ -5a=-3b$ $\qquad\therefore a=\dfrac{3}{5}b$

$a=\dfrac{3}{5}b$를 $a-2b=7$에 대입하면 $\dfrac{3}{5}b-2b=7$

$-\dfrac{7}{5}b=7$ $\qquad\therefore b=-5$

$b=-5$를 $a=\dfrac{3}{5}b$에 대입하면 $a=-3$

$\qquad\therefore ab=-3\times(-5)=15$

13 $a(x-1)-2b<0$에서 $ax<a+2b$ $\quad\cdots\ \bigcirc$

이 부등식의 해가 $x>\dfrac{2}{3}$이므로 $a<0$

즉, $\bigcirc$에서 $x>\dfrac{a+2b}{a}$이므로

$\dfrac{a+2b}{a}=\dfrac{2}{3},\ 3a+6b=2a$ $\qquad\therefore a=-6b$

이때 $a<0$이므로 $b>0$ $\quad\cdots\ \bigcirc$

따라서 $a=-6b$를 $(2a-3b)x+a+2b<0$에 대입하면

$(-12b-3b)x-6b+2b<0,\ -15bx<4b$

그런데 $-15b<0(\because\ \bigcirc)$이므로 $x>-\dfrac{4}{15}$

14 $\dfrac{2x-5}{4}>a-3$에서 $2x-5>4a-12$

$2x>4a-7$ $\qquad\therefore x>2a-\dfrac{7}{2}$

이를 만족시키는 x의 값 중 가장 작은

정수가 5이려면 오른쪽 그림에서

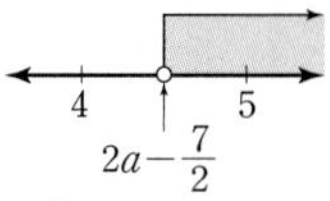

$4\leq2a-\dfrac{7}{2}<5,\ 8\leq4a-7<10$

$15\leq4a<17$ $\qquad\therefore \dfrac{15}{4}\leq a<\dfrac{17}{4}$

15 $(2x+1)\circledcirc(5x+2)>3\circledcirc k$에서

$(2x+1)-(5x+2)+1>3-k+1$

$2x+1-5x-2+1>-k+4$

$-3x>-k+4$ $\qquad\therefore x<\dfrac{k-4}{3}$

이를 만족시키는 최대의 정수 x가 6이

므로 오른쪽 그림에서

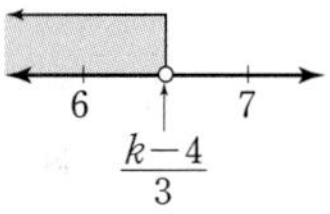

$6<\dfrac{k-4}{3}\leq7,\ 18<k-4\leq21$

$\qquad\therefore 22<k\leq25$

16 $3(2x-4)\leq a$에서 $6x-12\leq a$

$6x\leq a+12$ $\qquad\therefore x\leq\dfrac{a+12}{6}$

이를 만족시키는 자연수 x가 4개이

므로 오른쪽 그림에서

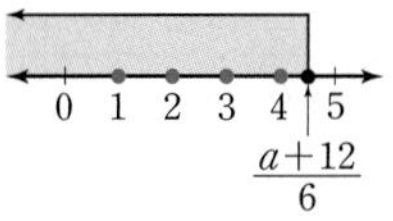

$4\leq\dfrac{a+12}{6}<5,\ 24\leq a+12<30$

$\qquad\therefore 12\leq a<18$

17 $\dfrac{|-5x+4|}{2}\leq3$에서 $|-5x+4|\leq6$

$-6\leq-5x+4\leq6,\ -10\leq-5x\leq2$

$\qquad\therefore -\dfrac{2}{5}\leq x\leq2$

즉, $-\dfrac{4}{5}\leq2x\leq4$에서 $-\dfrac{9}{5}\leq2x-1\leq3$

$\qquad\therefore -\dfrac{9}{5}\leq A\leq3$

따라서 A의 값이 될 수 있는 정수는 -1, 0, 1, 2, 3의 5개이다.

18 $ax+b>bx+2$에서 $ax-bx>2-b$, $(a-b)x>2-b$

ㄱ. $a>b$, 즉 $a-b>0$인 경우 $x>\dfrac{2-b}{a-b}$

ㄴ. $a<b$, 즉 $a-b<0$인 경우 $x<\dfrac{2-b}{a-b}$

ㄷ. $a=b$, $b>2$, 즉 $a-b=0$, $2-b<0$인 경우

$0\times x>$(음수)의 꼴이므로 해는 무수히 많다.

ㄹ. $a=b$, $b<2$, 즉 $a-b=0$, $2-b>0$인 경우

$0\times x>$(양수)의 꼴이므로 해는 없다.

따라서 옳은 것은 ㄱ, ㄷ, ㄹ이다.

개념 더하기 다시 보기

x에 대한 부등식 $ax>b$에서

(1) $a=0$, $b\geq0$이면 해가 없다.

(2) $a=0$, $b<0$이면 해가 무수히 많다.

---

19 처음 수의 십의 자리의 숫자를 x라 하면

㈎에서 일의 자리의 숫자는 $10-x$이므로 처음 수는

$10x+10-x$이고, 십의 자리의 숫자와 일의 자리의 숫자를

바꾼 수는 $10(10-x)+x$이다.

즉, ㈏에서 $10(10-x)+x<2(10x+10-x)-136$

$100-10x+x<2(9x+10)-136$

$100-9x<18x-116$, $-27x<-216$ ∴ $x>8$

이때 x는 한 자리의 자연수이므로 $x=9$

따라서 일의 자리의 숫자는 $10-9=1$이므로 처음 수는 91

이다.

참고 십의 자리의 숫자가 a, 일의 자리의 숫자가 b인 두 자리의 자연수에 대하여

① 처음 수: $10a+b$

② 십의 자리의 숫자와 일의 자리의 숫자를 바꾼 수: $10b+a$

---

20 여학생 수를 x명이라 하면 남학생 수는 $(20-x)$명이므로

$\dfrac{165(20-x)+158x}{20}\geq162$, $3300-165x+158x\geq3240$

$-7x\geq-60$ ∴ $x\leq\dfrac{60}{7}\left(=8\dfrac{4}{7}\right)$

따라서 여학생은 최대 8명이다.

---

21 전체 학생의 중간고사 수학 성적의 평균을 x점이라 하면 중간고사 수학 성적의 총점이 $120x$점이고, 기말고사 수학 성적의 총점이 $(120x+45\times8)$점이므로

$\dfrac{120x+45\times8}{120}\geq68$, $120x+360\geq8160$

$120x\geq7800$ ∴ $x\geq65$

따라서 중간고사 수학 성적의 평균은 65점 이상이다.

---

22 감자를 x개 산다고 하면 양파는 $2x$개 사야 하므로

$600x+400\times2x+100\leq8500$, $1400x\leq8400$ ∴ $x\leq6$

따라서 감자는 최대 6개까지 살 수 있다.

---

23 책 한 권을 x일 동안 대여한다고 하면

$1100+400(x-3)<10500$

$1100+400x-1200<10500$

$400x<10600$ ∴ $x<\dfrac{53}{2}\left(=26\dfrac{1}{2}\right)$

따라서 최대 26일까지 대여할 수 있다.

---

24 두 사람이 기부하는 금액을 바꾼 지 x개월 후부터 승환이의 기부액이 진아의 기부액보다 적어진다고 하면

승환이가 작년 12달 동안 기부한 금액은

$2500\times12=30000$(원),

진아가 작년 12달 동안 기부한 금액은

$1500\times12=18000$(원)이므로

$30000+3000x<18000+4000x$

$-1000x<-12000$ ∴ $x>12$

따라서 두 사람이 기부하는 금액을 바꾼 지 13개월 후부터 승환이의 기부액이 진아의 기부액보다 적어진다.

---

25 (삼각형의 가장 긴 변의 길이)<(나머지 두 변의 길이의 합)

이므로

$a+9<(a+1)+(a+2)$, $a+9<2a+3$ ∴ $a>6$

따라서 a의 값이 될 수 없는 것은 ① 6이다.

---

26 (사다리꼴 ABCD의 넓이)$=\dfrac{1}{2}\times(8+10)\times16=144(\text{cm}^2)$

$\overline{\text{AP}}=x\text{ cm}$라 하면 $\overline{\text{BP}}=(16-x)\text{ cm}$이므로

(삼각형 DPC의 넓이)

$=144-\dfrac{1}{2}\times x\times8-\dfrac{1}{2}\times(16-x)\times10$

$=144-4x-80+5x=x+64(\text{cm}^2)$

(삼각형 DPC의 넓이)$=\dfrac{1}{2}\times$(사다리꼴 ABCD의 넓이)

이므로

$x+64\geq\dfrac{1}{2}\times144$, $x+64\geq72$ ∴ $x\geq8$

따라서 $\overline{\text{AP}}$의 길이의 최솟값은 8 cm이다.

---

27 처음에 넣은 기름의 양을 x L라 하면 공원까지 24 km를 가는 데 $24\div12=2$(L)의 기름을 사용했으므로 공원에서 출발할 때 차에 남아 있던 기름의 양은 $(x-2)$ L이다.

돌아오면서 나머지 기름의 $\dfrac{1}{8}$만큼 사용했고, 336 km를 갈 수 있는 기름의 양은 $336\div12=28$(L)이므로

$\dfrac{7}{8}(x-2)\leq28$, $x-2\leq32$ ∴ $x\leq34$

따라서 처음에 넣은 기름의 양의 최댓값은 34 L이다.

---

28 50명 이상 100명 미만인 x명이 입장한다고 하면

$4000\times\left(1-\dfrac{20}{100}\right)\times x>4000\times\left(1-\dfrac{30}{100}\right)\times100$

$4000\times\dfrac{80}{100}\times x>4000\times\dfrac{70}{100}\times100$

$80x>7000$ ∴ $x>\dfrac{175}{2}\left(=87\dfrac{1}{2}\right)$

따라서 88명 이상이어야 100명의 단체 입장권을 사는 것이 유리하다.

29 화분 한 개의 구입 가격을 a원이라 하고, 화분 한 개에 구입 가격의 $x\%$의 이익을 붙여서 판다고 하면

$$(500-20)\times a\times\left(1+\frac{x}{100}\right)-500a\geq500a\times\frac{20}{100}$$

$$480\left(1+\frac{x}{100}\right)-500\geq100\,(\because a>0)$$

$$480+\frac{24}{5}x\geq600,\ \frac{24}{5}x\geq120\qquad\therefore x\geq25$$

따라서 화분 한 개에 25% 이상의 이익을 붙여서 팔아야 한다.

30 원가를 a원이라 하면 정가는 $2a$원이므로 세일 기간 중의 판매 가격이 원래 정가에서 $x\%$ 할인한 가격이라 하면

$$\left(1-\frac{x}{100}\right)\times2a-a\geq\frac{1}{2}\times a$$

$$2\left(1-\frac{x}{100}\right)-1\geq\frac{1}{2}\,(\because a>0),\ 2-\frac{x}{50}\geq\frac{3}{2}$$

$$100-x\geq75,\ -x\geq-25\qquad\therefore x\leq25$$

따라서 세일 기간 중의 판매 가격은 원래 정가에서 최대 25% 할인한 가격이다.

31 지민이가 출발한 후 x분 동안 지민이가 이동한 거리는 $60x\,\text{m}$, 석진이가 이동한 거리는 $(300+30x)\,\text{m}$이므로

$$(300+30x)-60x\leq150,\ -30x\leq-150\qquad\therefore x\geq5$$

따라서 둘 사이의 거리가 처음으로 150 m 이하가 되는 것은 지민이가 출발한 지 최소 5분 후이다.

32 터미널에서 상점까지의 거리를 $x\,\text{km}$라 하면

$$\frac{x}{4.8}+\frac{25}{60}+\frac{x}{3.6}\leq1,\ \frac{x}{4.8}+\frac{5}{12}+\frac{x}{3.6}\leq1$$

$$30x+60+40x\leq144,\ 70x\leq84\qquad\therefore x\leq1.2$$

따라서 터미널에서의 거리가 1.2 km, 즉 1200 m 이하인 서점, 편의점, 카페 중 한 곳에 갔다 올 수 있다.

33 시속 60 km로 120 km의 거리를 계속 가면 $\frac{120}{60}=2$(시간) 이 걸리므로 지연되는 시간이 10분 이하가 되도록 하려면 C 역에 가는 데 걸리는 시간은 최대 1시간 40분이어야 한다. 기차가 B역에서부터 시속 $x\,\text{km}$로 달린다고 하면 1시간 40분 동안 120 km 이상의 거리를 달려야 하므로

$$1\frac{40}{60}x\geq120,\ \frac{5}{3}x\geq120\qquad\therefore x\geq72$$

따라서 시속 72 km 이상으로 달려야 한다.

34 $x\,\text{g}$의 물을 증발시키고 $x\,\text{g}$의 소금을 더 넣었다고 하면

$$\frac{5}{100}\times300+x\geq\frac{12}{100}\times300$$

$$15+x\geq36\qquad\therefore x\geq21$$

따라서 최소 21 g의 물을 증발시켜야 한다.

35 $x\,\text{g}$의 물을 증발시키고 $\frac{1}{2}x\,\text{g}$만큼의 설탕을 더 넣은 후,

$\frac{1}{4}x\,\text{g}$만큼의 물을 증발시켰다고 하면

$$\frac{10}{100}\times500+\frac{1}{2}x\geq\frac{20}{100}\times\left(500-x+\frac{1}{2}x-\frac{1}{4}x\right)$$

$$5000+50x\geq10000-15x$$

$$65x\geq5000\qquad\therefore x\geq\frac{1000}{13}$$

따라서 처음에 증발시켜야 하는 물의 양의 최솟값은 $\frac{1000}{13}\,\text{g}$이다.

36 쌍별이를 $x\,\text{g}$ 넣으면 꽃벵이는 $(80-x)\,\text{g}$을 넣어야 하므로

$$\frac{64}{100}\times x+\frac{58}{100}\times(80-x)\leq50$$

$$64x+58(80-x)\leq5000$$

$$64x+4640-58x\leq5000$$

$$6x\leq360\qquad\therefore x\leq60$$

따라서 쿠키 1개를 만드는 데 쌍별이는 최대 60 g까지 넣을 수 있다.

37 길잡이 (개), (내), (대)에서 각각 부등호의 방향을 보고 진짜 금화를 찾는다.

(개) (①, ②, ③, ④의 무게의 합)＜(⑥, ⑦, ⑧, ⑨의 무게의 합) 에서 ⑤, ⑩, ⑪, ⑫는 진짜 금화이다.

(내) (①, ②, ⑨, ⑪의 무게의 합)＞(③, ④, ⑤, ⑫의 무게의 합) 에서 ⑥, ⑦, ⑧, ⑩은 진짜 금화이다.

(대) (③의 무게)＝(④의 무게)에서 ③, ④는 진짜 금화이다.

즉, ①, ②, ⑨ 중 하나가 가짜 금화이다.

그런데 (내)에서 가짜 금화의 무게는 진짜 금화보다 무거움을 알 수 있으므로 (개)에서 ①, ②는 가짜 금화일 수 없다.

따라서 가짜 금화는 ⑨이다.

38 길잡이 득표수가 많은 두 명이 얻을 수 있는 최대 득표수를 먼저 구한다.

A가 가장 많이 득표하고, B가 그 다음으로 많이 득표했다고 하면 두 사람이 얻을 수 있는 표는 최대 $300-3=297$(표)이다.

이때 A의 득표수를 x표라 하면 B의 득표수는 $(297-x)$표 이므로

$$x>297-x,\ 2x>297\qquad\therefore x>148.5$$

즉, A가 149표를 먼저 얻으면 B는 최대 148표를 얻을 수 있으므로 남은 개표 결과에 관계없이 A의 당선이 확정된다.

따라서 개표가 모두 끝나기 전에 당선이 확정되려면 최소한 149표를 먼저 얻어야 한다.

39 길잡이 한 달 사용 데이터를 미지수로 놓고, 두 요금제에 대한 휴대 전화 사용 요금을 각각 구한다.

한 달 동안 데이터를 200 MB 초과 800 MB 미만인 $x\,\text{MB}$만큼 사용했다고 하면

A 요금제의 휴대 전화 사용 요금은

$$12000+600\times18+(x-200)\times20=20x+18800(원)$$

B 요금제의 휴대 전화 사용 요금은

$$20000+600\times10=26000(원)$$

이때 B 요금제의 요금이 A 요금제의 요금보다 적게 나와야 하므로

$$20x+18800>26000,\ 20x>7200\qquad\therefore x>360$$

따라서 데이터를 최소 360 MB 초과하여 사용해야 B 요금제가 유리하다.

01 길잡이 $\dfrac{x}{3}-2>x-4$인 경우와 $\dfrac{x}{3}-2<x-4$인 경우로 나누어 생각한다.

(i) $\dfrac{x}{3}-2>x-4$, 즉 $x<3$인 경우

$\left[\dfrac{x}{3}-2,\ x-4\right]=x-4$이므로

$x-4=-x,\ 2x=4$

$\therefore x=2$

이때 $x=2$는 $x<3$인 조건을 만족시킨다.

(ii) $\dfrac{x}{3}-2<x-4$, 즉 $x>3$인 경우

$\left[\dfrac{x}{3}-2,\ x-4\right]=\dfrac{x}{3}-2$이므로

$\dfrac{x}{3}-2=-x,\ \dfrac{4}{3}x=2$

$\therefore x=\dfrac{3}{2}$

그런데 $x=\dfrac{3}{2}$은 $x>3$인 조건을 만족시키지 않는다.

따라서 (i), (ii)에 의해 $x=2$이다.

02 길잡이 일차항은 좌변으로, 상수항은 우변으로 이항하여 정리한 후, 해가 없을 조건을 생각한다.

$(a+1)x+1>3x+4a$에서 $(a-2)x>4a-1$

이 부등식의 해가 없으므로 $a-2=0$이고 $4a-1\geq0$이어야 한다.

이때 $a=2$이면 $4a-1\geq0$이 성립하므로 $a=2$이다.

$a=2$를 $-2ax-7a<x+1$에 대입하면

$-4x-14<x+1,\ -5x<15$

$\therefore x>-3$

따라서 이를 참이 되게 하는 정수 x의 최솟값은 -2이다.

03 길잡이 a의 값의 범위를 $a>0$, $a=0$, $a<0$인 경우로 나누어 생각한다.

$|ax-3|\leq5$에서 $-5\leq ax-3\leq5$

$\therefore -2\leq ax\leq8$ $\cdots$ ㉠

(i) $a>0$일 때, ㉠에서 $-\dfrac{2}{a}\leq x\leq\dfrac{8}{a}$이므로

$-\dfrac{2}{a}=-2,\ \dfrac{8}{a}=8$ $\therefore a=1$

(ii) $a=0$일 때, ㉠에서 $-2\leq0\times x\leq8$이므로 x의 값에 관계없이 해가 무수히 많다.

그런데 주어진 부등식의 해는 $-2\leq x\leq8$이므로 조건에 모순이다.

(iii) $a<0$일 때, ㉠에서 $\dfrac{8}{a}\leq x\leq-\dfrac{2}{a}$이므로

$\dfrac{8}{a}=-2,\ -\dfrac{2}{a}=8$

이때 두 식을 동시에 만족시키는 a의 값은 없다.

따라서 (i)~(iii)에 의해 $a=1$이다.

04 길잡이 직육면체를 한 번 자를 때마다 늘어나는 겉넓이를 생각한다.

처음 직육면체의 겉넓이는

$(10\times5)\times4+(5\times5)\times2=200+50$
$=250(\mathrm{cm}^2)$

직육면체를 한 번 자를 때마다 늘어나는 겉넓이는

$(5\times5)\times2=50(\mathrm{cm}^2)$

즉, 직육면체를 x번 자른다고 하면

$250+50x\geq650,\ 50x\geq400$ $\therefore x\geq8$

따라서 겉넓이의 총합이 $650\,\mathrm{cm}^2$ 이상이 되려면 최소 8번을 잘라야 한다.

05 길잡이 1개의 창구에서 1분 동안 수속할 수 있는 사람 수를 먼저 구한다.

1개의 창구에서 1분 동안 수속할 수 있는 사람 수를 a명이라 하면

$3\times a\times15=300+15\times10,\ 45a=450$

$\therefore a=10$

기다리는 사람들이 모두 8분 이내에 x개의 창구에서 모두 탑승 수속을 마친다고 하면

$x\times10\times8\geq450,\ 80x\geq450$

$\therefore x\geq\dfrac{45}{8}\left(=5\dfrac{5}{8}\right)$

따라서 탑승 수속 창구는 6개 이상 있어야 하므로

$6-3=3$(개) 이상 추가되어야 한다.

06 길잡이 물탱크를 가득 채우는 물의 양을 1이라 하고 먼저 A, B 수도관으로 1시간 동안 채울 수 있는 물의 양을 각각 구한다.

물탱크를 가득 채우는 물의 양을 1이라 하면 A, B 수도관으로 1시간 동안 채울 수 있는 물의 양은 각각 $\dfrac{1}{3}$, $\dfrac{2}{5}$이고,

구멍으로 1시간 동안 빠져나가는 물의 양은 $\dfrac{1}{12}$이다.

두 수도관을 동시에 사용하여 물을 채우는 시간을 x시간이라 하면 A 수도관만으로 물을 채우는 시간은 $(2-x)$시간이므로

$\dfrac{1}{3}(2-x)+\left(\dfrac{1}{3}+\dfrac{2}{5}\right)x-\dfrac{1}{12}\times2\geq1$

$\dfrac{2}{3}-\dfrac{1}{3}x+\dfrac{11}{15}x-\dfrac{1}{6}\geq1,\ 20-10x+22x-5\geq30$

$12x\geq15$ $\therefore x\geq\dfrac{5}{4}$

따라서 두 수도관을 동시에 사용한 시간은 $\dfrac{5}{4}\left(=\dfrac{75}{60}\right)$시간, 즉 75분 이상이어야 한다.

07 길잡이 구입한 식품 A의 양을 $x\,\mathrm{g}$이라 하고 구입한 식품 B의 양을 x를 사용한 식으로 나타낸다.

식품 A를 $x\,\mathrm{g}$ 구입했다고 하면 구입한 가격은

$\dfrac{300}{100}\times x=3x$(원)

이때 두 식품 A, B를 구입한 가격의 비가 3 : 1이므로 식품 B를 구입한 양은

$3x\times\dfrac{1}{3}\times\dfrac{100}{200}=\dfrac{1}{2}x(\mathrm{g})$

두 식품 A, B를 모두 섭취했을 때 얻게 되는 탄수화물의 양이 18g 이상이므로

$$\frac{15}{100} \times x + \frac{6}{100} \times \frac{1}{2}x \geq 18$$

$$15x + 3x \geq 1800$$

$$18x \geq 1800 \qquad \therefore x \geq 100, \ \frac{1}{2}x \geq 50$$

이때 두 식품 A, B를 모두 섭취했을 때 얻게 되는 열량을 P kcal라 하면

$$P \geq \frac{25}{100} \times 100 + \frac{30}{100} \times 50 \qquad \therefore P \geq 40$$

따라서 구하는 열량은 최소 40 kcal이다.

08 길잡이 기웅이의 생일을 x월 y일이라 하면 x, y는 자연수이고 $1 \leq x \leq 12$임을 이용한다.

기웅이의 생일을 x월 y일이라 하면

$$10y + 50 + x = 230 \qquad \therefore x = 180 - 10y \qquad \cdots \ \text{㉠}$$

x는 $1 \leq x \leq 12$인 자연수이므로

㉠을 $1 \leq x \leq 12$에 대입하면 $1 \leq 180 - 10y \leq 12$

$$-179 \leq -10y \leq -168 \qquad \therefore 16.8 \leq y \leq 17.9$$

이때 y는 자연수이므로 $y = 17$이고, 이를 ㉠에 대입하면

$$x = 180 - 170 = 10$$

따라서 기웅이의 생일은 10월 17일이다.

P. 50~51 **❸ 서술형 완성하기**

[과정은 풀이 참조]

1 -4	**2** $\frac{9}{16}$	**3** $-5 \leq y < -4$	**4** $\frac{20}{3}$
5 7개	**6** 60 g	**7** $x=0, \ y=1$	**8** 5 km

1 $-5 \leq x < 17$의 각 변에서 2를 빼면

$$-7 \leq x - 2 < 15 \qquad \cdots \ \text{㉠}$$

㉠의 각 변에 $-\frac{3}{5}$을 곱하면

$$-9 < -\frac{3}{5}(x-2) \leq \frac{21}{5}$$

$$\therefore -9 < A \leq \frac{21}{5} \qquad \cdots \ (\text{i})$$

A의 값이 될 수 있는 수 중 가장 큰 정수는 4, 가장 작은 정수는 -8이므로

$$m = 4, \ n = -8 \qquad \cdots \ (\text{ii})$$

$$\therefore m + n = 4 + (-8) = -4 \qquad \cdots \ (\text{iii})$$

채점 기준	비율
(i) A의 값의 범위 구하기	60 %
(ii) m, n의 값 구하기	30 %
(iii) $m+n$의 값 구하기	10 %

2 $0.5x + \frac{1}{2} > ax + \frac{2}{3}a$의 양변에 6을 곱하면

$$3x + 3 > 6ax + 4a, \ (3-6a)x > 4a - 3 \qquad \cdots \ \text{㉠}$$

이 부등식의 해가 $x < 2$이므로 $3 - 6a < 0$

즉, ㉠에서 $x < \dfrac{4a-3}{3-6a}$ $\qquad \cdots \ (\text{i})$

따라서 $\dfrac{4a-3}{3-6a} = 2$이므로 $\qquad \cdots \ (\text{ii})$

$$4a - 3 = 6 - 12a, \ 16a = 9$$

$$\therefore a = \frac{9}{16} \qquad \cdots \ (\text{iii})$$

채점 기준	비율
(i) 일차부등식의 해를 a를 사용하여 나타내기	40 %
(ii) a에 대한 방정식 세우기	30 %
(iii) a의 값 구하기	30 %

3 $\dfrac{2x-1}{4} - \dfrac{x-2}{3} < \dfrac{a}{2}$의 양변에 12를 곱하면

$$3(2x-1) - 4(x-2) < 6a, \ 6x - 3 - 4x + 8 < 6a$$

$$2x < 6a - 5 \qquad \therefore x < \frac{6a-5}{2} \qquad \cdots \ (\text{i})$$

이를 만족시키는 자연수 x가 3개이므로 그 자연수는 1, 2, 3이다.

즉, 오른쪽 그림에서 $3 < \dfrac{6a-5}{2} \leq 4$

이므로 $\qquad \cdots \ (\text{ii})$

$$6 < 6a - 5 \leq 8 \qquad \therefore 11 < 6a \leq 13 \qquad \cdots \ \text{㉠}$$

$2y + 6a = 3$에서 $6a = 3 - 2y$이므로 이를 ㉠에 대입하면

$$11 < 3 - 2y \leq 13, \ 8 < -2y \leq 10$$

$$\therefore -5 \leq y < -4 \qquad \cdots \ (\text{iii})$$

채점 기준	비율
(i) 일차부등식의 해를 a를 사용하여 나타내기	30 %
(ii) a에 대한 부등식 세우기	40 %
(iii) y의 값의 범위 구하기	30 %

4 밑면의 한 변의 길이를 x라 하면 높이는 $\dfrac{15}{x}$이므로

$$(x \times x) \times \frac{15}{x} \geq 25 \qquad \cdots \ (\text{i})$$

$$15x \geq 25 \qquad \therefore x \geq \frac{5}{3} \qquad \cdots \ (\text{ii})$$

직육면체의 밑면의 둘레의 길이는 $4x$이므로

$$4x \geq 4 \times \frac{5}{3} = \frac{20}{3}$$

따라서 직육면체의 밑면의 둘레의 길이의 최솟값은 $\dfrac{20}{3}$이다.

$\qquad \cdots \ (\text{iii})$

채점 기준	비율
(i) 일차부등식 세우기	40 %
(ii) 일차부등식 풀기	30 %
(iii) 밑면의 둘레의 길이의 최솟값 구하기	30 %

5 삼각김밥을 x개 산다고 하면

$800 \times \left(1 - \dfrac{15}{100}\right) \times x < 800 \times (x-1)$ ⋯ (i)

$680x < 800x - 800$, $-120x < -800$

$\therefore x > \dfrac{20}{3} \left(= 6\dfrac{2}{3}\right)$ ⋯ (ii)

따라서 삼각김밥을 7개 이상 사야 A 마트에서 사는 것이 유리하다. ⋯ (iii)

채점 기준	비율
(i) 일차부등식 세우기	50 %
(ii) 일차부등식 풀기	40 %
(iii) 삼각김밥을 몇 개 이상 사야 A 마트에서 사는 것이 유리한지 구하기	10 %

6 합금 A의 양을 x g이라 하면 합금 B의 양은 $(200-x)$ g이므로

$\dfrac{40}{100} \times x + \dfrac{15}{100} \times (200-x) \geq 45$ ⋯ (i)

$40x + 15(200-x) \geq 4500$, $40x + 3000 - 15x \geq 4500$

$25x \geq 1500$ $\therefore x \geq 60$ ⋯ (ii)

따라서 합금 A는 최소 60 g이 필요하다. ⋯ (iii)

채점 기준	비율
(i) 일차부등식 세우기	50 %
(ii) 일차부등식 풀기	40 %
(iii) 합금 A는 최소 몇 g 필요한지 구하기	10 %

7 $-2 \leq 2x-1 \leq 4$에서 $-1 \leq 2x \leq 5$

$\therefore -\dfrac{1}{2} \leq x \leq \dfrac{5}{2}$ ⋯ ㉠

$3 \leq 4-y \leq 4$에서 $-1 \leq -y \leq 0$ ⋯ ㉡ ⋯ (i)

㉠, ㉡에서 $-\dfrac{3}{2} \leq x-y \leq \dfrac{5}{2}$

$-\dfrac{1}{2} \leq x-y+1 \leq \dfrac{7}{2}$ $\therefore -\dfrac{1}{8} \leq \dfrac{x-y+1}{4} \leq \dfrac{7}{8}$ ⋯ (ii)

이때 $\dfrac{x-y+1}{4}$의 값이 정수이므로 $\dfrac{x-y+1}{4} = 0$

$\therefore x-y = -1$ ⋯ ㉢ ⋯ (iii)

따라서 ㉠, ㉡, ㉢을 모두 만족시키는 정수 x, y의 값은 $x=0$, $y=1$ ⋯ (iv)

채점 기준	비율
(i) x, $-y$의 값의 범위 구하기	30 %
(ii) $\dfrac{x-y+1}{4}$의 값의 범위 구하기	40 %
(iii) $x-y$의 값 구하기	20 %
(iv) x, y의 값 구하기	10 %

8 역까지 걸어간 거리를 x km라 하면 뛰어간 거리는 $(7-x)$ km이고

뛰어간 속력은 시속 $\left(1 + \dfrac{50}{100}\right) \times 4 = 6$ (km)이므로 ⋯ (i)

$\dfrac{x}{4} + \dfrac{15}{60} + \dfrac{7-x}{6} \leq \dfrac{110}{60}$ ⋯ (ii)

$15x + 15 + 10(7-x) \leq 110$

$5x \leq 25$ $\therefore x \leq 5$

따라서 유리가 걸어간 거리는 최대 5 km이다. ⋯ (iii)

채점 기준	비율
(i) 뛰어간 속력 구하기	30 %
(ii) 일차부등식 세우기	40 %
(iii) 걸어간 거리는 최대 몇 km인지 구하기	30 %

4. 연립일차방정식

P. 54~59 **개념+** 대표 **문제 확인하기**

1 ㄱ, ㄷ		**2** ③		**3** $(10, 1)$, $(7, 2)$, $(4, 3)$, $(1, 4)$

4 $\dfrac{3}{2}$　　**5** $x=3$, $y=1$　　**6** 1

7 (1) $x=10$, $y=-11$　(2) $x=1$, $y=2$　　**8** 1

9 -1　**10** -12　**11** 2　　**12** -7

13 $x=2$, $y=6$　　**14** 9　　**15** $x=4$, $y=5$

16 $a=-2$, $b\neq-6$　**17** $x=-1$, $y=\dfrac{1}{2}$　**18** 49

19 ②　**20** 어른: 2000원, 어린이: 1100원　**21** ①

22 어머니: 36세, 딸: 10세　　**23** 60

24 남학생: 324명, 여학생: 196명　　**25** 1820원

26 ②　　**27** 40분　**28** 4 km　**29** ⑤　　**30** 400 m

31 3 %의 소금물: 400 g, 6 %의 소금물: 200 g

32 합금 A: 130 g, 합금 B: 260 g

1　ㄱ. $3x-y-1=0$

ㄴ. xy의 차수는 1이 아니다.

ㄷ. $4x+y-5=0$

ㄹ. x^2의 차수는 1이 아니다.

ㅁ. 정리하면 $4x=0$이므로 미지수가 1개이다.

따라서 미지수가 2개인 일차방정식인 것은 ㄱ, ㄷ이다.

2　① $400x+500y=2800$　　② $2x+2y=20$

③ $\dfrac{1}{2}xy=10$　　　　　　④ $x+3y=230$

⑤ $\dfrac{x+y}{30}=70$

따라서 미지수가 2개인 일차방정식이 아닌 것은 ③이다.

3　$y=1$, 2, 3, $\cdots$을 $x+3y=13$에 차례로 대입하면 다음 표와 같다.

x	10	7	4	1	-2	-5	$\cdots$
y	1	2	3	4	5	6	$\cdots$

따라서 x, y의 값이 자연수인 순서쌍 (x, y)는 $(10, 1)$, $(7, 2)$, $(4, 3)$, $(1, 4)$이다.

4　$x=-5$, $y=-\dfrac{1}{2}$을 $x-4y+a=0$에 대입하면

$-5+2+a=0$　　$\therefore a=3$

따라서 $x=3$을 $x-4y+3=0$에 대입하면

$3-4y+3=0$, $4y=6$　　$\therefore y=\dfrac{3}{2}$

5　$3x+y=10$의 해를 구하면 $(1, 7)$, $(2, 4)$, $\underline{(3, 1)}$

$x+2y=5$의 해를 구하면 $(1, 2)$, $\underline{(3, 1)}$

따라서 주어진 연립방정식의 해는 $x=3$, $y=1$이다.

6　$x=1-b$, $y=2$를 주어진 연립방정식에 대입하면

$$\begin{cases} 2(1-b)+2a=12 & \cdots \text{㉠} \\ 3(1-b)-2=7 & \cdots \text{㉡} \end{cases}$$

㉡에서 $3-3b-2=7$　　$\therefore b=-2$

$b=-2$를 ㉠에 대입하면

$6+2a=12$　　$\therefore a=3$

$\therefore a+b=3+(-2)=1$

7　(1) $\begin{cases} y=9-2x & \cdots \text{㉠} \\ 5x+4y=6 & \cdots \text{㉡} \end{cases}$

㉠을 ㉡에 대입하면 $5x+4(9-2x)=6$

$36-3x=6$　　$\therefore x=10$

$x=10$을 ㉠에 대입하면 $y=9-20=-11$

(2) $\begin{cases} 2x+3y=8 & \cdots \text{㉠} \\ 3x-8y=-13 & \cdots \text{㉡} \end{cases}$

㉠$\times3-$㉡$\times2$를 하면 $25y=50$　　$\therefore y=2$

$y=2$를 ㉠에 대입하면 $2x+6=8$　　$\therefore x=1$

8　$\begin{cases} x=y+5 & \cdots \text{㉠} \\ 2x-7y=5 & \cdots \text{㉡} \end{cases}$

㉠을 ㉡에 대입하면 $2(y+5)-7y=5$

$-5y+10=5$　　$\therefore y=1$

$y=1$을 ㉠에 대입하면 $x=1+5=6$

따라서 $a=6$, $b=1$이므로

$\dfrac{a}{2b}-\dfrac{12b}{a}=\dfrac{6}{2}-\dfrac{12}{6}=3-2=1$

9　$x=-4$, $y=3$을 $ax-by=7$에 대입하면

$-4a-3b=7$　　$\cdots \text{㉠}$

$x=2$, $y=-5$를 $ax-by=7$에 대입하면

$2a+5b=7$　　$\cdots \text{㉡}$

㉠$+$㉡$\times2$를 하면 $7b=21$　　$\therefore b=3$

$b=3$을 ㉡에 대입하면 $2a+15=7$　　$\therefore a=-4$

$\therefore a+b=-4+3=-1$

10　주어진 연립방정식의 해는 세 방정식을 모두 만족시키므로

연립방정식 $\begin{cases} -3x+5y=16 & \cdots \text{㉠} \\ 4x+7y=6 & \cdots \text{㉡} \end{cases}$의 해와 같다.

㉠$\times4+$㉡$\times3$을 하면 $41y=82$　　$\therefore y=2$

$y=2$를 ㉡에 대입하면 $4x+14=6$　　$\therefore x=-2$

따라서 $x=-2$, $y=2$를 $2x-9y=a-10$에 대입하면

$-4-18=a-10$　　$\therefore a=-12$

11　$y=3x$이므로 $\begin{cases} 5x-2y=-4 & \cdots \text{㉠} \\ y=3x & \cdots \text{㉡} \end{cases}$

㉡을 ㉠에 대입하면 $5x-6x=-4$　　$\therefore x=4$

$x=4$를 ㉡에 대입하면 $y=12$

따라서 $x=4$, $y=12$를 $ax+y=5a+10$에 대입하면

$4a+12=5a+10$　　$\therefore a=2$

12
$$\begin{cases} x+3y=16 & \cdots \ \boxdot \\ 2x-5y=10 & \cdots \ \boxdot \end{cases}$$
$\boxdot \times 2 - \boxdot$을 하면 $11y=22$ $\therefore y=2$
$y=2$를 $\boxdot$에 대입하면 $x+6=16$ $\therefore x=10$
$x=10$, $y=2$를 연립방정식 $\begin{cases} ax+by=10 \\ 3x+by=ay+4 \end{cases}$에 대입하면
$\begin{cases} 10a+2b=10 \\ 30+2b=2a+4 \end{cases}$, 즉 $\begin{cases} 5a+b=5 & \cdots \ \boxdot \\ a-b=13 & \cdots \ \boxdot \end{cases}$
$\boxdot+\boxdot$을 하면 $6a=18$ $\therefore a=3$
$a=3$을 $\boxdot$에 대입하면 $3-b=13$ $\therefore b=-10$
$\therefore a+b=3+(-10)=-7$

13
$$\begin{cases} 5(y-x)+3=20-(x-5) \\ x:y=1:3 \end{cases} \Rightarrow \begin{cases} 4x-5y=-22 & \cdots \ \boxdot \\ y=3x & \cdots \ \boxdot \end{cases}$$
$\boxdot$을 $\boxdot$에 대입하면 $4x-15x=-22$ $\therefore x=2$
$x=2$를 $\boxdot$에 대입하면 $y=6$

14
$$\begin{cases} 0.3y-0.1x=-0.7 & \cdots \ \boxdot \\ \dfrac{x-1}{7}+\dfrac{y-1}{3}=\dfrac{9}{7} & \cdots \ \boxdot \end{cases}$$
$\boxdot \times 10$을 하면 $-x+3y=-7$ $\cdots \ \boxdot$
$\boxdot \times 21$을 하면 $3x+7y=37$ $\cdots \ \boxdot$
$\boxdot \times 3 + \boxdot$을 하면 $16y=16$ $\therefore y=1$
$y=1$을 $\boxdot$에 대입하면 $3x+7=37$ $\therefore x=10$
$\therefore x-y=10-1=9$

15 주어진 방정식을 연립방정식으로 나타내면
$$\begin{cases} 3x-y-3=x+2y-10 \\ x+2y-10=2x-2y+6 \end{cases} \Rightarrow \begin{cases} 2x-3y=-7 & \cdots \ \boxdot \\ x-4y=-16 & \cdots \ \boxdot \end{cases}$$
$\boxdot-\boxdot \times 2$를 하면 $5y=25$ $\therefore y=5$
$y=5$를 $\boxdot$에 대입하면 $x-20=-16$ $\therefore x=4$

16
$$\begin{cases} 6x+3y=2b & \cdots \ \boxdot \\ ax-y=4 & \cdots \ \boxdot \end{cases}$$
$\boxdot \times(-3)$을 하면 $-3ax+3y=-12$ $\cdots \ \boxdot$
이때 $\boxdot$과 $\boxdot$의 x, y의 계수는 각각 같아야 하므로
$6=-3a$ $\therefore a=-2$
상수항은 달라야 하므로 $2b \neq -12$ $\therefore b \neq -6$

17 $\dfrac{1}{x}=A$, $\dfrac{1}{y}=B$로 놓으면 주어진 연립방정식은
$$\begin{cases} 4A+3B=2 & \cdots \ \boxdot \\ 5A-2B=-9 & \cdots \ \boxdot \end{cases}$$
$\boxdot \times 2 + \boxdot \times 3$을 하면 $23A=-23$ $\therefore A=-1$
$A=-1$을 $\boxdot$에 대입하면 $-4+3B=2$ $\therefore B=2$
따라서 $\dfrac{1}{x}=-1$에서 $x=-1$이고, $\dfrac{1}{y}=2$에서 $y=\dfrac{1}{2}$이다.

18 처음 수의 십의 자리의 숫자를 x, 일의 자리의 숫자를 y라 하면 처음 수는 $10x+y$이고, 십의 자리의 숫자와 일의 자리의 숫자를 바꾼 수는 $10y+x$이므로

18 (계속)
$$\begin{cases} x+y=13 \\ 10y+x=(10x+y)+45 \end{cases} \Rightarrow \begin{cases} x+y=13 \\ -x+y=5 \end{cases}$$
$\therefore x=4$, $y=9$
따라서 처음 수는 49이다.

19 서로 다른 두 수를 x, $y(x>y)$라 하면
$$\begin{cases} x-y=14 \\ x=5y+2 \end{cases} \quad \therefore x=17, \ y=3$$
따라서 두 수는 17, 3이므로 구하는 합은 $17+3=20$이다.

20 어른의 입장료를 x원, 어린이의 입장료를 y원이라 하면
$$\begin{cases} 2x+2y=6200 \\ x+3y=5300 \end{cases} \Rightarrow \begin{cases} x+y=3100 \\ x+3y=5300 \end{cases}$$
$\therefore x=2000$, $y=1100$
따라서 어른의 입장료는 2000원, 어린이의 입장료는 1100원이다.

21 정원이 28명인 반을 x개, 29명인 반을 y개라 하면
$$\begin{cases} x+y=8 \\ 28x+29y=230 \end{cases} \quad \therefore x=2, \ y=6$$
따라서 정원이 28명인 반은 2개이다.

22 현재 어머니의 나이를 x세, 딸의 나이를 y세라 하면
$$\begin{cases} x+y=46 \\ x+13=2(y+13)+3 \end{cases} \Rightarrow \begin{cases} x+y=46 \\ x-2y=16 \end{cases}$$
$\therefore x=36$, $y=10$
따라서 현재 어머니의 나이는 36세, 딸의 나이는 10세이다.

23 처음 직사각형의 가로, 세로의 길이를 각각 x, y라 하면
$$\begin{cases} 2\{(x+6)+(y+4)\}=52 \\ 2(3x+2y)=84 \end{cases} \Rightarrow \begin{cases} x+y=16 \\ 3x+2y=42 \end{cases}$$
$\therefore x=10$, $y=6$
따라서 처음 직사각형의 넓이는 $10 \times 6=60$이다.

24 작년의 남학생 수를 x명, 작년의 여학생 수를 y명이라 하면
$$\begin{cases} x+y=500 \\ \dfrac{8}{100}x-\dfrac{2}{100}y=20 \end{cases} \Rightarrow \begin{cases} x+y=500 \\ 4x-y=1000 \end{cases}$$
$\therefore x=300$, $y=200$
따라서 올해의 남학생 수는 $\left(1+\dfrac{8}{100}\right) \times 300=324$(명)이고,
올해의 여학생 수는 $\left(1-\dfrac{2}{100}\right) \times 200=196$(명)이다.

25 A, B 두 상품을 산 가격을 각각 x원, y원이라 하면
$$\begin{cases} x+y=3400 \\ \dfrac{30}{100}x+\dfrac{25}{100}y=920 \end{cases} \Rightarrow \begin{cases} x+y=3400 \\ 6x+5y=18400 \end{cases}$$
$\therefore x=1400$, $y=2000$
따라서 A 상품의 판매 가격은
$\left(1+\dfrac{30}{100}\right) \times 1400=1820$(원)

26 전체 일의 양을 1이라 하고, A, B가 1일 동안 할 수 있는 일의 양을 각각 x, y라 하면

$$\begin{cases} 6x+5y=1 \\ 10x+3y=1 \end{cases} \quad \therefore x=\frac{1}{16},\ y=\frac{1}{8}$$

따라서 B가 혼자서 이 일을 마치려면 8일이 걸린다.

27 물탱크에 물을 가득 채웠을 때의 물의 양을 1이라 하고, A, B 두 호스로 1분 동안 채울 수 있는 물의 양을 각각 x, y라 하면

$$\begin{cases} 20x+30y=1 \\ 24(x+y)=1 \end{cases} \quad \therefore x=\frac{1}{40},\ y=\frac{1}{60}$$

따라서 A 호스로만 물을 가득 채우려면 40분이 걸린다.

28 올라간 거리를 x km, 내려온 거리를 y km라 하면

$$\begin{cases} x+y=10 \\ \dfrac{x}{3}+\dfrac{y}{4}=3 \end{cases} \Rightarrow \begin{cases} x+y=10 \\ 4x+3y=36 \end{cases} \quad \therefore x=6,\ y=4$$

따라서 내려온 거리는 4 km이다.

29 우철이가 뛴 거리를 x km, 연희가 자전거를 타고 달린 거리를 y km라 하면

$$\begin{cases} x+y=15 \\ \dfrac{x}{8}=\dfrac{y}{12} \end{cases} \Rightarrow \begin{cases} x+y=15 \\ 3x=2y \end{cases} \quad \therefore x=6,\ y=9$$

따라서 우철이가 뛴 거리는 6 km이다.

30 기차의 길이를 x m, 기차의 속력을 분속 y m라 하면

$$\begin{cases} x+1600=\dfrac{50}{60}y \\ x+3200=\dfrac{90}{60}y \end{cases} \Rightarrow \begin{cases} 6x+9600=5y \\ 2x+6400=3y \end{cases}$$

$$\therefore x=400,\ y=2400$$

따라서 기차의 길이는 400 m이다.

31 3 %의 소금물의 양을 x g, 6 %의 소금물의 양을 y g이라 하면

$$\begin{cases} x+y=600 \\ \dfrac{3}{100}x+\dfrac{6}{100}y=\dfrac{4}{100}\times600 \end{cases} \Rightarrow \begin{cases} x+y=600 \\ x+2y=800 \end{cases}$$

$$\therefore x=400,\ y=200$$

따라서 3 %의 소금물은 400 g, 6 %의 소금물은 200 g을 섞어야 한다.

32 필요한 합금 A의 양을 x g, 합금 B의 양을 y g이라 하면

(구리의 양) $=\dfrac{1}{2}x+\dfrac{3}{4}y=390\times\dfrac{2}{3}$ ⋯ ㉠

(아연의 양) $=\dfrac{1}{2}x+\dfrac{1}{4}y=390\times\dfrac{1}{3}$ ⋯ ㉡

㉠, ㉡을 연립하여 풀면 $x=130$, $y=260$

따라서 합금 A는 130 g, 합금 B는 260 g이 필요하다.

P. 60~67 **내신 5% 따라잡기**

1 ②, ④	**2** $a\neq2$, $b\neq\dfrac{3}{2}$	**3** ④	**4** 4개
5 1	**6** $\dfrac{5}{3}$	**7** 4 : 9	**8** $x=2$, $y=4$
9 6	**10** 10	**11** $x=\dfrac{17}{5}$, $y=-\dfrac{6}{5}$	**12** 10
13 ①	**14** 20	**15** -2	**16** 12
17 ②			
18 55	**19** 4	**20** ②	**21** $x=-3$, $y=5$
22 3	**23** 4	**24** $-\dfrac{2}{9}$	**25** 54

26 재희: 10자루, 민정: 6자루 **27** ①, ⑤ **28** 78세

29 28 cm **30** ∠A$=111°$, ∠B$=30°$

31 남자: 54명, 여자: 42명 **32** 600명

33 공장 A: 13200개, 공장 B: 7600개

34 라켓: 220000원, 운동복: 140000원 **35** 50개

36 12960원, 10710원 **37** 8시간 **38** 1 km

39 연우: 분속 95 m, 지현: 분속 45 m

40 강물: 시속 3 km, 배: 시속 9 km

41 A: 100 g, B: 200 g

42 달걀: 100 g, 우유: 200 g **43** $x=12$, $y=10$

44 75개 **45** 0.8

1 ① $x^2+x-y+2=0$

③ 분모에 미지수가 있으면 일차방정식이 아니다.

④ $3x+y=0$

⑤ $7y-1=0$

따라서 미지수가 2개인 일차방정식인 것은 ②, ④이다.

2 $ax+by+2=2x-(b-3)y+3$에서

$(a-2)x+(2b-3)y-1=0$

이 식이 미지수가 2개인 일차방정식이 되려면

$a-2\neq0$, $2b-3\neq0$ $\therefore a\neq2$, $b\neq\dfrac{3}{2}$

3 $6x+5y=240$에서 $x=40-\dfrac{5}{6}y$ ⋯ ㉠

이때 x가 자연수이므로 y는 6의 배수이어야 한다.

$y=6, 12, 18, \cdots$을 ㉠에 차례로 대입하여 x의 값이 자연수인 순서쌍 (x, y)를 구하면 $(35, 6)$, $(30, 12)$, $(25, 18)$, $(20, 24)$, $(15, 30)$, $(10, 36)$, $(5, 42)$의 7개이다.

4 $(3x-8)\triangle2y=3(3x-8)-4y=9x-4y-24$,

$(1-2y)\triangle(-3x)=3(1-2y)+6x=6x-6y+3$이므로

$9x-4y-24=6x-6y+3$ $\therefore 3x+2y=27$ ⋯ ㉠

$x=1, 2, 3, \cdots$을 ㉠에 차례로 대입하면 다음 표와 같다.

x	1	2	3	4	5	6	7	8	9	⋯
y	12	$\dfrac{21}{2}$	9	$\dfrac{15}{2}$	6	$\dfrac{9}{2}$	3	$\dfrac{3}{2}$	0	⋯

따라서 x, y의 값이 자연수인 순서쌍 (x, y)는 $(1, 12)$, $(3, 9)$, $(5, 6)$, $(7, 3)$의 4개이다.

5 $x=1$, $y=2$를 $(a+b)x+(2a-3b)y=0$에 대입하면
$a+b+2(2a-3b)=0$
$a-b=0$ $\therefore a=b$
$a=b$를 $ax+2b-3a=4by$에 대입하면
$bx+2b-3b=4by$, $bx-4by=b$
$\therefore x-4y=1$ ($\because b \neq 0$)

6 $0.\dot{x}\dot{y}-0.\dot{y}\dot{x}=0.\dot{2}\dot{7}$이므로
$\dfrac{10x+y}{99}-\dfrac{10y+x}{99}=\dfrac{27}{99}$, $10x+y-(10y+x)=27$
$9x-9y=27$ $\therefore x-y=3$ $\cdots$ ㉠
$y=1$, 2, 3, $\cdots$, 9를 ㉠에 차례로 대입하여 x의 값이 한 자리의 자연수인 순서쌍 (x, y)를 구하면 $(4, 1)$, $(5, 2)$, $(6, 3)$, $(7, 4)$, $(8, 5)$, $(9, 6)$이다.
따라서 $0.\dot{x}\dot{y}+0.\dot{y}\dot{x}$의 최댓값은 x, y의 값이 최대일 때, 즉 $x=9$, $y=6$일 때이므로
$0.\dot{x}\dot{y}+0.\dot{y}\dot{x}=0.\dot{9}\dot{6}+0.\dot{6}\dot{9}=\dfrac{96}{99}+\dfrac{69}{99}$
$\qquad\qquad\qquad =\dfrac{165}{99}=\dfrac{5}{3}$

7 $\begin{cases} 6x+4y=3x+4a \\ 12x-7y=5y-5a \end{cases} \Rightarrow \begin{cases} 3x+4y=4a & \cdots ㉠ \\ 12x-12y=-5a & \cdots ㉡ \end{cases}$
㉠$\times 3+$㉡을 하면 $21x=7a$ $\therefore x=\dfrac{a}{3}$
$x=\dfrac{a}{3}$를 ㉠에 대입하면 $a+4y=4a$ $\therefore y=\dfrac{3a}{4}$
$\therefore x:y=\dfrac{a}{3}:\dfrac{3a}{4}=\dfrac{4a}{12}:\dfrac{9a}{12}=4:9$

8 x와 y의 값의 비가 $1:2$이므로 $y=2x$ $\cdots$ ㉠
㉠을 주어진 연립방정식에 대입하면
$\begin{cases} 3x-4x+5=a \\ x+8x-5a=3 \end{cases} \Rightarrow \begin{cases} x+a=5 & \cdots ㉡ \\ 9x-5a=3 & \cdots ㉢ \end{cases}$
㉡$\times 5+$㉢을 하면 $14x=28$ $\therefore x=2$
$x=2$를 ㉠에 대입하면 $y=4$
따라서 주어진 연립방정식의 해는 $x=2$, $y=4$이다.
[참고] $x=2$를 ㉡ 또는 ㉢에 대입해도 $a=3$이다.

9 주어진 연립방정식의 해는 네 방정식을 모두 만족시키므로
연립방정식 $\begin{cases} 3x-2y=5 & \cdots ㉠ \\ 2x+7y=-5 & \cdots ㉡ \end{cases}$의 해와 같다.
㉠$\times 2-$㉡$\times 3$을 하면 $-25y=25$ $\therefore y=-1$
$y=-1$을 ㉠에 대입하면 $3x+2=5$ $\therefore x=1$
$x=1$, $y=-1$을 $\begin{cases} ax+2by=-1 \\ 3ax-by=11 \end{cases}$에 대입하면
$\begin{cases} a-2b=-1 & \cdots ㉢ \\ 3a+b=11 & \cdots ㉣ \end{cases}$
㉢$+$㉣$\times 2$를 하면 $7a=21$ $\therefore a=3$
$a=3$을 ㉣에 대입하면 $9+b=11$ $\therefore b=2$
$\therefore ab=3\times 2=6$

10 $\begin{cases} 5x+2y=17 & \cdots ㉠ \\ ax+y=5 & \cdots ㉡ \end{cases}$
㉠$-$㉡$\times 2$를 하면 $(5-2a)x=7$ $\therefore x=\dfrac{7}{5-2a}$
이때 x가 정수이려면 $5-2a$는 -7, -1, 1, 7이어야 한다.
$5-2a=-7$일 때 $a=6$, $5-2a=-1$일 때 $a=3$,
$5-2a=1$일 때 $a=2$, $5-2a=7$일 때 $a=-1$
따라서 모든 정수 a의 값의 합은
$6+3+2+(-1)=10$

11 a와 b를 서로 바꾸어 놓은 연립방정식 $\begin{cases} bx+ay=1 \\ by-ax=-8 \end{cases}$의
해가 $x=2$, $y=-3$이므로
$\begin{cases} 2b-3a=1 \\ -3b-2a=-8 \end{cases}$, 즉 $\begin{cases} -3a+2b=1 & \cdots ㉠ \\ 2a+3b=8 & \cdots ㉡ \end{cases}$
㉠$\times 2+$㉡$\times 3$을 하면 $13b=26$ $\therefore b=2$
$b=2$를 ㉡에 대입하면 $2a+6=8$ $\therefore a=1$
따라서 처음 연립방정식은 $\begin{cases} x+2y=1 & \cdots ㉢ \\ -2x+y=-8 & \cdots ㉣ \end{cases}$이므로
㉢$\times 2+$㉣을 하면 $5y=-6$ $\therefore y=-\dfrac{6}{5}$
$y=-\dfrac{6}{5}$을 ㉢에 대입하면 $x-\dfrac{12}{5}=1$ $\therefore x=\dfrac{17}{5}$

12 $\begin{cases} ax+by=7 \\ cx-3y=1 \end{cases}$에 $x=2$, $y=3$을 대입하면
$\begin{cases} 2a+3b=7 & \cdots ㉠ \\ 2c-9=1 & \cdots ㉡ \end{cases}$
㉡에서 $2c=10$ $\therefore c=5$
또 $x=11$, $y=-15$를 $ax+by=7$에 대입하면
$11a-15b=7$ $\cdots$ ㉢
㉠$\times 5+$㉢을 하면 $21a=42$ $\therefore a=2$
$a=2$를 ㉢에 대입하면 $22-15b=7$ $\therefore b=1$
$\therefore abc=2\times 1\times 5=10$

13 주어진 연립방정식에서 순환소수를 분수로 나타내면
$\begin{cases} \dfrac{2}{9}x+\dfrac{1}{9}y=\dfrac{7}{9} \\ \dfrac{3}{90}x-\dfrac{2}{90}y=\dfrac{7}{90} \end{cases} \Rightarrow \begin{cases} 2x+y=7 & \cdots ㉠ \\ 3x-2y=7 & \cdots ㉡ \end{cases}$
㉠$\times 2+$㉡을 하면 $7x=21$ $\therefore x=3$
$x=3$을 ㉠에 대입하면 $6+y=7$ $\therefore y=1$
따라서 $a=3$, $b=1$이므로 $a+b=3+1=4$

14 $(x+7):(3y-2)=3:4$에서 $3(3y-2)=4(x+7)$
$9y-6=4x+28$ $\therefore 4x-9y=-34$ $\cdots$ ㉠
$(x+3y):(y-x)=1:3$에서 $y-x=3(x+3y)$
$y-x=3x+9y$ $\therefore x=-2y$ $\cdots$ ㉡
㉡을 ㉠에 대입하면 $-8y-9y=-34$ $\therefore y=2$
$y=2$를 ㉡에 대입하면 $x=-4$
$\therefore x^2+y^2=(-4)^2+2^2=16+4=20$

15
$$\begin{cases} 2(x+y-3)+y=-2 \\ 2x-7(y+3)=23 \end{cases} \Rightarrow \begin{cases} 2x+3y=4 & \cdots \text{㉠} \\ 2x-7y=44 & \cdots \text{㉡} \end{cases}$$
㉠-㉡을 하면 $10y=-40$ $\therefore y=-4$
$y=-4$를 ㉠에 대입하면 $2x-12=4$ $\therefore x=8$
$x=8$, $y=-4$를 $2x-ay=8$에 대입하면
$16+4a=8$ $\therefore a=-2$

16 $x-y>0$에서 $x>y$이고, $xy<0$이므로 $x>0$, $y<0$
즉, $|x|=x$, $|y|=-y$이므로 주어진 연립방정식은
$$\begin{cases} 4x+2y=6 \\ x-3y=5 \end{cases} \Rightarrow \begin{cases} 2x+y=3 & \cdots \text{㉠} \\ x-3y=5 & \cdots \text{㉡} \end{cases}$$
㉠-㉡×2를 하면 $7y=-7$ $\therefore y=-1$
$y=-1$을 ㉡에 대입하면 $x+3=5$ $\therefore x=2$
따라서 $a=2$, $b=-1$이므로 $a-10b=2+10=12$

17
$$\begin{cases} \dfrac{1}{4}x+y=6 & \cdots \text{㉠} \\ \dfrac{3x-2y}{6}-\dfrac{2x+4y}{3}=a & \cdots \text{㉡} \end{cases}$$
x의 값이 y의 값의 4배이므로 $x=4y$ $\cdots$ ㉢
㉢을 ㉠에 대입하면 $y+y=6$ $\therefore y=3$
$y=3$을 ㉢에 대입하면 $x=12$
따라서 $x=12$, $y=3$을 ㉡에 대입하면
$\dfrac{36-6}{6}-\dfrac{24+12}{3}=a$ $\therefore a=-7$

18
$$\begin{cases} 0.4x+0.3y=5 \\ \dfrac{x}{5}+\dfrac{2y}{5}=-5 \end{cases} \Rightarrow \begin{cases} 4x+3y=50 & \cdots \text{㉠} \\ x+2y=-25 & \cdots \text{㉡} \end{cases}$$
㉠-㉡×4를 하면 $-5y=150$ $\therefore y=-30$
$y=-30$을 ㉡에 대입하면 $x-60=-25$ $\therefore x=35$
$x=35$, $y=-30$을 $(2x+y):(x+a+y)=2:3$에 대입하면
$40:(5+a)=2:3$, $10+2a=120$ $\therefore a=55$

19 $2^{7x+2} \div 4^{y-2}=16^{x+2}$에서
$2^{7x+2} \div 2^{2(y-2)}=2^{4(x+2)}$, $2^{7x+2-2(y-2)}=2^{4(x+2)}$
$7x+2-2(y-2)=4(x+2)$ $\therefore 3x-2y=2$ $\cdots$ ㉠
$3^{5x} \div 9^{y-1}=27^{x-2}$에서
$3^{5x} \div 3^{2(y-1)}=3^{3(x-2)}$, $3^{5x-2(y-1)}=3^{3(x-2)}$
$5x-2(y-1)=3(x-2)$ $\therefore x-y=-4$ $\cdots$ ㉡
㉠-㉡×2를 하면 $x=10$
$x=10$을 ㉡에 대입하면 $10-y=-4$ $\therefore y=14$
따라서 $x=10$, $y=14$를 $(k+2)x-ky=4$에 대입하면
$10(k+2)-14k=4$ $\therefore k=4$

20 $x=4$, $y=3$을 주어진 방정식에 대입하면
$4a+3b=3(4a-3b)-12=15$
즉, $\begin{cases} 4a+3b=15 \\ 3(4a-3b)-12=15 \end{cases} \Rightarrow \begin{cases} 4a+3b=15 & \cdots \text{㉠} \\ 4a-3b=9 & \cdots \text{㉡} \end{cases}$
㉠+㉡을 하면 $8a=24$ $\therefore a=3$
$a=3$을 ㉠에 대입하면 $12+3b=15$ $\therefore b=1$
$\therefore ab=3 \times 1=3$

21 주어진 방정식을 연립방정식으로 나타내면
$$\begin{cases} 1.5x+\dfrac{y}{2}=x-y+6 & \cdots \text{㉠} \\ \dfrac{3x-y}{7}=x-y+6 & \cdots \text{㉡} \end{cases}$$
㉠×10을 하면 $15x+5y=10x-10y+60$
$5x+15y=60$ $\therefore x+3y=12$ $\cdots$ ㉢
㉡×7을 하면 $3x-y=7x-7y+42$
$-4x+6y=42$ $\therefore -2x+3y=21$ $\cdots$ ㉣
㉢-㉣을 하면 $3x=-9$ $\therefore x=-3$
$x=-3$을 ㉢에 대입하면 $-3+3y=12$ $\therefore y=5$

22 주어진 방정식을 각각 연립방정식으로 나타내면
$$\begin{cases} (a+1)x-2by=x-2 \\ 3x+2y=x-2 \end{cases} \Rightarrow \begin{cases} ax-2by=-2 & \cdots \text{㉠} \\ x+y=-1 & \cdots \text{㉡} \end{cases}$$
$$\begin{cases} -3ax+(b-1)y=16-y \\ -4x+y=16-y \end{cases} \Rightarrow \begin{cases} -3ax+by=16 & \cdots \text{㉢} \\ -2x+y=8 & \cdots \text{㉣} \end{cases}$$
㉡-㉣을 하면 $3x=-9$ $\therefore x=-3$
$x=-3$을 ㉡에 대입하면 $-3+y=-1$ $\therefore y=2$
따라서 $x=-3$, $y=2$를 ㉠, ㉢에 각각 대입하면
$$\begin{cases} -3a-4b=-2 & \cdots \text{㉤} \\ 9a+2b=16 & \cdots \text{㉥} \end{cases}$$
㉤+㉥×2를 하면 $15a=30$ $\therefore a=2$
$a=2$를 ㉥에 대입하면 $18+2b=16$ $\therefore b=-1$
$\therefore a-b=2-(-1)=3$

23 $\begin{cases} ax+y=x+1 \\ x+by=y+1 \end{cases} \Rightarrow \begin{cases} (a-1)x+y=1 & \cdots \text{㉠} \\ x+(b-1)y=1 & \cdots \text{㉡} \end{cases}$
이때 ㉠과 ㉡이 일치해야 하므로
$a-1=1$, $b-1=1$에서 $a=2$, $b=2$
$\therefore a+b=2+2=4$

24 $\dfrac{1}{2x}=A$, $\dfrac{1}{3y}=B$라 하면 $\begin{cases} 3A+5B=2 & \cdots \text{㉠} \\ 3A-7B=8 & \cdots \text{㉡} \end{cases}$
㉠-㉡을 하면 $12B=-6$ $\therefore B=-\dfrac{1}{2}$
$B=-\dfrac{1}{2}$을 ㉠에 대입하면 $3A-\dfrac{5}{2}=2$ $\therefore A=\dfrac{3}{2}$
$A=\dfrac{1}{2x}=\dfrac{3}{2}$에서 $6x=2$ $\therefore x=\dfrac{1}{3}$
$B=\dfrac{1}{3y}=-\dfrac{1}{2}$에서 $3y=-2$ $\therefore y=-\dfrac{2}{3}$
따라서 $a=\dfrac{1}{3}$, $b=-\dfrac{2}{3}$이므로 $ab=\dfrac{1}{3} \times \left(-\dfrac{2}{3}\right)=-\dfrac{2}{9}$

25 처음 수의 십의 자리의 숫자를 x, 일의 자리의 숫자를 y라 하면
$$\begin{cases} 10x+y=6(x+y) \\ 10y+x=(10x+y)-9 \end{cases} \Rightarrow \begin{cases} 4x=5y \\ x-y=1 \end{cases}$$
$\therefore x=5$, $y=4$
따라서 처음 수는 54이다.

26 재희와 민정이가 가진 볼펜의 개수를 각각 x자루, y자루라 하면

$$\begin{cases} x-2=y+2 \\ x+2=3(y-2) \end{cases} \Rightarrow \begin{cases} x-y=4 \\ x-3y=-8 \end{cases} \qquad \therefore x=10,\ y=6$$

따라서 재희가 가진 볼펜의 개수는 10자루, 민정이가 가진 볼펜의 개수는 6자루이다.

27 ①, ④ 오렌지 주스를 x병, 물을 y병 샀다고 하면

$$\begin{cases} x+2+4+y=12 \\ 1500x+3600+4000+950y=14950 \end{cases}$$

$$\Rightarrow \begin{cases} x+y=6 \\ 30x+19y=147 \end{cases} \qquad \therefore x=3,\ y=3$$

즉, 오렌지 주스를 3병, 물을 3병 샀다.
② 오렌지 주스 3병의 값은 $1500 \times 3 = 4500$(원)
③ 자몽 주스의 단가는 $3600 \div 2 = 1800$(원)
⑤ 물 3병의 값은 $950 \times 3 = 2850$(원)
따라서 옳지 않은 것은 ①, ⑤이다.

28 현재 할머니의 나이를 x세, 손자의 나이를 y세라 하면

$$\begin{cases} x-10=15(y-10) \\ (x+8)+(y+8)=100 \end{cases} \Rightarrow \begin{cases} x-15y=-140 \\ x+y=84 \end{cases}$$

$$\therefore x=70,\ y=14$$

따라서 현재 할머니의 나이는 70세이므로 8년 후의 할머니의 나이는 $70+8=78$(세)이다.

29 오른쪽 그림과 같이 작은 직사각형 한 개의 가로, 세로의 길이를 각각 x cm, y cm라 하면

$$\begin{cases} 3x=4y \\ 2\{3x+(x+2y)\}=88 \end{cases} \Rightarrow \begin{cases} 3x=4y \\ 2x+y=22 \end{cases} \qquad \therefore x=8,\ y=6$$

따라서 작은 직사각형 한 개의 가로, 세로의 길이는 각각 8 cm, 6 cm이므로 둘레의 길이는 $2(8+6)=28$(cm)이다.

30 $\angle A = x^\circ$, $\angle B = y^\circ$라 하면

$$\begin{cases} x=3y+21 \\ x+y=141 \end{cases} \qquad \therefore x=111,\ y=30$$

따라서 $\angle A$, $\angle B$의 크기는 각각 111°, 30°이다.

31 남자 회원 수를 x명, 여자 회원 수를 y명이라 하면

$$\begin{cases} x+y=96 \\ \dfrac{1}{9}x+\dfrac{1}{7}y=\dfrac{1}{8}\times 96 \end{cases} \Rightarrow \begin{cases} x+y=96 \\ 7x+9y=756 \end{cases} \qquad \therefore x=54,\ y=42$$

따라서 남자 회원 수는 54명, 여자 회원 수는 42명이다.

32 합격자 중 남자는 $400 \times \dfrac{5}{5+3} = 250$(명),

합격자 중 여자는 $400 \times \dfrac{3}{5+3} = 150$(명)

입사 지원자 중 남자의 수를 x명, 여자의 수를 y명이라 하면

$$\begin{cases} x:y=2:1 \\ (x-250):(y-150)=3:1 \end{cases} \Rightarrow \begin{cases} x=2y \\ x-3y=-200 \end{cases}$$

$$\therefore x=400,\ y=200$$

따라서 입사 지원자 중 남자의 수는 400명, 여자의 수는 200명이므로 전체 입사 지원자는 $400+200=600$(명)이다.

33 작년에 두 공장 A, B에서 만든 USB 메모리의 개수를 각각 x개, y개라 하면

$$\begin{cases} x+y=20000 \\ \dfrac{10}{100}x-\dfrac{5}{100}y=\dfrac{4}{100}\times 20000 \end{cases} \Rightarrow \begin{cases} x+y=20000 \\ 2x-y=16000 \end{cases}$$

$$\therefore x=12000,\ y=8000$$

따라서 올해 공장 A에서 생산한 USB 메모리의 개수는

$$\left(1+\dfrac{10}{100}\right)\times 12000=13200\text{(개)},$$

공장 B에서 생산한 USB 메모리의 개수는

$$\left(1-\dfrac{5}{100}\right)\times 8000=7600\text{(개)이다.}$$

34 작년의 배드민턴 라켓 한 세트의 가격을 x원, 운동복 한 벌의 가격을 y원이라 하면

$$\begin{cases} \left(1+\dfrac{10}{100}\right)x+\left(1+\dfrac{40}{100}\right)y=360000 \\ \left(1+\dfrac{20}{100}\right)(x+y)=360000 \end{cases}$$

$$\Rightarrow \begin{cases} 11x+14y=3600000 \\ x+y=300000 \end{cases} \qquad \therefore x=200000,\ y=100000$$

따라서 올해 구입한 배드민턴 라켓 한 세트의 가격은

$$\left(1+\dfrac{10}{100}\right)\times 200000=220000\text{(원)},$$

운동복 한 벌의 가격은

$$\left(1+\dfrac{40}{100}\right)\times 100000=140000\text{(원)이다.}$$

35 물건 A를 x개, 물건 B를 y개 샀다고 하면
(물건 A 1개의 이익)$=500 \times 0.1=50$(원)
(물건 B 1개의 이익)$=600 \times 0.15=90$(원)

$$\begin{cases} 500x+600y=50000 \\ 50x+90y=6500 \end{cases} \Rightarrow \begin{cases} 5x+6y=500 \\ 5x+9y=650 \end{cases}$$

$$\therefore x=40,\ y=50$$

따라서 물건 A는 40개, 물건 B는 50개를 샀으므로 더 많이 산 물건의 개수는 50개이다.

36 두 종류의 음악 CD의 정가를 각각 x원, y원이라 하면 (단, $x>y$)

$$\begin{cases} x-y=2500 \\ \left(1-\dfrac{10}{100}\right)x+\left(1-\dfrac{10}{100}\right)y=23670 \end{cases} \Rightarrow \begin{cases} x-y=2500 \\ x+y=26300 \end{cases}$$

$$\therefore x=14400,\ y=11900$$

따라서 두 종류의 음악 CD의 판매 가격은 각각

$$14400\times\left(1-\dfrac{10}{100}\right)=12960\text{(원)},$$

$$11900\times\left(1-\dfrac{10}{100}\right)=10710\text{(원)이다.}$$

37 전체 일의 양을 1이라 하고, 민아와 솔지가 1시간 동안 할 수 있는 일의 양을 각각 x, y라 하면

$$\begin{cases} 4x+10y=1 \\ 6(x+y)+3y=1 \end{cases} \Rightarrow \begin{cases} 4x+10y=1 \\ 6x+9y=1 \end{cases}$$

$$\therefore x=\frac{1}{24},\ y=\frac{1}{12}$$

따라서 민아와 솔지가 함께 하면

$$1\div\left(\frac{1}{24}+\frac{1}{12}\right)=1\div\frac{1}{8}=8(시간)이 걸린다.$$

38 재경이가 걸어간 거리를 x km, 뛰어간 거리를 y km라 하면 출발한 지 1시간 6분 만에 도서관에 도착했으므로

$$\begin{cases} x+y=3 \\ \dfrac{x}{4}+\dfrac{30}{60}+\dfrac{y}{10}=\dfrac{66}{60} \end{cases} \Rightarrow \begin{cases} x+y=3 \\ 5x+2y=12 \end{cases}$$

$$\therefore x=2,\ y=1$$

따라서 재경이가 뛰어간 거리는 1 km이다.

39 연우의 속력을 분속 x m, 지현이의 속력을 분속 y m라 하면 (단, $x>y$)

$$\begin{cases} 70x-70y=3500 \\ 20x+20y=3500-700 \end{cases} \Rightarrow \begin{cases} x-y=50 \\ x+y=140 \end{cases}$$

$$\therefore x=95,\ y=45$$

따라서 연우의 속력은 분속 95 m, 지현이의 속력은 분속 45 m이다.

40 강물의 속력을 시속 x km, 정지한 물에서의 배의 속력을 시속 y km라 하면

$$\begin{cases} (y-x)\times\dfrac{80}{60}=8 \\ (x+y)\times\dfrac{40}{60}=8 \end{cases} \Rightarrow \begin{cases} x-y=-6 \\ x+y=12 \end{cases}$$

$$\therefore x=3,\ y=9$$

따라서 강물의 속력은 시속 3 km, 정지한 물에서의 배의 속력은 시속 9 km이다.

> **참고** 강물의 속력을 x, 정지한 물에서의 배의 속력을 y, 강을 거슬러 올라갈 때 걸린 시간을 a, 강을 따라 내려올 때 걸린 시간을 b라 하면
> ① (강을 거슬러 올라갈 때의 배의 속력)$=y-x$
> ② (강을 따라 내려올 때의 배의 속력)$=x+y$
> ③ (강의 길이)$=(y-x)\times a=(x+y)\times b$

41 소금물 A의 처음의 양을 x g, 소금물 B의 처음의 양을 y g이라 하면 더 부은 물의 양은 $2x$ g이므로

$$\begin{cases} x+y+2x=500 \\ \dfrac{4}{100}x+\dfrac{3}{100}y=\dfrac{2}{100}\times 500 \end{cases} \Rightarrow \begin{cases} 3x+y=500 \\ 4x+3y=1000 \end{cases}$$

$$\therefore x=100,\ y=200$$

따라서 소금물 A의 처음의 양은 100 g, 소금물 B의 처음의 양은 200 g이다.

42 섭취해야 하는 달걀, 우유의 양을 각각 x g, y g이라 하면

$$\begin{cases} \dfrac{160}{100}x+\dfrac{60}{100}y=280 \\ \dfrac{12}{100}x+\dfrac{3}{100}y=18 \end{cases} \Rightarrow \begin{cases} 8x+3y=1400 \\ 4x+y=600 \end{cases}$$

$$\therefore x=100,\ y=200$$

따라서 섭취해야 하는 달걀, 우유의 양은 각각 100 g, 200 g이다.

43 〔길잡이〕 먼저 주어진 그림을 주어진 연산에 따라 식으로 나타낸다.

$x\div 3+0.7\times y=11$에서 $\dfrac{1}{3}x+\dfrac{7}{10}y=11$ ⋯ ㉠

$5x\div 4-2y\div 5=11$에서 $\dfrac{5}{4}x-\dfrac{2}{5}y=11$ ⋯ ㉡

㉠$\times 30$을 하면 $10x+21y=330$ ⋯ ㉢

㉡$\times 20$을 하면 $25x-8y=220$ ⋯ ㉣

㉢, ㉣을 연립하여 풀면 $x=12$, $y=10$

44 〔길잡이〕 선준, 재신, 용하의 동전의 개수와 동전의 총금액에 대한 식을 각각 세운다.

12000원을 세 명이 똑같이 나누었으므로 각각 4000원씩 가졌다.

선준이가 가진 100원짜리와 500원짜리 동전의 개수를 각각 a개, b개라 하면

$$\begin{cases} a+b=16 \\ 100a+500b=4000 \end{cases} \qquad \therefore a=10,\ b=6$$

재신이가 가진 동전의 개수는 선준이가 가진 동전의 개수의 2배이므로 재신이가 가진 100원짜리와 500원짜리 동전의 개수를 각각 c개, d개라 하면

$$\begin{cases} c+d=32 \\ 100c+500d=4000 \end{cases} \qquad \therefore c=30,\ d=2$$

용하가 가진 100원짜리 동전과 500원짜리 동전의 개수를 각각 x개, y개라 하면

$$100x+500y=4000 \quad \cdots ㉠$$

x, y의 값이 자연수이므로 ㉠의 해를 구하면 $(5, 7)$, $(10, 6)$, $(15, 5)$, $(20, 4)$, $(25, 3)$, $(30, 2)$, $(35, 1)$이다.

이때 용하의 동전의 개수가 가장 많으므로

$$x=35,\ y=1$$

따라서 저금통에 들어 있던 100원짜리 동전의 개수는 $10+30+35=75(개)$이다.

45 〔길잡이〕 승 수를 x, 무승부 수를 y로 놓고 주어진 승률 계산 방법을 이용하여 식을 세운다.

이 팀이 x승 y무 8패를 하였다고 하면

$$x+y+8=50에서 \ x+y=42 \quad \cdots ㉠$$

1997년 방식으로 계산한 승률은

$$\dfrac{x+0.5y}{50}=0.74에서 \ 2x+y=74 \quad \cdots ㉡$$

㉠, ㉡을 연립하여 풀면 $x=32$, $y=10$

따라서 이 팀은 32승을 하였으므로 2018년 방식으로 계산한 승률은 $\dfrac{32}{32+8}=\dfrac{32}{40}=0.8$

01 길잡이 주어진 연립방정식의 해를 $x=p$, $y=q$라 하면 해 x, y에서 각각 1을 뺀 것을 해로 갖는 연립방정식의 해는 $x=p-1$, $y=q-1$이다.

$\begin{cases} 5x+8y=1 \\ 7x+ay=41 \end{cases}$ 의 해를 $x=p$, $y=q$라 하면

$\begin{cases} 5p+8q=1 & \cdots \text{㉠} \\ 7p+aq=41 & \cdots \text{㉡} \end{cases}$

이때 $\begin{cases} bx-4y=28 \\ 6x+7y=-4 \end{cases}$ 의 해는 $x=p-1$, $y=q-1$이므로

$\begin{cases} b(p-1)-4(q-1)=28 \\ 6(p-1)+7(q-1)=-4 \end{cases}$ 즉, $\begin{cases} bp-4q=24+b & \cdots \text{㉢} \\ 6p+7q=9 & \cdots \text{㉣} \end{cases}$

㉠$\times 6-$㉣$\times 5$를 하면 $13q=-39$ $\quad\therefore q=-3$

$q=-3$을 ㉠에 대입하면 $5p-24=1$ $\quad\therefore p=5$

$p=5$, $q=-3$을 ㉡에 대입하면 $35-3a=41$ $\quad\therefore a=-2$

$p=5$, $q=-3$을 ㉢에 대입하면 $5b+12=24+b$ $\quad\therefore b=3$

$\therefore ab=(-2)\times 3=-6$

02 길잡이 $y=mx-5$를 다른 한 식에 대입한 후 m이 자연수가 되기 위한 조건을 생각한다.

$y=mx-5$를 $4x+3y=40$에 대입하면

$4x+3(mx-5)=40$, $(4+3m)x=55$

이때 m은 자연수이므로 $4+3m\geq 7$이고 $4+3m$은 55의 약수이므로 $4+3m=11$ 또는 $4+3m=55$

(ⅰ) $4+3m=11$일 때, $m=\dfrac{7}{3}$이므로 자연수가 아니다.

(ⅱ) $4+3m=55$일 때, $m=17$

따라서 (ⅰ), (ⅱ)에 의해 $m=17$

03 길잡이 $xy=1$인 경우와 $xy\neq 1$인 경우로 나누어 생각한다.

$\begin{cases} x^{x+y}=y^4 & \cdots \text{㉠} \\ y^{x+y}=x^4 & \cdots \text{㉡} \end{cases}$ 에서 ㉠$\times$㉡을 하면 $(xy)^{x+y}=(xy)^4$

(ⅰ) $xy=1$일 때, 즉 $x=1$, $y=1$일 때 $\begin{cases} 1^{1+1}=1^4 \\ 1^{1+1}=1^4 \end{cases}$이므로 등식이 모두 성립한다.

(ⅱ) $xy\neq 1$일 때, $x+y=4$

이때 $x+y=4$를 만족시키는 자연수 x, y의 순서쌍 (x, y)는 $(1, 3)$, $(2, 2)$, $(3, 1)$이다.

$x=1$, $y=3$이면 $\begin{cases} 1^4=3^4 \\ 3^4=1^4 \end{cases}$이므로 모순이다.

$x=2$, $y=2$이면 $\begin{cases} 2^4=2^4 \\ 2^4=2^4 \end{cases}$이므로 등식이 모두 성립한다.

$x=3$, $y=1$이면 $\begin{cases} 3^4=1^4 \\ 1^4=3^4 \end{cases}$이므로 모순이다.

따라서 (ⅰ), (ⅱ)에 의해 구하는 순서쌍 (x, y)는 $(1, 1)$, $(2, 2)$이다.

04 길잡이 $\dfrac{1}{x-2y}=A$, $\dfrac{1}{x+2y}=B$로 놓고 A, B에 대한 연립방정식을 푼다.

$\dfrac{1}{x-2y}=A$, $\dfrac{1}{x+2y}=B$라 하면

$\begin{cases} \dfrac{5}{2}A-B=4 \\ 7A-\dfrac{5}{2}B=13 \end{cases}$ $\Rightarrow$ $\begin{cases} 5A-2B=8 & \cdots \text{㉠} \\ 14A-5B=26 & \cdots \text{㉡} \end{cases}$

㉠$\times 5-$㉡$\times 2$를 하면 $-3A=-12$ $\quad\therefore A=4$

$A=4$를 ㉠에 대입하면 $20-2B=8$ $\quad\therefore B=6$

즉, $A=\dfrac{1}{x-2y}=4$, $B=\dfrac{1}{x+2y}=6$이므로

$\begin{cases} x-2y=\dfrac{1}{4} & \cdots \text{㉢} \\ x+2y=\dfrac{1}{6} & \cdots \text{㉣} \end{cases}$

㉢$+$㉣을 하면 $2x=\dfrac{5}{12}$ $\quad\therefore x=\dfrac{5}{24}$

$x=\dfrac{5}{24}$를 ㉣에 대입하면 $\dfrac{5}{24}+2y=\dfrac{1}{6}$ $\quad\therefore y=-\dfrac{1}{48}$

따라서 $a=\dfrac{5}{24}$, $b=-\dfrac{1}{48}$이므로

$\dfrac{a}{b}=\dfrac{5}{24}\div\left(-\dfrac{1}{48}\right)=\dfrac{5}{24}\times(-48)=-10$

05 길잡이 $a+b=A$, $ab=B$로 놓고 A, B에 대한 연립방정식을 푼다.

$\begin{cases} 5ab-4a-4b=-6 \\ 5a+4ab+5b=28 \end{cases}$ $\Rightarrow$ $\begin{cases} -4(a+b)+5ab=-6 \\ 5(a+b)+4ab=28 \end{cases}$

$a+b=A$, $ab=B$라 하면 $\begin{cases} -4A+5B=-6 & \cdots \text{㉠} \\ 5A+4B=28 & \cdots \text{㉡} \end{cases}$

㉠$\times 5+$㉡$\times 4$를 하면 $41B=82$ $\quad\therefore B=2$

$B=2$를 ㉡에 대입하면 $5A+8=28$ $\quad\therefore A=4$

따라서 $a+b=4$, $ab=2$이므로 $\dfrac{1}{a}+\dfrac{1}{b}=\dfrac{a+b}{ab}=\dfrac{4}{2}=2$

06 길잡이 계단을 올라가는 것은 $+$, 계단을 내려가는 것은 $-$로 생각하여 연립방정식을 세운다.

수빈이가 이긴 횟수를 x번, 주하가 이긴 횟수를 y번이라 하면 비긴 횟수는 $\{20-(x+y)\}$번이므로

$\begin{cases} 3x-2y-\{20-(x+y)\}=-10 \\ -2x+3y-\{20-(x+y)\}=15 \end{cases}$

$\Rightarrow \begin{cases} 4x-y=10 \\ -x+4y=35 \end{cases}$ $\quad\therefore x=5$, $y=10$

$\therefore x:y:\{20-(x+y)\}=5:10:5=1:2:1$

07 길잡이 $\begin{cases} (\text{연주한 시간의 합에 대한 식}) \\ (\text{피아노를 친 날수에 대한 식}) \end{cases}$ 으로 연립방정식을 세운다.

피아노를 친 시간의 합이 1680분이고, 하루 평균이 210분이므로 피아노를 친 날수는 $\dfrac{1680}{210}=8$(일)이다.

학교에 간 날수를 x일, 가지 않은 날수를 y일이라 하면

$\begin{cases} 180x+300y=1680 \\ x+y=8 \end{cases}$ $\Rightarrow \begin{cases} 3x+5y=28 \\ x+y=8 \end{cases}$ $\quad\therefore x=6$, $y=2$

따라서 학교에 간 날수는 총 6일이다.

08 길잡이 (부족한 금액)=(1인당 더 부담하는 비용)×(남은 인원수)임을 이용하여 연립방정식을 세운다.

처음 축구 동아리의 학생 수를 x명, 처음의 1인당 부담해야 할 비용을 y만 원이라 하면

5명이 나간 후 부족한 금액은 $5y$만 원이므로

$5y=1\times(x-5)$ $\cdots$ ㉠

3명이 더 나간 후 부족한 금액은 $8y$만 원이므로

$8y=2\times(x-8)$ $\cdots$ ㉡

㉠, ㉡을 연립하여 풀면 $x=20$, $y=3$

따라서 축구 장비의 가격은 $20\times3=60$(만 원)이다.

09 길잡이 형진이의 속력을 분속 x m라 하면 처음 진서의 속력은 분속 $2x$ m, 1.5배로 올린 속력은 분속 $2x\times1.5=3x$(m)임을 이용하여 연립방정식을 세운다.

형진이의 속력을 분속 x m, 호수의 둘레의 길이를 y m라 하면

$\begin{cases}45\times x+45\times2x=y\\30\times x+30\times3x=y-1000\end{cases}$

$\Rightarrow\begin{cases}135x=y\\120x-y=-1000\end{cases}$ $\therefore x=\dfrac{200}{3}$, $y=9000$

따라서 호수의 둘레의 길이는 9000 m, 즉 9 km이다.

10 길잡이 (기차가 보이지 않는 동안 움직인 거리)
=(터널의 길이)−(기차의 길이)
임을 이용하여 연립방정식을 세운다.

기차의 길이를 x m, 기차의 속력을 분속 y m라 하면

$\begin{cases}1400+x=3y\\4600-x=5y\end{cases}$ $\therefore x=850$, $y=750$

따라서 이 기차가 길이 2 km인 터널을 완전히 통과하는 데 걸리는 시간은

$\dfrac{2000+850}{750}=3\dfrac{48}{60}$(분), 즉 3분 48초이다.

11 길잡이 농도가 다른 두 소금물을 $a:b$의 비율로 섞는 경우는 각각 ak g, bk g를 섞는 것으로 생각한다.

소금물 A의 농도를 x %, 소금물 B의 농도를 y %라 하자.

A와 B를 1 : 1의 비율로 각각 a g씩 섞으면

$\dfrac{x}{100}\times a+\dfrac{y}{100}\times a=\dfrac{3}{100}\times2a$ $\cdots$ ㉠

A와 B를 1 : 3의 비율로 각각 b g, $3b$ g 섞으면

$\dfrac{x}{100}\times b+\dfrac{y}{100}\times3b=\dfrac{2}{100}\times4b$ $\cdots$ ㉡

㉠, ㉡에서 $\begin{cases}x+y=6\\x+3y=8\end{cases}$ $\therefore x=5$, $y=1$

A와 B를 1 : 4의 비율로 각각 c g, $4c$ g 섞으면 농도는

$\dfrac{\dfrac{5}{100}\times c+\dfrac{1}{100}\times4c}{5c}\times100=1.8(\%)$

따라서 구하는 농도는 1.8 %이다.

12 길잡이 소금물을 옮겨 담은 후에 비커 A, B에 들어 있는 소금의 양을 각각 방정식으로 나타내어 연립방정식을 세운다.

두 비커 A, B에 들어 있던 처음 소금물의 농도를 각각 x %, y %라 하면

$\begin{cases}\dfrac{x}{100}\times100+\dfrac{y}{100}\times50+\dfrac{4}{100}\times50=15\\[2mm]\dfrac{y}{100}\times100+\dfrac{x}{100}\times50+\dfrac{4}{100}\times50=16\end{cases}$ $\Rightarrow\begin{cases}2x+y=26\\x+2y=28\end{cases}$

$\therefore x=8$, $y=10$

따라서 소금물을 옮겨 담은 후 비커 C에 들어 있는 소금의 양은 $\dfrac{4}{100}\times100+\dfrac{8}{100}\times50+\dfrac{10}{100}\times50=13$(g)이다.

P. 72~73 ④ 서술형 완성하기
[과정은 풀이 참조]

1 $x=2$, $y=5$	**2** $x=3$, $y=-1$	**3** $\dfrac{1}{36}$
4 $a=96$, $b=10$	**5** 쿠키, 152개	**6** 4.5 g
7 70초	**8** 318 g	

1 $x=8$, $y=3$을 $2x+ay=31$에 대입하면

$16+3a=31$ $\therefore a=5$ $\cdots$ (i)

$x=8$, $y=3$을 $y=2x+b-15$에 대입하면

$3=16+b-15$ $\therefore b=2$ $\cdots$ (ii)

$a=5$, $b=2$를 $ax+by=20$에 대입하면 $5x+2y=20$

즉, $x=4-\dfrac{2}{5}y$이고, x, y는 자연수이므로 y는 5의 배수이어야 한다.

따라서 $y=5$, 10, 15, $\cdots$를 차례로 대입하여 x의 값이 자연수인 해를 구하면 $x=2$, $y=5$뿐이다. $\cdots$ (iii)

채점 기준	비율
(i) a의 값 구하기	30 %
(ii) b의 값 구하기	30 %
(iii) 일차방정식 $ax+by=20$의 해 구하기	40 %

2 $(2, x)\odot(y, 5)=2y+5x-2=5x+2y-2$

$(4, x-6)\odot(y+4, -1)=4(y+4)-(x-6)-4$
$\qquad\qquad\qquad\qquad =-x+4y+18$

$(1, 2)\odot(2, 5)=2+10-1=11$ $\cdots$ (i)

따라서 주어진 방정식은

$5x+2y-2=-x+4y+18=11$이므로

$\begin{cases}5x+2y-2=11\\-x+4y+18=11\end{cases}$ $\Rightarrow\begin{cases}5x+2y=13 \cdots ㉠\\x-4y=7 \cdots ㉡\end{cases}$ $\cdots$ (ii)

㉠×2+㉡을 하면 $11x=33$ $\therefore x=3$

$x=3$을 ㉡에 대입하면 $3-4y=7$ $\therefore y=-1$ $\cdots$ (iii)

채점 기준	비율
(i) 주어진 식의 각 변을 간단히 하기	30 %
(ii) 주어진 식을 연립방정식으로 나타내기	40 %
(iii) 연립방정식 풀기	30 %

3 $\dfrac{1}{2x-y}=A$, $\dfrac{1}{2x+y}=B$라 하면

$$\begin{cases} A-2B=2 & \cdots \text{㉠} \\ 2A+3B=18 & \cdots \text{㉡} \end{cases} \quad \cdots \text{(i)}$$

㉠$\times 2-$㉡을 하면 $-7B=-14$ $\quad \therefore B=2$

$B=2$를 ㉠에 대입하면 $A-4=2$ $\quad \therefore A=6$ $\quad \cdots \text{(ii)}$

즉, $\dfrac{1}{2x-y}=6$, $\dfrac{1}{2x+y}=2$이므로 $\begin{cases} 2x-y=\dfrac{1}{6} & \cdots \text{㉢} \\ 2x+y=\dfrac{1}{2} & \cdots \text{㉣} \end{cases}$

㉢$+$㉣을 하면 $4x=\dfrac{2}{3}$ $\quad \therefore x=\dfrac{1}{6}$

$x=\dfrac{1}{6}$을 ㉢에 대입하면 $\dfrac{1}{3}-y=\dfrac{1}{6}$ $\quad \therefore y=\dfrac{1}{6}$

$\therefore xy=\dfrac{1}{6}\times\dfrac{1}{6}=\dfrac{1}{36}$ $\quad \cdots \text{(iii)}$

채점 기준	비율
(i) $\dfrac{1}{2x-y}=A$, $\dfrac{1}{2x+y}=B$로 놓기	30 %
(ii) A, B에 대한 연립방정식 풀기	30 %
(iii) xy의 값 구하기	40 %

4 $\begin{cases} a=9b+6 & \cdots \text{㉠} \\ 3a-1=28b+7 & \cdots \text{㉡} \end{cases} \quad \cdots \text{(i)}$

㉠을 ㉡에 대입하면

$3(9b+6)-1=28b+7$ $\quad \therefore b=10$ $\quad \cdots \text{(ii)}$

$b=10$을 ㉠에 대입하면

$a=90+6=96$ $\quad \cdots \text{(iii)}$

채점 기준	비율
(i) 연립방정식 세우기	60 %
(ii) a의 값 구하기	20 %
(iii) b의 값 구하기	20 %

5 (초콜릿 1개의 이익)$=600\times 0.5=300$(원)

(쿠키 1개의 이익)$=300\times 0.3=90$(원) $\quad \cdots \text{(i)}$

초콜릿을 x개, 쿠키를 y개 팔았다고 하면

$\begin{cases} x+y=164 \\ 300x+90y=16020 \end{cases} \Rightarrow \begin{cases} x+y=164 \\ 10x+3y=534 \end{cases} \quad \cdots \text{(ii)}$

$\therefore x=6$, $y=158$

따라서 쿠키를 초콜릿보다 $158-6=152$(개) 더 팔았다.

$\cdots \text{(iii)}$

채점 기준	비율
(i) 초콜릿과 쿠키의 1개당 이익 구하기	30 %
(ii) 연립방정식 세우기	30 %
(iii) 어떤 상품을 몇 개 더 팔았는지 구하기	40 %

6 5 %의 소금물의 양을 x g, 6 %의 소금물의 양을 y g이라 하면

$\begin{cases} x+y+45=150 \\ \dfrac{5}{100}x+\dfrac{6}{100}y=\dfrac{4}{100}\times 150 \end{cases} \Rightarrow \begin{cases} x+y=105 \\ 5x+6y=600 \end{cases} \quad \cdots \text{(i)}$

$\therefore x=30$, $y=75$ $\quad \cdots \text{(ii)}$

따라서 6 %의 소금물 75 g에 들어 있던 소금의 양은

$\dfrac{6}{100}\times 75=4.5$(g)이다. $\quad \cdots \text{(iii)}$

채점 기준	비율
(i) 연립방정식 세우기	40 %
(ii) 연립방정식 풀기	30 %
(iii) 6 %의 소금물에 들어 있던 소금의 양 구하기	30 %

7 빨간색 블록의 개수를 x개, 파란색 블록의 개수를 y개라 하면 빨간색 블록과 파란색 블록은 총 600개이므로

$x+y=600$ $\quad \cdots \text{㉠}$

빨간색 블록 1개는 $\dfrac{1}{4}$초, 파란색 블록 1개는 $\dfrac{1}{5}$초 만에 쓰러지고 모두 2분 14초, 즉 134초 만에 쓰러지므로

$\dfrac{1}{4}x+\dfrac{1}{5}y=134$ $\quad \cdots \text{㉡}$ $\quad \cdots \text{(i)}$

㉠, ㉡을 연립하여 풀면 $x=280$, $y=320$

즉, 빨간색 블록은 280개, 파란색 블록은 320개가 있다.

$\cdots \text{(ii)}$

따라서 빨간색 블록만 세운 도미노에서 모든 블록이 쓰러지는 데 걸리는 시간은

$\dfrac{1}{4}\times 280=70$(초) $\quad \cdots \text{(iii)}$

채점 기준	비율
(i) 빨간색 블록과 파란색 블록의 개수를 구하는 연립방정식 세우기	50 %
(ii) 빨간색 블록과 파란색 블록의 개수 구하기	30 %
(iii) 빨간색 블록만 세운 도미노에서 모든 블록이 쓰러지는 데 걸리는 시간 구하기	20 %

8 두 식품 A, B를 각각 x g, y g 구입했다고 하면

$\begin{cases} 6x:2y=2:3 \\ \dfrac{4}{100}x+\dfrac{3}{100}y=35 \end{cases} \Rightarrow \begin{cases} 9x-2y=0 & \cdots \text{㉠} \\ 4x+3y=3500 & \cdots \text{㉡} \end{cases} \quad \cdots \text{(i)}$

㉠$\times 3+$㉡$\times 2$를 하면 $35x=7000$ $\quad \therefore x=200$

$x=200$을 ㉠에 대입하면 $1800-2y=0$ $\quad \therefore y=900$

$\cdots \text{(ii)}$

따라서 식품 A는 200 g, 식품 B는 900 g을 섭취하였으므로 두 식품으로부터 섭취할 수 있는 단백질의 양은

$\dfrac{15}{100}\times 200+\dfrac{32}{100}\times 900=318$(g) $\quad \cdots \text{(iii)}$

채점 기준	비율
(i) 연립방정식 세우기	40 %
(ii) 연립방정식 풀기	30 %
(iii) 두 식품으로부터 섭취할 수 있는 단백질의 양 구하기	30 %

5. 일차함수와 그 그래프

P. 76~81 개념+ 대표 문제 확인하기

1 ③	**2** 62, $y=\dfrac{300}{x}$		**3** -24	**4** 174 cm
5 17	**6** 15	**7** ㄱ, ㄷ	**8** $a=0,\ b\neq3$	
9 $-\dfrac{4}{3}$	**10** $\dfrac{1}{2}$	**11** $a=-3,\ b=1$	**12** 0	
13 1	**14** -3	**15** 1	**16** -4	**17** $-\dfrac{5}{3}$
18 ③	**19** ㄴ, ㄹ	**20** $\dfrac{1}{2}\leq a\leq3$		
21 $a=3,\ b\neq4$	**22** 1	**23** $y=-2x+2$		
24 $-\dfrac{1}{3}$	**25** ⑤	**26** $y=\dfrac{1}{3}x+1$	**27** ⑤	
28 (1) $y=-\dfrac{1}{274}x+100$	(2) 8220 m		**29** ㄱ, ㄴ	
30 96일	**31** 4초 후			

1 ①

x	1	2	3	4	…
y	1	0	1	0	…

이와 같이 x의 값 하나에 y의 값이 오직 하나씩 대응하므로 y는 x의 함수이다.

② $y=3x$ ⇨ 정비례 관계이므로 y는 x의 함수이다.

③ $x=2$일 때, 2의 약수는 1, 2의 2개이다.

즉, x의 값 하나에 y의 값이 오직 하나씩 대응하지 않으므로 y는 x의 함수가 아니다.

④ $y=\dfrac{1000}{x}$ ⇨ 반비례 관계이므로 y는 x의 함수이다.

⑤ $y=3000-x$ ⇨ $y=(x$에 대한 일차식$)$이므로 y는 x의 함수이다.

따라서 함수가 아닌 것은 ③이다.

2

x(조각)	1	2	3	4	5
y(g)	300	150	100	75	60

$a=2,\ b=60$이므로 $a+b=2+60=62$

x와 y의 곱이 300으로 일정하므로

$xy=300$ $\quad\therefore\ y=\dfrac{300}{x}$

3 $f(-2)=-6\times(-2)=12$

$f(5)=-6\times5=-30$

$\therefore\ 3f(-2)+2f(5)=3\times12+2\times(-30)$

$\qquad\qquad\qquad\quad=36-60=-24$

4 $h=83+3.5L$에 $L=26$을 대입하면

$h=83+3.5\times26=83+91=174$

5 $64=2^6$이므로 64의 약수의 개수는

$6+1=7$(개) $\quad\therefore\ f(64)=7$

$162=2\times3^4$이므로 162의 약수의 개수는

$(1+1)\times(4+1)=10$(개) $\quad\therefore\ f(162)=10$

$\therefore\ f(64)+f(162)=7+10=17$

6 $f(4)=\dfrac{a}{4}=5$ $\quad\therefore\ a=20$

즉, $f(x)=\dfrac{20}{x}$이므로 $f(b)=\dfrac{20}{b}=-4$ $\quad\therefore\ b=-5$

$\therefore\ a+b=20+(-5)=15$

7 ㄱ. $y=24-x$이므로 일차함수이다.

ㄴ. $y=x^2$이므로 일차함수가 아니다.

ㄷ. $y=2\pi\times4\times\dfrac{x}{360}+4\times2$에서 $y=\dfrac{\pi}{45}x+8$이므로 일차함수이다.

ㄹ. $xy=60$에서 $y=\dfrac{60}{x}$이므로 일차함수가 아니다.

ㅁ. $y=360$이므로 일차함수가 아니다.

따라서 일차함수인 것은 ㄱ, ㄷ이다.

8 $y=x(ax+b)-3x+2$에서 $y=ax^2+(b-3)x+2$

이 식이 일차함수가 되려면 x^2의 계수는 0이고, x의 계수는 0이 아니어야 하므로

$a=0,\ b-3\neq0$ $\quad\therefore\ a=0,\ b\neq3$

9 $f(2p)=-\dfrac{1}{4}\times2p+3=-\dfrac{1}{2}p+3$이므로

$-\dfrac{1}{2}p+3=p+5,\ -\dfrac{3}{2}p=2$ $\quad\therefore\ p=-\dfrac{4}{3}$

10 $y=-\dfrac{a}{3}x+2a-\dfrac{3}{4}$에 $x=3,\ y=\dfrac{5}{4}$를 대입하면

$\dfrac{5}{4}=-a+2a-\dfrac{3}{4}$ $\quad\therefore\ a=2$

따라서 $y=-\dfrac{2}{3}x+\dfrac{13}{4}$에 $x=3k,\ y=11k$를 대입하면

$11k=-2k+\dfrac{13}{4},\ 13k=\dfrac{13}{4}$ $\quad\therefore\ k=\dfrac{1}{4}$

$\therefore\ ak=2\times\dfrac{1}{4}=\dfrac{1}{2}$

11 $y=2ax+5$의 그래프를 y축의 방향으로 -3만큼 평행이동하면

$y=2ax+5-3$ $\quad\therefore\ y=2ax+2$

$y=2ax+2$와 $y=-6x+2b$의 그래프가 겹쳐지므로

$2a=-6,\ 2=2b$ $\quad\therefore\ a=-3,\ b=1$

12 $y=4x-6$의 그래프를 y축의 방향으로 m만큼 평행이동하면

$y=4x-6+m$

이 식에 $x=2,\ y=3$을 대입하면 $3=8-6+m$ $\quad\therefore\ m=1$

따라서 $y=4x-5$에 $x=1,\ y=n$을 대입하면 $n=4-5=-1$

$\therefore\ m+n=1+(-1)=0$

13 $y=-2x+6$의 그래프를 y축의 방향으로 -4만큼 평행이동
하면 $y=-2x+6-4$ $\therefore y=-2x+2$
즉, 기울기는 -2이고 y절편은 2이므로 $a=-2$, $c=2$
$y=-2x+2$에 $y=0$을 대입하면 $0=-2x+2$ $\therefore x=1$
즉, x절편은 1이므로 $b=1$
$\therefore a+b+c=-2+1+2=1$

14 $y=ax+4$에 $x=2$, $y=0$을 대입하면
$0=2a+4$ $\therefore a=-2$
$y=5x-b$의 그래프의 y절편이 $-\dfrac{3}{2}$이므로
$-b=-\dfrac{3}{2}$ $\therefore b=\dfrac{3}{2}$
$\therefore ab=-2\times\dfrac{3}{2}=-3$

15 $\dfrac{1-(-3k)}{-\dfrac{k}{2}-(-1)}=8$에서 $1+3k=-4k+8$
$7k=7$ $\therefore k=1$

16 세 점 $\left(\dfrac{5}{2},\,6\right)$, $(1,\,3)$, $(k,\,k-3)$이 한 직선 위에 있으면
세 점 중 어떤 두 점을 택해도 기울기는 모두 같으므로
$\dfrac{3-6}{1-\dfrac{5}{2}}=\dfrac{(k-3)-3}{k-1}$에서 $\dfrac{-3}{-\dfrac{3}{2}}=\dfrac{k-6}{k-1}$
$2=\dfrac{k-6}{k-1}$, $2k-2=k-6$ $\therefore k=-4$

17 $y=-\dfrac{a}{2}x+5$의 그래프의 y절편은 5이므로 $\mathrm{B}(0,\,5)$
이때 $\triangle\mathrm{AOB}$의 넓이가 15이므로
$\dfrac{1}{2}\times\overline{\mathrm{AO}}\times5=15$, $\overline{\mathrm{AO}}=6$ $\therefore \mathrm{A}(-6,\,0)$
따라서 $y=-\dfrac{a}{2}x+5$의 그래프가 점 $\mathrm{A}(-6,\,0)$을 지나므로
$0=3a+5$ $\therefore a=-\dfrac{5}{3}$

18 주어진 그래프가 오른쪽 아래로 향하는 직선이므로
(기울기)$=mn<0$
y축과 양의 부분에서 만나므로 $(y$절편$)=n>0$ $\therefore m<0$

19 ㄱ. $y=\dfrac{b}{a}x-b$에 $y=0$을 대입하면 $x=a$
즉, x절편은 a이다.
ㄴ. $a>0$, $b<0$이면 (기울기)$=\dfrac{b}{a}<0$이고
$(y$절편$)=-b>0$이므로 제1, 2, 4사분면을 지난다.
ㄷ. $b>0$이면 $(y$절편$)=-b<0$이므로 y축과 음의 부분에
서 만난다.
ㄹ. a와 b의 부호가 같으면 (기울기)$=\dfrac{b}{a}>0$이므로 오른쪽
위로 향하는 직선이다.
따라서 옳지 않은 것은 ㄴ, ㄹ이다.

20 (i) $y=ax+1$의 그래프가
점 $\mathrm{A}(2,\,7)$을 지날 때
$7=2a+1$ $\therefore a=3$
(ii) $y=ax+1$의 그래프가
점 $\mathrm{B}(4,\,3)$을 지날 때
$3=4a+1$ $\therefore a=\dfrac{1}{2}$

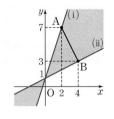

따라서 (i), (ii)에 의해 상수 a의 값의 범위는 $\dfrac{1}{2}\leq a\leq3$

21 $y=ax+b$와 $y=(2a-3)x+2b-4$의 그래프가 서로 평행
하려면 기울기가 같고 y절편은 달라야 하므로
$a=2a-3$, $b\neq2b-4$ $\therefore a=3$, $b\neq4$

22 $y=(2a-b)x+10$과 $y=4x+a+2b+3$의 그래프가 일치
하면 기울기가 같고 y절편도 같으므로
$2a-b=4$, $10=a+2b+3$ $\therefore a=3$, $b=2$
$\therefore a-b=3-2=1$

23 두 점 $(-2,\,0)$, $(0,\,-4)$를 지나는 직선과 평행하므로
구하는 직선의 기울기는 $\dfrac{-4-0}{0-(-2)}=-2$이고
$y=3x+2$의 그래프와 y축 위에서 만나므로
구하는 직선의 y절편은 2이다.
따라서 구하는 일차함수의 식은 $y=-2x+2$이다.

24 $y=\dfrac{3}{4}x+5$의 그래프와 평행하므로 구하는 일차함수의 그래
프의 기울기는 $\dfrac{3}{4}$이다. 즉, $y=\dfrac{3}{4}x+b$로 놓고
이 식에 $x=2$, $y=1$을 대입하면
$1=\dfrac{3}{2}+b$ $\therefore b=-\dfrac{1}{2}$
따라서 구하는 일차함수의 식은 $y=\dfrac{3}{4}x-\dfrac{1}{2}$이므로
$(x$절편$)\times(y$절편$)=\dfrac{2}{3}\times\left(-\dfrac{1}{2}\right)=-\dfrac{1}{3}$

25 두 점 $(-1,\,3)$, $(2,\,6)$을 지나는 직선의 기울기는
$\dfrac{6-3}{2-(-1)}=1$이므로 $y=x+b$로 놓고
이 식에 $x=-1$, $y=3$을 대입하면
$3=-1+b$ $\therefore b=4$
즉, 일차함수의 식은 $y=x+4$이고 이 그래프의 x절편은
-4이다.
보기의 일차함수의 그래프의 x절편을 각각 구하면 다음과
같다.
① -1 ② $\dfrac{1}{3}$ ③ -2 ④ 2 ⑤ -4
따라서 주어진 직선과 x축 위에서 만나는 것은 ⑤이다.

26 두 점 $(0, -2)$, $(-3, -3)$을 지나는 직선은 기울기가

$\dfrac{-3-(-2)}{-3-0}=\dfrac{1}{3}$이고, 점 $(0, -2)$를 지나므로 y절편이

-2이다.

따라서 $y=\dfrac{1}{3}x-2$의 그래프를 y축의 방향으로 3만큼 평행

이동하면

$y=\dfrac{1}{3}x-2+3$　　$\therefore y=\dfrac{1}{3}x+1$

27 기울기가 2이고 y절편이 1인 직선을 그래프로 하는 일차함

수의 식은 $y=2x+1$이다.

ㄱ. (기울기)$=\dfrac{3-1}{2-1}=2$이므로 $y=2x+b$로 놓고

이 식에 $x=1$, $y=1$을 대입하면 $1=2+b$　　$\therefore b=-1$

$\therefore y=2x-1$

ㄴ. 두 점 $(-2, 0)$, $(0, 4)$를 지나므로

(기울기)$=\dfrac{4-0}{0-(-2)}=2$, (y절편)$=4$

$\therefore y=2x+4$

ㄷ. 두 점 $\left(-\dfrac{1}{2}, 0\right)$, $(0, 1)$을 지나므로

(기울기)$=\dfrac{1-0}{0-\left(-\dfrac{1}{2}\right)}=2$, ($y$절편)$=1$

$\therefore y=2x+1$

ㄹ. y절편이 1이므로 $y=ax+1$로 놓고

이 식에 $x=3$, $y=7$을 대입하면 $7=3a+1$　　$\therefore a=2$

$\therefore y=2x+1$

따라서 주어진 직선과 일치하는 것은 ㄷ, ㄹ이다.

28 (1) 고도가 $274\,\mathrm{m}$씩 높아질 때마다 물이 끓는 온도가 $1\,^\circ\mathrm{C}$씩

내려가므로 고도가 $1\,\mathrm{m}$씩 높아질 때마다 물이 끓는 온도

는 $\dfrac{1}{274}\,^\circ\mathrm{C}$씩 내려간다.

$\therefore y=-\dfrac{1}{274}x+100$

(2) $y=-\dfrac{1}{274}x+100$에 $y=70$을 대입하면

$70=-\dfrac{1}{274}x+100$　　$\therefore x=8220$

따라서 물이 끓는 온도가 $70\,^\circ\mathrm{C}$가 되는 것은 고도가

$8220\,\mathrm{m}$일 때이다.

29 ㄱ. 양초에 불을 붙이면 1분마다 $\dfrac{2}{3}\,\mathrm{cm}$씩 타고, 처음 양초의

길이는 $15\,\mathrm{cm}$이므로

$y=-\dfrac{2}{3}x+15$　　$\cdots\cdots$ ㉠

ㄴ. ㉠에 $x=9$를 대입하면 $y=-6+15=9$

즉, 9분 후에 남은 양초의 길이는 $9\,\mathrm{cm}$이다.

ㄷ. ㉠에 $y=0$을 대입하면 $0=-\dfrac{2}{3}x+15$　　$\therefore x=22.5$

즉, 양초가 다 타는 데 걸리는 시간은 22.5분이다.

따라서 옳은 것은 ㄱ, ㄴ이다.

30 주어진 그래프가 두 점 $(0, 40)$, $(160, 0)$을 지나므로

(기울기)$=\dfrac{0-40}{160-0}=-\dfrac{1}{4}$이고, y절편이 40이므로

$y=-\dfrac{1}{4}x+40$

이 식에 $y=16$을 대입하면 $16=-\dfrac{1}{4}x+40$　　$\therefore x=96$

따라서 방향제의 양이 $16\,\mathrm{mL}$가 되는 것은 개봉하고 96일이

지난 후이다.

31 점 P가 점 B를 출발한 지 x초 후 사각형 APCD의 넓이를

$y\,\mathrm{cm}^2$라 하면 $\overline{\mathrm{BP}}=3x\,\mathrm{cm}$, $\overline{\mathrm{PC}}=(18-3x)\,\mathrm{cm}$이므로

$y=\dfrac{1}{2}\times\{18+(18-3x)\}\times8$

$\therefore y=-12x+144$

이 식에 $y=96$을 대입하면 $96=-12x+144$

$12x=48$　　$\therefore x=4$

따라서 사각형 APCD의 넓이가 $96\,\mathrm{cm}^2$가 되는 것은 점 P가

점 B를 출발한 지 4초 후이다.

P. 82~89　내신 5% 따라잡기

1 ③, ④	**2** -9	**3** $\dfrac{21}{2}$	**4** ②	**5** $-\dfrac{2}{5}$
6 57	**7** -15	**8** $a=4$, $b=2$		**9** ④
10 -2	**11** 18	**12** -6	**13** $(-1, -1)$	
14 $-\dfrac{1}{2}$	**15** -12, 84		**16** ㄱ, ㄷ	**17** ①
18 3	**19** ④	**20** ④		
21 ㄱ-m, ㄴ-n, ㄷ-l			**22** 2	
23 ㄱ, ㄴ, ㅁ		**24** ③	**25** $\dfrac{17}{5}$, 4	
26 ④	**27** 14	**28** D(6, 6)		**29** ②
30 $\dfrac{1}{4}$	**31** 2	**32** 7	**33** ⑤	
34 $y=\dfrac{5}{2}x-5$		**35** ④	**36** $y=-4x+3$	
37 -51	**38** $y=-\dfrac{1}{20}x+17$		**39** ㄱ, ㄷ	**40** 8일
41 41분 후		**42** 16 cm		**43** ③
44 $-\dfrac{2}{5}\le a<0$ 또는 $0<a\le\dfrac{1}{7}$			**45** 166 cm	
46 21시 20분				

1 ① x의 값 하나에 y의 값이 오직 하나씩 대응하므로 y는 x의

함수이다.

② $y=|x|+1=\begin{cases}x+1 & (x\geq 0)\\ -x+1 & (x<0)\end{cases}$

즉, x의 값 하나에 y의 값이 오직 하나씩 대응하므로 y는 x의 함수이다.

③ $x=2$일 때, 자연수 2와 서로소인 수는 1, 3, 5, 7, …로 무수히 많다. 즉, x의 값 하나에 y의 값이 2개 이상 대응하므로 y는 x의 함수가 아니다.

④ 오른쪽 그림과 같이 둘레의 길이가 12 cm인 두 사각형의 넓이는 9 cm²와 8 cm²로 서로 다르다. 즉, x의 값 하나에 y의 값이 오직 하나씩 대응하지 않으므로 y는 x의 함수가 아니다.

⑤ $y=\dfrac{x}{100}\times 200$ $\quad \therefore y=2x$

⇨ 정비례 관계이므로 y는 x의 함수이다.

따라서 함수가 아닌 것은 ③, ④이다.

2 $f(x)=6ax$에서 $f(-2)=4$이므로

$-12a=4$ $\quad \therefore a=-\dfrac{1}{3}$

$g(x)=\dfrac{3}{x}$에서 $g(b)=a$이므로 $g(b)=-\dfrac{1}{3}$

$\dfrac{3}{b}=-\dfrac{1}{3}$ $\quad \therefore b=-9$

3 $f(2p)=\dfrac{a}{2p}+3,\ f(p)=\dfrac{a}{p}+3,\ f(-p)=\dfrac{a}{-p}+3$

$\therefore f(2p)+f(p)+\dfrac{3}{2}f(-p)$

$=\left(\dfrac{a}{2p}+3\right)+\left(\dfrac{a}{p}+3\right)+\dfrac{3}{2}\left(-\dfrac{a}{p}+3\right)$

$=\dfrac{a}{2p}+3+\dfrac{2a}{2p}+3-\dfrac{3a}{2p}+\dfrac{9}{2}$

$=3+3+\dfrac{9}{2}=\dfrac{21}{2}$

4 y가 x에 정비례하므로 $y=ax$라 하면

$f(5)=5a=-2$ $\quad \therefore a=-\dfrac{2}{5}$

따라서 $f(x)=-\dfrac{2}{5}x$이므로

$3f(2)-f(5)+4f(1)$

$=3\times\left(-\dfrac{2}{5}\times 2\right)-\left(-\dfrac{2}{5}\times 5\right)+4\times\left(-\dfrac{2}{5}\times 1\right)$

$=-\dfrac{12}{5}+2-\dfrac{8}{5}=-2$

5 $f(x)=-\dfrac{x}{4}$에서 $f\left(\dfrac{a}{2}-3\right)=-2a$이므로

$-\dfrac{1}{4}\left(\dfrac{a}{2}-3\right)=-2a,\ -\dfrac{a}{8}+\dfrac{3}{4}=-2a$

$-a+6=-16a,\ 15a=-6$ $\quad \therefore a=-\dfrac{2}{5}$

6 $f(1)=f(2)=f(3)=0$

$f(4)=f(5)=f(6)=1$

$f(7)=f(8)=f(9)=2$

⋮

$f(16)=f(17)=f(18)=5$

$f(19)=f(20)=6$

$\therefore f(1)+f(2)+f(3)+\cdots+f(20)$

$=3\times 0+3\times 1+\cdots+3\times 5+2\times 6$

$=3\times(0+1+2+3+4+5)+2\times 6$

$=45+12=57$

7 $f\left(-\dfrac{x}{5}+3\right)$에서 $-\dfrac{x}{5}+3=5$일 때

$-\dfrac{x}{5}=2$ $\quad \therefore x=-10$

따라서 $f\left(-\dfrac{x}{5}+3\right)=x-5$에 $x=-10$을 대입하면

$f\left(\dfrac{-10}{5}+3\right)=-10-5$ $\quad \therefore f(5)=-15$

8 $y=3(a-2b)x+4$와 $y=(a+b-6)x+5b$가 x에 대한 일차함수가 되지 않으려면 x의 계수가 각각 0이어야 하므로

$3(a-2b)=0,\ a+b-6=0$

이 두 식을 연립하여 풀면 $a=4,\ b=2$

9 $f(x)=-\dfrac{1}{2}x+5$에서

$f\left(\dfrac{1}{4}\right)=-\dfrac{1}{2}\times\dfrac{1}{4}+5=\dfrac{39}{8},$

$f\left(-\dfrac{1}{4}\right)=-\dfrac{1}{2}\times\left(-\dfrac{1}{4}\right)+5=\dfrac{41}{8}$이므로

$f\left(\dfrac{1}{4}\right)-f\left(-\dfrac{1}{4}\right)=\dfrac{39}{8}-\dfrac{41}{8}=-\dfrac{1}{4}$

즉, $\dfrac{3-a}{2}=-\dfrac{1}{4}$이므로 $2(3-a)=-1$

$6-2a=-1,\ -2a=-7$ $\quad \therefore a=\dfrac{7}{2}$

$\therefore f(a)=f\left(\dfrac{7}{2}\right)=-\dfrac{1}{2}\times\dfrac{7}{2}+5=\dfrac{13}{4}$

10 $f(x)=(a-1)x+2b-a$에서 $f(3)=-1$이므로

$3(a-1)+2b-a=-1$

$3a-3+2b-a=-1,\ 2a+2b=2$ $\quad \therefore a+b=1$

$f(2)=2(a-1)+2b-a=a+2b-2$

$f(4)=4(a-1)+2b-a=3a+2b-4$

$\therefore f(2)+f(4)=a+2b-2+3a+2b-4$

$\qquad\qquad\quad =4a+4b-6$

$\qquad\qquad\quad =4(a+b)-6$

$\qquad\qquad\quad =4\times 1-6=-2$

11 점 C의 좌표를 C$(t,\ 0)(t>0)$이라 하면

점 D가 $y=-x+5$의 그래프 위에 있으므로 D$(t,\ -t+5)$,

$\overline{BO}:\overline{CO}=2:1$이므로 B$(-2t,\ 0)$,

점 A가 $y=\dfrac{2}{3}x+6$의 그래프 위에 있으므로

$$A\left(-2t,\ -\dfrac{4}{3}t+6\right)$$

이때 점 A와 점 D의 y좌표가 같으므로

$$-\dfrac{4}{3}t+6=-t+5,\ -\dfrac{1}{3}t=-1\qquad\therefore\ t=3$$

따라서 $\overline{BC}=t-(-2t)=3t=9$, $\overline{CD}=-t+5=2$이므로

(직사각형 ABCD의 넓이)$=9\times2=18$

12 점 $P(-4,\ 1)$과 x축에 대하여 대칭인 점 Q의 좌표는
$Q(-4,\ -1)$

$y=-3x+a$의 그래프를 y축의 방향으로 -7만큼 평행이동
하면 $y=-3x+a-7$

따라서 이 그래프가 점 $Q(-4,\ -1)$을 지나므로

$$-1=12+a-7\qquad\therefore\ a=-6$$

13 $y=2x+5$의 그래프가 점 $(2a,\ -a)$를 지나므로

$$-a=4a+5,\ -5a=5\qquad\therefore\ a=-1$$

$y=2x+5$의 그래프를 y축의 방향으로 $a-3$만큼, 즉 -4만
큼 평행이동하면

$$y=2x+5-4\qquad\therefore\ y=2x+1$$

x좌표와 y좌표가 같은 점의 좌표를 $(b,\ b)$라 하면
$y=2x+1$의 그래프가 점 $(b,\ b)$를 지나므로

$$b=2b+1,\ -b=1\qquad\therefore\ b=-1$$

따라서 구하는 점의 좌표는 $(-1,\ -1)$이다.

14 $y=7x-2a$의 그래프를 y축의 방향으로 6만큼 평행이동하면

$$y=7x-2a+6$$

이 식에 $y=0$을 대입하면 $0=7x-2a+6\qquad\therefore\ x=\dfrac{2a-6}{7}$

즉, $y=7x-2a+6$의 그래프의 x절편은 $\dfrac{2a-6}{7}$, y절편은
$-2a+6$이고, 그 합은 6이므로

$$\dfrac{2a-6}{7}+(-2a+6)=6,\ 2a-6-14a+42=42$$

$$-12a=6\qquad\therefore\ a=-\dfrac{1}{2}$$

15 $y=-\dfrac{2}{3}x+4$의 그래프의 x절편은 6이므로 $P(6,\ 0)$

$y=3x-\dfrac{a}{2}$의 그래프의 x절편은 $\dfrac{a}{6}$이므로 $Q\left(\dfrac{a}{6},\ 0\right)$

이때 $\overline{PQ}=8$이므로 $\left|6-\dfrac{a}{6}\right|=8$에서

$$6-\dfrac{a}{6}=8\ \text{또는}\ 6-\dfrac{a}{6}=-8$$

따라서 $6-\dfrac{a}{6}=8$에서 $a=-12$이고

$6-\dfrac{a}{6}=-8$에서 $a=84$이다.

16 (속력)$=\dfrac{\text{(거리)}}{\text{(시간)}}$이므로 주어진 그래프에서 기울기가 나타내
는 것이 속력이다. 즉, 각 그래프의 기울기를 구하면

버스 A: $\dfrac{+2500}{+2}=1250$, 버스 B: $\dfrac{+2000}{+2}=1000$,

버스 C: $\dfrac{+3300}{+3}=1100$, 버스 D: $\dfrac{+2100}{+2}=1050$

ㄱ. 버스 A의 속력은 분속 1000 m이다.

ㄴ. 두 버스 A, B의 그래프의 기울기가 다르므로 속력이 다
르다.

ㄷ. 버스 C의 그래프의 기울기가 버스 A의 그래프의 기울
기보다 작으므로 버스 C는 버스 A보다 느리다.

ㄹ. 그래프의 기울기가 가장 큰 버스 A가 가장 빠르다.

따라서 옳은 것은 ㄱ, ㄷ이다.

17 $y=f(x)$의 그래프가 x의 값이 3만큼 증가할 때, y의 값이
p만큼 감소하므로 기울기는 $-\dfrac{p}{3}$이다.

또 $2f(a)+3b=2f(b)+3a$에서

$$2\{f(a)-f(b)\}=3(a-b),\ \dfrac{f(a)-f(b)}{a-b}=\dfrac{3}{2}$$

이때 $\dfrac{f(a)-f(b)}{a-b}$는 $y=f(x)$의 그래프의 기울기이므로

$$-\dfrac{p}{3}=\dfrac{3}{2}\qquad\therefore\ 2p=-9$$

참고 두 점 $(a,\ f(a))$, $(b,\ f(b))$를 지나는 직선의 기울기는
$\dfrac{f(b)-f(a)}{b-a}$이다. (단, $a\ne b$)

18 오른쪽 그림과 같이 점 A에서 직선
BD에 내린 수선의 발을 E라 하고
$\overline{AE}=a$, $\overline{CE}=b$라 하면
$\overline{OD}=\overline{AE}=a$이고 $\overline{BC}:\overline{OD}=3:1$
이므로 $\overline{BC}=3a$

따라서 직선 l의 기울기는 $\dfrac{3a+b}{a}$,

직선 m의 기울기는 $\dfrac{b}{a}$이므로 구하는 기울기의 차는

$$\dfrac{3a+b}{a}-\dfrac{b}{a}=\dfrac{3a}{a}=3$$

19 $y=ax-2$의 그래프의 x절편은 $\dfrac{2}{a}$이므로 $y=-3ax+b$의

그래프의 x절편도 $\dfrac{2}{a}$이다.

$y=-3ax+b$에 $x=\dfrac{2}{a}$, $y=0$을 대입하면

$$0=-3a\times\dfrac{2}{a}+b\qquad\therefore\ b=6$$

따라서 두 그래프와 y축으로 둘러싸
인 도형은 오른쪽 그림과 같은 삼각
형이고, 그 넓이가 16이므로

$$\dfrac{1}{2}\times\{6-(-2)\}\times\dfrac{2}{a}=16$$에서

$$\dfrac{8}{a}=16\qquad\therefore\ a=\dfrac{1}{2}\qquad\therefore\ ab=\dfrac{1}{2}\times6=3$$

20 ① 주어진 그림에서 그래프가 오른쪽 아래로 향하므로 $a<0$, y축과 양의 부분에서 만나므로 $b>0$이다.

② 기울기가 a로 같으므로 평행하다.

③ $y=ax+b$에서 $y=0$일 때, $x=-\dfrac{b}{a}$

$y=-ax-b$에서 $y=0$일 때, $x=-\dfrac{b}{a}$

즉, 두 그래프의 x절편이 같으므로 x축 위에서 만난다.

④ $a<0$, $-b<0$이므로 $y=ax-b$의 그래프는 제1사분면을 지나지 않는다.

⑤ $-a>0$, $b>0$이므로 $y=-ax+b$의 그래프는 제1, 2, 3 사분면을 지난다.

따라서 옳지 않은 것은 ④이다.

21 $y=\dfrac{a}{2}x+b$와 $y=-\dfrac{a}{2}x-b$의 그래프는 기울기의 부호가 반대이고, y절편의 부호도 반대이므로

ㄱ-m, ㄴ-n 또는 ㄱ-n, ㄴ-m ∴ ㄷ-l

이때 $y=-\dfrac{a}{2}x-b$와 $y=ax-b-1$의 그래프는 기울기의 부호가 반대이므로 ㄴ-n

따라서 ㄱ-m, ㄴ-n, ㄷ-l이다.

22 $y=(a-4)x+3b$에서 $a<4$, 즉 $a-4<0$이므로 x의 값이 증가할 때, y의 값은 감소한다.

즉, $x=-2$일 때 $y=7$이고, $x=1$일 때 $y=1$이므로 주어진 일차함수의 그래프는 두 점 $(-2, 7)$, $(1, 1)$을 지난다.

(기울기)$=\dfrac{1-7}{1-(-2)}=-2$이므로

$a-4=-2$ ∴ $a=2$

따라서 $y=-2x+3b$에 $x=1$, $y=1$을 대입하면

$1=-2+3b$, $-3b=-3$ ∴ $b=1$

∴ $ab=2\times1=2$

23 ㄱ. $y=cx+d$의 그래프의 기울기가 $y=ax+b-1$의 그래프의 기울기보다 크므로 $a<c$

ㄴ. $y=ax+b-1$의 그래프의 y절편이 0보다 작으므로

$b-1<0$ ∴ $b<1$

ㄷ. $y=cx+d$와 $y=ax+b-1$의 그래프의 y절편이 같으므로 $d=b-1$ ∴ $d-b=-1$

ㄹ. $y=cx+d$의 그래프는 $x=1$일 때 y의 값이 양수이고, $y=ax+b-1$의 그래프는 $x=2$일 때 y의 값이 양수이다.

즉, $c+d>0$, $2a+b-1>0$이므로

$c+d+2a+b-1>0$ ∴ $2a+b+c+d>1$

ㅁ. $y=cx+d$의 그래프는 $x=1$일 때 y의 값이 양수이고, $y=ax+b-1$의 그래프는 $x=1$일 때 y의 값이 음수이다.

즉, $c+d>0$, $a+b-1<0$이므로

$(a+b-1)(c+d)<0$

따라서 옳은 것은 ㄱ, ㄴ, ㅁ이다.

24 $ac>0$에서 a와 c의 부호는 같고 $ab<0$에서 a와 b의 부호는 반대이므로 b와 c의 부호는 반대이다.

즉, $\dfrac{c}{a}>0$, $\dfrac{b}{c}<0$에서

(기울기)$=-\dfrac{c}{a}<0$, (y절편)$=-\dfrac{b}{c}>0$

이므로 $y=-\dfrac{c}{a}x-\dfrac{b}{c}$의 그래프는 오른쪽 그림과 같이 제3사분면을 지나지 않는다.

25 (i) $y=ax+b$의 그래프가 점 $(-1, 3)$과 점 A$(4, 5)$를 지날 때

$3=-a+b$, $5=4a+b$

∴ $a=\dfrac{2}{5}$, $b=\dfrac{17}{5}$

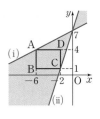

(ii) $y=ax+b$의 그래프가 점 $(-1, 3)$과 점 B$(4, 8)$을 지날 때

$3=-a+b$, $8=4a+b$ ∴ $a=1$, $b=4$

따라서 (i), (ii)에 의해 b의 값의 범위는 $\dfrac{17}{5}\leq b\leq4$이므로

주어진 그래프의 y절편의 최솟값은 $\dfrac{17}{5}$, 최댓값은 4이다.

26 직사각형 ABCD의 가로의 길이가 4, 세로의 길이가 3이므로

A$(-6, 4)$, B$(-6, 1)$, C$(-2, 1)$, D$(-2, 4)$

$y=(a-1)x+7$의 그래프가 직사각형 ABCD와 만나려면 그래프가 오른쪽 그림의 색칠한 부분을 지나야 한다.

(i) $y=(a-1)x+7$의 그래프가 점 A$(-6, 4)$를 지날 때

$4=-6(a-1)+7$, $4=-6a+6+7$

$6a=9$ ∴ $a=\dfrac{3}{2}$

(ii) $y=(a-1)x+7$의 그래프가 점 C$(-2, 1)$을 지날 때

$1=-2(a-1)+7$, $1=-2a+2+7$

$2a=8$ ∴ $a=4$

따라서 (i), (ii)에 의해 상수 a의 값의 범위는 $\dfrac{3}{2}\leq a\leq4$

27 $y=(3m-4)x+2n-3$과 $y=(n+1)x-m$의 그래프가 서로 평행하므로 $3m-4=n+1$ (단, $2n-3\neq-m$) $\cdots$ ㉠

$y=(3m-4)x+2n-3$과 $y=nx-2m$의 그래프의 y절편이 같으므로 $2n-3=-2m$ $\cdots$ ㉡

㉠, ㉡을 연립하여 풀면 $m=\dfrac{13}{8}$, $n=-\dfrac{1}{8}$

∴ $8(m-n)=8\left\{\dfrac{13}{8}-\left(-\dfrac{1}{8}\right)\right\}=14$

28 점 D의 좌표를 D(a, b)라 하면

(직선 AB의 기울기)$=\dfrac{1-4}{3-1}=-\dfrac{3}{2}$

(직선 DC의 기울기)$=\dfrac{3-b}{8-a}$

이때 두 직선이 서로 평행하므로 기울기가 같아야 한다.

즉, $-\dfrac{3}{2}=\dfrac{3-b}{8-a}$에서 $3a+2b=30$ $\cdots$ ㉠

(직선 AD의 기울기)$=\dfrac{b-4}{a-1}$

(직선 BC의 기울기)$=\dfrac{3-1}{8-3}=\dfrac{2}{5}$

이때 두 직선이 서로 평행하므로 기울기가 같아야 한다.

즉, $\dfrac{b-4}{a-1}=\dfrac{2}{5}$에서 $2a-5b=-18$ $\quad\cdots\cdots$ ㉡

㉠, ㉡을 연립하여 풀면 $a=6$, $b=6$

따라서 점 D의 좌표는 D$(6, 6)$이다.

29 $f(x)=\dfrac{3}{4}x+b$, $g(x)=ax-2$라 하면

$f(2)=\dfrac{3}{2}+b=4$, $g(2)=2a-2=4$

$\therefore a=3$, $b=\dfrac{5}{2}$

따라서 $f(x)=\dfrac{3}{4}x+\dfrac{5}{2}$, $g(x)=3x-2$이므로

$4f(1)-g(3)=4\times\left(\dfrac{3}{4}+\dfrac{5}{2}\right)-(9-2)=4\times\dfrac{13}{4}-7=6$

30 $y=-\dfrac{a}{2}x+2$의 그래프를 y축의 방향으로 b만큼 평행이동

하면 $y=-\dfrac{a}{2}x+2+b$ $\quad\cdots\cdots$ ㉠

두 점 $(-3, 2)$, $(1, 3)$을 지나는 직선의 기울기는

$\dfrac{3-2}{1-(-3)}=\dfrac{1}{4}$이므로 $y=\dfrac{1}{4}x+q$로 놓고

이 식에 $x=1$, $y=3$을 대입하면 $3=\dfrac{1}{4}+q$ $\quad\therefore q=\dfrac{11}{4}$

$\therefore y=\dfrac{1}{4}x+\dfrac{11}{4}$ $\quad\cdots\cdots$ ㉡

이때 ㉠, ㉡의 그래프가 일치하므로

$-\dfrac{a}{2}=\dfrac{1}{4}$, $2+b=\dfrac{11}{4}$ $\quad\therefore a=-\dfrac{1}{2}$, $b=\dfrac{3}{4}$

$\therefore a+b=-\dfrac{1}{2}+\dfrac{3}{4}=\dfrac{1}{4}$

31 보검이는 y절편을 바르게 보았으므로 $b=-2$

수지는 기울기를 바르게 보았으므로 $a=\dfrac{-1-(-5)}{2-(-2)}=1$

따라서 $y=x-2$의 그래프의 x절편은 2이다.

32 세 점 $(-3, -7)$, $(k-2, 5)$, $(3k-5, 14)$가 한 직선 위에 있으면 세 점 중 어떤 두 점을 택해도 기울기는 모두 같으므로

$\dfrac{5-(-7)}{k-2-(-3)}=\dfrac{14-(-7)}{3k-5-(-3)}$에서 $\dfrac{12}{k+1}=\dfrac{21}{3k-2}$

$36k-24=21k+21$, $15k=45$ $\quad\therefore k=3$

즉, 두 점 $(-3, -7)$, $(1, 5)$를 지나는 직선의 기울기는

$\dfrac{5-(-7)}{1-(-3)}=3$이므로 $a=3$

따라서 $y=3x+b$에 $x=1$, $y=5$를 대입하면

$5=3+b$ $\quad\therefore b=2$

$\therefore ab=3\times2=6$

33 직선 m은 두 점 $(2, 0)$, $(1, 2)$를 지나므로

(직선 m의 기울기)$=\dfrac{2-0}{1-2}=-2$

직선 m을 그래프로 하는 일차함수의 식을 $y=-2x+p$로 놓으면 이 그래프가 점 $(2, 0)$을 지나므로 $p=4$

$\therefore m: y=-2x+4$

$y=-2x+4$의 그래프가 점 $(2-k, k-1)$을 지나므로

$k-1=-2(2-k)+4$, $k-1=-4+2k+4$

$\therefore k=-1$, 즉 $(3, -2)$

직선 n을 그래프로 하는 일차함수의 식을 $y=qx-8$로 놓으면 이 그래프가 점 $(3, -2)$를 지나므로

$-2=3q-8$ $\quad\therefore q=2$

따라서 직선 n의 기울기는 2이다.

34 $y=3x+6$의 그래프의 x절편은 -2이므로

점 $(-2, 0)$과 y축에 대하여 대칭인 점 A의 좌표는 A$(2, 0)$

$y=x+5$의 그래프의 y절편은 5이므로

점 $(0, 5)$와 x축에 대하여 대칭인 점 B의 좌표는 B$(0, -5)$

즉, 두 점 A$(2, 0)$, B$(0, -5)$를 지나는 직선의 기울기는

$\dfrac{-5-0}{0-2}=\dfrac{5}{2}$이고 y절편은 -5이다.

$\therefore y=\dfrac{5}{2}x-5$

35 두 점 $\left(\dfrac{1}{2}, 0\right)$, $(0, -2)$를 지나므로

(기울기)$=\dfrac{-2-0}{0-\dfrac{1}{2}}=4$이고, y절편은 -2이므로

일차함수의 식은 $y=4x-2$ $\quad\cdots\cdots$ ㉠

ㄱ. ㉠에서 x의 계수가 4이므로 기울기는 4이다.

ㄴ. ㉠에 $x=3$, $y=10$을 대입하면 $10=4\times3-2$ 등식이 성립하므로 점 $(3, 10)$을 지난다.

ㄷ. (기울기)$=4>0$, (y절편)$=-2<0$이므로 그래프는 오른쪽 그림과 같이 제1, 3, 4사분면을 지난다.

ㄹ. 이 일차함수의 그래프와 x축, y축으로 둘러싸인 도형의 넓이는 $\dfrac{1}{2}\times\dfrac{1}{2}\times|-2|=\dfrac{1}{2}$이다.

따라서 옳은 것은 ㄴ, ㄷ, ㄹ이다.

36 x절편을 $m(m\neq0)$이라 하면 y절편이 x절편의 4배이므로 y절편은 $4m$이다. 즉, 두 점 $(m, 0)$, $(0, 4m)$을 지나므로

(기울기)$=\dfrac{4m-0}{0-m}=-4$

즉, $y=-4x+4m$의 그래프가 두 점 $(a, 2a-3)$, $(a+1, -a-4)$를 지나므로

$2a-3=-4a+4m$에서 $6a-4m=3$ $\quad\cdots\cdots$ ㉠

$-a-4=-4(a+1)+4m$에서 $3a=4m$ $\quad\cdots\cdots$ ㉡

㉠, ㉡을 연립하여 풀면 $a=1$, $m=\dfrac{3}{4}$

$\therefore y=-4x+3$

37 세 점 $(3, 0)$, $(0, p)$, $(q, 9)$를 지나는 직선을 l이라 하면 $p<0$이므로 직선 l은 오른쪽 그림과 같다.

이때 $\dfrac{1}{2}\times 3\times(-p)=12$이므로

$p=-8$

직선 l을 그래프로 하는 일차함수의 식을 $y=ax-8$로 놓으면 이 그래프가 점 $(3, 0)$을 지나므로

$0=3a-8$ $\therefore a=\dfrac{8}{3}$

따라서 $y=\dfrac{8}{3}x-8$의 그래프가 점 $(q, 9)$를 지나므로

$9=\dfrac{8}{3}q-8,\ 8q=51$ $\therefore q=\dfrac{51}{8}$

$\therefore pq=-8\times\dfrac{51}{8}=-51$

38 1 L의 연료로 20 km를 달리므로 60 km를 달리는 데 $60\div 20=3\,(\text{L})$의 연료가 사용된다.

이때 60 km를 달린 후 남아 있는 연료의 양은 $5-3=2\,(\text{L})$,

x km를 달리는 데 사용되는 연료의 양은 $\dfrac{1}{20}x$ L이므로

y를 x에 대한 식으로 나타내면

$y=2+15-\dfrac{1}{20}x$, 즉 $y=-\dfrac{1}{20}x+17$

39 ㄱ. 택시가 4 km를 달렸을 때 1 km 초과에 대한 추가 요금은 $200\times 10=2000$(원)이므로 기본요금은 $5000-2000=3000$(원)

ㄴ. x km를 달렸을 때, 3 km까지는 기본요금 3000원이고 $(x-3)$ km는 1 km당 2000원의 추가 요금을 내야 하므로

$y=2000(x-3)+3000,\ y=2000x-6000+3000$

$\therefore y=2000x-3000$

ㄷ. $y=2000x-3000$에 $x=5$를 대입하면

$y=10000-3000=7000$

따라서 옳은 것은 ㄱ, ㄷ이다.

40 매일 4개씩 주고 다시 6개를 통 안에 넣으므로 통 안에 들어 있는 사탕의 개수는 하루에 2개씩 늘어난다.

x일 후에 통 안에 남아 있는 사탕의 수를 y개라 하면

$y=2x+48$

a일 후에 지용이가 태양이에게 준 사탕의 수가 통 안에 남아 있는 사탕의 수의 절반이 된다고 하면 $x=a$일 때, $y=8a$이므로

$8a=2a+48$ $\therefore a=8$

따라서 8일이 걸린다.

41 처음 5분 동안 수도꼭지 A만 열었으므로 수도꼭지 A를 연 지 5분 후 수조에 들어 있는 물의 양은

$24+5\times 18=114\,(\text{L})$

두 수도꼭지 A, B를 동시에 열면 매분 18 L의 물이 채워지고 12 L의 물이 빠져 나가므로 매분 $18-12=6\,(\text{L})$의 물이 채워진다.

수도꼭지 B를 연 지 x분 후 수조 안의 물의 양을 y L라 하면

$y=6x+114$

이 식에 $y=360$을 대입하면 $360=6x+114$

$-6x=-246$ $\therefore x=41$

따라서 수도꼭지 B를 연 지 41분 후에 수조에 물이 가득 찬다.

42 두 점 P, Q가 동시에 출발한 지 x초 후 사각형 PBQD의 넓이를 $y\,\text{cm}^2$라 하면 $\overline{\text{PB}}=(22-2x)\,\text{cm}$, $\overline{\text{BQ}}=2x\,\text{cm}$이므로

(사각형 PBQD의 넓이)

$=\triangle\text{PBD}+\triangle\text{BQD}$

$=\dfrac{1}{2}\times(22-2x)\times 30+\dfrac{1}{2}\times 2x\times 22$

$=330-30x+22x=-8x+330\,(\text{cm}^2)$

$\therefore y=-8x+330$

이 식에 $y=274$를 대입하면 $274=-8x+330$

$8x=56$ $\therefore x=7$

$\therefore \overline{\text{QC}}=30-2x=30-14=16\,(\text{cm})$

43 두 사람이 동시에 출발한 지 x초 후 두 사람의 거리의 차를 y m라 하면 출발점에서 중기의 위치까지의 거리는 $6x$ m, 출발점에서 혜교의 위치까지의 거리는 $(4x+10)$ m이므로

$y=6x-(4x+10)$ $\therefore y=2x-10$

이 식에 $y=24$를 대입하면 $24=2x-10$

$-2x=-34$ $\therefore x=17$

따라서 중기가 혜교보다 24 m 앞선 지점에 있게 되는 것은 출발한 지 17초 후이다.

44 길잡이 일차함수 $y=ax+1$의 그래프가 항상 지나는 점을 먼저 찾는다.

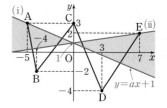

위의 그림과 같이 $y=ax+1$의 그래프는 항상 점 $(0, 1)$을 지나는 직선이므로 $y=ax+1$의 그래프가 두 점 A$(-5, 3)$, E$(7, 2)$를 각각 지날 때 W 모양의 도형과의 교점의 개수는 4개로 최대가 된다.

(i) $y=ax+1$의 그래프가 점 A$(-5, 3)$을 지날 때

$3=-5a+1,\ 5a=-2$ $\therefore a=-\dfrac{2}{5}$

(ii) $y=ax+1$의 그래프가 점 E$(7, 2)$를 지날 때

$2=7a+1,\ -7a=-1$ $\therefore a=\dfrac{1}{7}$

따라서 (i), (ii)에 의해 상수 a의 값의 범위는

$-\dfrac{2}{5}\leq a<0$ 또는 $0<a\leq\dfrac{1}{7}$ $\left(\because a\neq 0\right)$

45 [길잡이] 육각형 1개, 2개, 3개, …로 만든 도형의 둘레의 길이를 각각 구하여 규칙을 찾는다.

육각형으로 만든 도형의 둘레의 길이는

육각형이 1개일 때, $3 \times 2 + 2 \times 4 = 6 + 8 \times 1 = 14 \text{(cm)}$

육각형이 2개일 때, $3 \times 2 + 2 \times 8 = 6 + 8 \times 2 = 22 \text{(cm)}$

육각형이 3개일 때, $3 \times 2 + 2 \times 12 = 6 + 8 \times 3 = 30 \text{(cm)}$

$\vdots$

육각형이 x개일 때, $6 + 8 \times x = 6 + 8x \text{(cm)}$

즉, 육각형 x개로 만든 도형의 둘레의 길이를 $y \text{ cm}$라 하면

$y = 8x + 6$

이 식에 $x = 20$을 대입하면 $y = 160 + 6 = 166$

따라서 20개의 육각형으로 만든 도형의 둘레의 길이는

166 cm이다.

[다른 풀이] y를 x에 대한 식으로 나타내기

처음 육각형의 둘레의 길이는

$3 \times 2 + 2 \times 4 = 6 + 8 = 14 \text{(cm)}$

육각형 1개를 이어 붙일 때마다 긴 변 2개가 겹치므로 둘레의 길이는 4개의 짧은 변의 길이의 합, 즉 $2 \times 4 = 8 \text{(cm)}$씩 늘어난다.

x개의 육각형으로 만든 도형의 둘레의 길이를 $y \text{ cm}$라 하면

$y = 14 + 8(x - 1)$ $\therefore y = 8x + 6$

46 [길잡이] 문제의 뜻에 맞게 x와 y를 정하여 주어진 그래프를 x와 y 사이의 관계로 다시 나타낸다.

실험을 시작한 지 x분 후의 화학물질의 양을 $y \text{ mL}$, 8시 정각을 원점 O라고 하면 주어진 그래프를 오른쪽 그림과 같이 나타낼 수 있다.

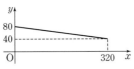

이 직선이 두 점 $(0, 80)$, $(320, 40)$을 지나므로

$(기울기) = \dfrac{40 - 80}{320 - 0} = \dfrac{-40}{320} = -\dfrac{1}{8}$이고, y절편이 80이므로

이 직선을 그래프로 하는 일차함수의 식은 $y = -\dfrac{1}{8}x + 80$

화학물질 100 mL를 같은 조건으로 실험하면 물질의 양이 변하는 속력, 즉 그래프의 기울기는 같고 y절편이 100이 되므로

$y = -\dfrac{1}{8}x + 100$

화학물질이 완전히 없어지는 것은 $y = 0$일 때이므로

$y = -\dfrac{1}{8}x + 100$에 $y = 0$을 대입하면

$0 = -\dfrac{1}{8}x + 100$ $\therefore x = 800$

따라서 화학물질 100 mL가 완전히 없어지는 것은 8시로부터 800분 후, 즉 13시간 20분 후인 21시 20분이다.

P. 90~91 **내신 1% 뛰어넘기**

01 57	**02** 23	**03** $\dfrac{5}{3}$	**04** 7
05 $f(x) = 2x - 4$	**06** $P\left(\dfrac{7}{5}, 0\right)$		**07** 540

01 [길잡이] $f(x)$와 $g(x)$의 값이 0 또는 1뿐임을 이용하여 함수 $h(x)$의 식을 구한다.

$f(x)$와 $g(x)$의 값이 0 또는 1이므로 $h(x)$의 값도 0 또는 1이다.

이때 $h(x) = \{1 - f(x)\}\{1 - g(x)\}$의 값이 1이려면

$1 - f(x)$와 $1 - g(x)$의 값이 모두 1이어야 하므로 $f(x)$와 $g(x)$의 값이 모두 0이어야 한다.

따라서 x가 5의 배수이면서 7의 배수, 즉 35의 배수일 때 $f(x)$와 $g(x)$의 값이 모두 0이므로 $h(x)$의 값은 1이다.

$\therefore h(x) = \begin{cases} 0 & (x가\ 35의\ 배수가\ 아닐\ 때) \\ 1 & (x가\ 35의\ 배수일\ 때) \end{cases}$

따라서 $2019 = 35 \times 57 + 24$이므로

$h(1) + h(2) + h(3) + \cdots + h(2018) + h(2019)$

$= 1 \times 57 = 57$

02 [길잡이] y좌표가 정수인 점들을 기준으로 x의 값의 범위를 나누어 각 범위에서 x좌표와 y좌표가 모두 정수인 점의 개수를 구한다.

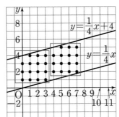

(i) $0 \le x \le 3$일 때, x좌표와 y좌표가 모두 정수인 점은

$(0, 1), (0, 2), (0, 3),$

$(1, 1), (1, 2), (1, 3), (1, 4),$

$(2, 1), (2, 2), (2, 3), (2, 4),$

$(3, 1), (3, 2), (3, 3), (3, 4)$

의 $4 \times 4 - 1 = 15$(개)이다.

(ii) $4 \le x \le 7$일 때, x좌표와 y좌표가 모두 정수인 점은

$(4, 2), (4, 3), (4, 4),$

$(5, 2), (5, 3), (5, 4), (5, 5),$

$(6, 2), (6, 3), (6, 4), (6, 5),$

$(7, 2), (7, 3), (7, 4), (7, 5)$

의 $4 \times 4 - 1 = 15$(개)이다.

(iii) 마찬가지 방법으로 $8 \le x \le 11$, $12 \le x \le 15$, …일 때도 x좌표와 y좌표가 모두 정수인 점은 15개이다.

따라서 (i)~(iii)에 의해 $4(k-1) \le x \le 4(k-1) + 3$(단, k는 자연수)일 때, x좌표와 y좌표가 모두 정수인 점은 15개이므로

$90 = 15 \times 6$에서

$a = 4 \times (6 - 1) + 3 = 23$

03 길잡이 두 점 E, F의 좌표를 a를 사용하여 나타낸 후,
(사각형 OAFE의 넓이)$=\dfrac{7}{12}\times$(사각형 OABC의 넓이)임을 이용하여 식을 세운다.

두 점 E, F의 좌표는 각각 $E\left(0,\ \dfrac{8}{3}\right)$, $F\left(a,\ a^2+\dfrac{8}{3}\right)$이다.

(사각형 OABC의 넓이)$=a\times6=6a$

(사각형 OAFE의 넓이)$=\dfrac{1}{2}\times\left\{\dfrac{8}{3}+\left(a^2+\dfrac{8}{3}\right)\right\}\times a$

$\qquad\qquad\qquad\qquad\quad=\dfrac{1}{2}a\left(a^2+\dfrac{16}{3}\right)$

(사각형 OAFE의 넓이)$=\dfrac{7}{12}\times$(사각형 OABC의 넓이)에서

$\dfrac{1}{2}a\left(a^2+\dfrac{16}{3}\right)=\dfrac{7}{12}\times6a$

$a^2+\dfrac{16}{3}=7\ (\because a\neq0)\qquad\therefore a^2=\dfrac{5}{3}$

04 길잡이 기울기가 최소가 될 때 일차함수 $f(x)$의 그래프가 지나는 점을 찾는다.

$1\leq f(2)\leq5$, $3\leq f(3)\leq7$이므로
$y=f(x)$의 그래프의 기울기가 최소가
되려면 그 그래프가 오른쪽 그림과 같이
두 점 $(2, 5)$, $(3, 3)$을 지나야 한다.

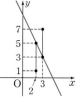

즉, (기울기)$=\dfrac{3-5}{3-2}=-2$이므로

$a=-2$

따라서 $y=-2x+b$의 그래프가 점 $(2, 5)$를 지나므로

$5=-4+b\qquad\therefore b=9$

$\therefore a+b=-2+9=7$

05 길잡이 (가)에 (나), (다)를 대입하여 일차함수 $f(x)$의 식을 구한다.

$f(x^2)=f(x)g(x)+4$에 $x=1$을 대입하면

$f(1)=f(1)g(1)+4$에서

$f(1)=3f(1)+4\ (\because$ (다))

$-2f(1)=4\qquad\therefore f(1)=-2$

이때 $f(x)$는 일차함수이므로 $f(x)=ax+b$로 놓으면

$f(3)=3a+b=2\ (\because$ (나)$)\quad\cdots$ ㉠

$f(1)=a+b=-2\qquad\qquad\cdots$ ㉡

㉠, ㉡을 연립하여 풀면

$a=2$, $b=-4\qquad\therefore f(x)=2x-4$

06 길잡이 $\overline{AP}+\overline{BP}$의 최솟값은 점 A를 x축에 대하여 대칭이동한 점과 점 B를 이은 선분의 길이와 같다.

오른쪽 그림과 같이 점 A를 x축에
대하여 대칭이동한 점을 A'이라 하
면

$\overline{AP}+\overline{BP}=\overline{A'P}+\overline{BP}\geq\overline{A'B}$

이므로 $\overline{AP}+\overline{BP}$의 값이 최소가 되
도록 하는 점 P는 직선 $A'B$와 x축의 교점이다.

이때 직선 $A'B$를 그래프로 하는 일차함수의 식을
$y=ax+b$라 하면 이 그래프가 두 점 $A'(-1, -3)$,
$B(3, 2)$를 지나므로

$-3=-a+b$, $2=3a+b\qquad\therefore a=\dfrac{5}{4}$, $b=-\dfrac{7}{4}$

즉, $y=\dfrac{5}{4}x-\dfrac{7}{4}$에 $y=0$을 대입하면 $x=\dfrac{7}{5}$

따라서 점 P의 좌표는 $P\left(\dfrac{7}{5},\ 0\right)$이다.

07 길잡이 점 P가 움직이는 변에 따라 x의 값의 범위를 나누어 생각한다.

점 P가 점 A를 출발한 지 x초 후 $\triangle APC$의 넓이를 구하면

(i) 점 P가 변 AB 위를 움직일 때
$\overline{AP}=3x(\text{cm})(0<x<6)$이므로

$\triangle APC=\dfrac{1}{2}\times3x\times12=18x(\text{cm}^2)$

(ii) 점 P가 변 BC 위를 움직일 때
$\overline{PC}=(18+12)-3x=30-3x(\text{cm})(6\leq x<10)$이므로

$\triangle APC=\dfrac{1}{2}\times(30-3x)\times18=-27x+270(\text{cm}^2)$

즉, (i), (ii)에 의해 x와 y 사이의 관계식은

$y=\begin{cases}18x & (0<x<6)\\ -27x+270 & (6\leq x<10)\end{cases}$

따라서 x와 y 사이의 관계를
나타낸 그래프는 오른쪽 그림
과 같으므로 구하는 도형의 넓
이는

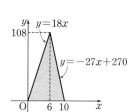

$\dfrac{1}{2}\times10\times108=540$

6. 일차함수와 일차방정식

P. 94~95 개념+ 대표 문제 확인하기

1 ㄱ, ㄴ, ㄷ   **2** $a=1$, $b=\dfrac{2}{3}$

3 (1) ㄷ, ㅂ (2) ㄹ   **4** $a=0$, $b<0$ **5** $\dfrac{45}{2}$

6 $-\dfrac{1}{2}$ **7** $x=3$ **8** -2 **9** 27

10 (1) $a\neq-4$, $b=2$ (2) $b\neq2$ **11** $\dfrac{3}{2}$

---

1 ㄱ, ㄴ. $3x-4y+6=0$에서 y를 x에 대한 식으로 나타내면
$y=\dfrac{3}{4}x+\dfrac{3}{2}$이고, y절편은 $\dfrac{3}{2}$이다.

ㄷ. $-6x+8y+3=0$에서 y를 x에 대한 식으로 나타내면
$y=\dfrac{3}{4}x-\dfrac{3}{8}$이므로 $y=\dfrac{3}{4}x+\dfrac{3}{2}$의 그래프와 평행하다.

ㄹ. $y=\dfrac{3}{4}x+\dfrac{3}{2}$의 그래프는 제4사분면을 지나지 않는다.

따라서 옳은 것은 ㄱ, ㄴ, ㄷ이다.

2 $ax+by-2=0$에 두 점 $(2, 0)$, $(0, 3)$의 좌표를 각각 대입하면 $2a-2=0$, $3b-2=0$ ∴ $a=1$, $b=\dfrac{2}{3}$

[다른 풀이] x절편이 2이고, y절편이 3인 직선의 방정식은
$y=\dfrac{3-0}{0-2}x+3$, 즉 $y=-\dfrac{3}{2}x+3$, $2y=-3x+6$
∴ $x+\dfrac{2}{3}y-2=0$ ∴ $a=1$, $b=\dfrac{2}{3}$

3 ㄱ, ㄴ, ㅁ. 미지수가 2개인 일차방정식
ㄷ. $y=\dfrac{4}{3}$ ㄹ. $x=-\dfrac{3}{2}$ ㅂ. $y=-1$

(1) x축에 평행한 직선의 방정식은 $y=n(n\neq0)$의 꼴이므로 ㄷ, ㅂ이다.

(2) x축에 수직인 직선의 방정식은 $x=m$의 꼴이므로 ㄹ이다.

4 $ax+by+5=0$의 그래프가 x축에 평행하려면 $y=n(n\neq0)$의 꼴이어야 하므로 $a=0$

이때 $by+5=0$, 즉 $y=-\dfrac{5}{b}$의 그래프가 제1, 2사분면을 지나려면

$-\dfrac{5}{b}>0$ ∴ $b<0$

5 $2x-3=0$에서 $x=\dfrac{3}{2}$

$y+2=0$에서 $y=-2$

네 직선 $x=-3$, $x=\dfrac{3}{2}$, $y=-2$,

$y=3$으로 둘러싸인 부분은 오른쪽 그림의 색칠한 부분과 같은 직사각형이다.

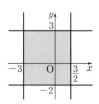

따라서 구하는 넓이는
$\left\{\dfrac{3}{2}-(-3)\right\}\times\{3-(-2)\}=\dfrac{9}{2}\times5=\dfrac{45}{2}$

6 두 일차방정식의 그래프의 교점의 좌표가 $(1, 2)$이므로 각 일차방정식에 $x=1$, $y=2$를 대입하면
$a+4=3$, $1+2b=2$ ∴ $a=-1$, $b=\dfrac{1}{2}$

∴ $ab=-1\times\dfrac{1}{2}=-\dfrac{1}{2}$

7 연립방정식 $\begin{cases}6x-5y-13=0 \\ 4x-7y-5=0\end{cases}$ 을 풀면

$x=3$, $y=1$

따라서 점 $(3, 1)$을 지나고 직선

$2y+5=0$, 즉 $y=-\dfrac{5}{2}$에 수직인 직

선의 방정식은 $x=3$이다.

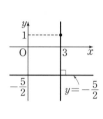

8 연립방정식 $\begin{cases}x+2y=1 \\ -2x+y=8\end{cases}$ 을 풀면 $x=-3$, $y=2$이므로

두 일차방정식의 그래프의 교점의 좌표는 $(-3, 2)$이다.

따라서 $ax-2y=2$의 그래프가 점 $(-3, 2)$를 지나므로
$-3a-4=2$, $-3a=6$ ∴ $a=-2$

9 두 직선 $x+y-4=0$, $2x-y+1=0$의 교점은 $(1, 3)$이고,
두 직선 $2x-y+1=0$, $y+3=0$의 교점은 $(-2, -3)$이고,
두 직선 $y+3=0$, $x+y-4=0$의 교점은 $(7, -3)$이다.

따라서 주어진 세 직선으로 둘러싸인 부분은 오른쪽 그림의 색칠한 부분과 같은 삼각형이므로 구하는 넓이는

$\dfrac{1}{2}\times\{7-(-2)\}\times\{3-(-3)\}$

$=\dfrac{1}{2}\times9\times6=27$

10 $-4x+2y-a=0$에서 $2y=4x+a$ ∴ $y=2x+\dfrac{a}{2}$

$bx-y-2=0$에서 $y=bx-2$

(1) 두 그래프가 교점이 존재하지 않으려면 서로 평행해야 하므로

$2=b$, $\dfrac{a}{2}\neq-2$ ∴ $a\neq-4$, $b=2$

(2) 두 그래프가 한 점에서 만나려면 기울기가 달라야 하므로
$b\neq2$

[다른 풀이] (1) 두 그래프가 서로 평행하면
$\dfrac{-4}{b}=\dfrac{2}{-1}\neq\dfrac{-a}{-2}$ ∴ $a\neq-4$, $b=2$

(2) 두 그래프가 한 점에서 만나면
$\dfrac{-4}{b}\neq\dfrac{2}{-1}$ ∴ $b\neq2$

11 $ax-2y=-5$에서 $-2y=-ax-5$ ∴ $y=\dfrac{a}{2}x+\dfrac{5}{2}$

$4x+by=10$에서 $by=-4x+10$ ∴ $y=-\dfrac{4}{b}x+\dfrac{10}{b}$

연립방정식의 해가 무수히 많으려면 두 일차방정식의 그래프가 일치해야 하므로

$\dfrac{a}{2}=-\dfrac{4}{b},\ \dfrac{5}{2}=\dfrac{10}{b}$ ∴ $a=-2,\ b=4$

즉, $-2x+4y+3=0$에 $y=0$을 대입하면

$-2x+3=0$ ∴ $x=\dfrac{3}{2}$

따라서 구하는 x절편은 $\dfrac{3}{2}$이다.

[다른 풀이] a, b의 값 구하기

주어진 연립방정식의 해가 무수히 많으므로

$\dfrac{a}{4}=\dfrac{-2}{b}=\dfrac{-5}{10}$ ∴ $a=-2,\ b=4$

P. 96~99 내신 **5%** 따라잡기

1 18 **2** ② **3** ⑤ **4** 0

5 제2사분면과 제3사분면 **6** $\dfrac{4}{3}$

7 $A\left(\dfrac{23}{5},\ \dfrac{24}{5}\right)$ **8** $a=-1,\ b=-9$ **9** 3

10 $-\dfrac{15}{2}$ **11** 10 **12** $\dfrac{15}{2}$ **13** 1 **14** ③

15 $y=-x+\dfrac{3}{2}$ **16** ③ **17** $-\dfrac{1}{9}$ **18** ①, ④

19 $-\dfrac{3}{2}<a<\dfrac{3}{2}$ **20** 26 **21** ㄴ, ㄷ

---

1 $ax+y-b=0$에서 $y=-ax+b$

이 그래프가 두 점 $(2, 3)$, $(4, 0)$을 지나는 직선 l과 평행하므로

$(기울기)=\dfrac{0-3}{4-2}=-\dfrac{3}{2}$ ∴ $a=\dfrac{3}{2}$

주어진 그림에서 직선 m의 x절편이 8이므로

$y=-\dfrac{3}{2}x+b$에 $x=8,\ y=0$을 대입하면

$0=-12+b$ ∴ $b=12$

∴ $ab=\dfrac{3}{2}\times12=18$

---

2 $ax+by-c=0$에서 $y=-\dfrac{a}{b}x+\dfrac{c}{b}$

이때 주어진 그림에서 $(기울기)=-\dfrac{a}{b}>0,\ (y절편)=\dfrac{c}{b}>0$

이므로 $\dfrac{b}{c}>0,\ \dfrac{a}{c}<0$

따라서 $bx-cy-a=0$, 즉 $y=\dfrac{b}{c}x-\dfrac{a}{c}$의 그래프는

$(기울기)=\dfrac{b}{c}>0,\ (y절편)=-\dfrac{a}{c}>0$이므로 그 그래프로 알맞은 것은 제1, 2, 3사분면을 지나는 직선인 ②이다.

---

3 점 $\left(\dfrac{a}{b},\ bc\right)$가 제2사분면 위의 점이므로

$\dfrac{a}{b}<0$에서 a와 b의 부호는 반대이고

$bc>0$에서 b와 c의 부호는 같으므로 a와 c의 부호는 반대이다.

$a^2x+aby-bc=0$, 즉 $y=-\dfrac{a}{b}x+\dfrac{c}{a}$의 그래프에서

$(기울기)=-\dfrac{a}{b}>0,\ (y절편)=\dfrac{c}{a}<0$이므로 그 그래프는 오른쪽 그림과 같다.

⑤ 기울기가 1이면 $-\dfrac{a}{b}=1$에서 $a=-b$이다.

---

4 두 점을 지나는 직선이 y축에 평행하면 두 점의 x좌표가 같으므로

$\dfrac{a-3}{4}=\dfrac{2b-1}{6}$에서 $3a-4b=7$ ⋯ ㉠

두 점을 지나는 직선이 y축에 수직이면 두 점의 y좌표가 같으므로

$\dfrac{3a-1}{2}=\dfrac{-b+3}{4}$에서 $6a+b=5$ ⋯ ㉡

㉠, ㉡을 연립하여 풀면 $a=1,\ b=-1$

∴ $a+b=1+(-1)=0$

---

5 주어진 그래프는 $y=4$의 그래프이다.

$ax+6y+2b=0$에서 $y=-\dfrac{a}{6}x-\dfrac{b}{3}$

즉, $-\dfrac{a}{6}=0,\ -\dfrac{b}{3}=4$이므로 $a=0,\ b=-12$

$bx-ay+8=0$에서 $-12x+8=0$ ∴ $x=\dfrac{2}{3}$

따라서 $x=\dfrac{2}{3}$의 그래프는 오른쪽 그림과 같으므로 지나지 않는 사분면은 제2사분면과 제3사분면이다.

---

6 $2x-8=0$에서 $x=4$, $3x+6=0$에서 $x=-2$

$2y+10a=0$에서 $y=-5a$, $4y-16a=0$에서 $y=4a$

$a>0$이므로 네 직선 $x=4$, $x=-2$, $y=-5a$, $y=4a$로 둘러싸인 도형은 오른쪽 그림의 색칠한 부분과 같은 직사각형이다.

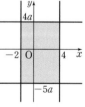

이때 이 직사각형의 넓이가 72이므로

$\{4-(-2)\}\times\{4a-(-5a)\}=72$

$6\times9a=72$ ∴ $a=\dfrac{4}{3}$

---

7 두 점 $P(3, 0)$, $Q(5, 6)$을 지나는 직선의 기울기는

$\dfrac{6-0}{5-3}=\dfrac{6}{2}=3$이므로 $y=3x+a$로 놓고

이 식에 $x=3,\ y=0$을 대입하면 $0=9+a$ ∴ $a=-9$

∴ $y=3x-9$

두 점 P(7, 0), Q(4, 6)을 지나는 직선의 기울기는

$\dfrac{6-0}{4-7}=\dfrac{6}{-3}=-2$이므로 $y=-2x+b$로 놓고

이 식에 $x=7$, $y=0$을 대입하면 $0=-14+b$ $\quad\therefore b=14$

$\therefore y=-2x+14$

즉, 점 A는 두 직선 $y=3x-9$와 $y=-2x+14$의 교점이므로

연립방정식 $\begin{cases} y=3x-9 \\ y=-2x+14 \end{cases}$ 를 풀면 $x=\dfrac{23}{5}$, $y=\dfrac{24}{5}$

따라서 점 A의 좌표는 $A\left(\dfrac{23}{5}, \dfrac{24}{5}\right)$이다.

8 $x+ay-1=0$ $\qquad\cdots\;\text{㉠}$

$3x-y-5=0$ $\qquad\cdots\;\text{㉡}$

$4x+y+b=0$ $\qquad\cdots\;\text{㉢}$

$2x+ay-3=0$ $\qquad\cdots\;\text{㉣}$

㉠$-$㉣을 하면 $-x+2=0$ $\quad\therefore x=2$

㉡에 $x=2$를 대입하면 $6-y-5=0$ $\quad\therefore y=1$

따라서 네 직선의 교점의 좌표는 $(2, 1)$이므로

㉠에 $x=2$, $y=1$을 대입하면 $2+a-1=0$ $\quad\therefore a=-1$

㉢에 $x=2$, $y=1$을 대입하면 $8+1+b=0$ $\quad\therefore b=-9$

9 두 점 $(-1, 1)$, $(0, 4)$를 지나는 직선의 방정식은

$y=\dfrac{4-1}{0-(-1)}x+4$ $\quad\therefore y=3x+4$

연립방정식 $\begin{cases} y=3x+4 \\ x-y+1=0 \end{cases}$ 을 풀면 $x=-\dfrac{3}{2}$, $y=-\dfrac{1}{2}$이므로

두 직선의 교점의 좌표는 $\left(-\dfrac{3}{2}, -\dfrac{1}{2}\right)$이다.

따라서 점 $\left(-\dfrac{3}{2}, -\dfrac{1}{2}\right)$이 직선 $ax-y+4=0$ 위에 있으므로

$-\dfrac{3}{2}a+\dfrac{1}{2}+4=0,\ -3a+1+8=0$

$\therefore a=3$

10 삼각형의 두 꼭짓점 $(-3, 4)$, $(5, 4)$의 y좌표가 같으므로 세 직선 중 한 직선의 방정식은 $y=4$이다.

$2x-y+c=0$은 $y=2x+c$이므로 $y=4$일 수 없다.

$dx-y-2=0$은 $y=dx-2$이고, 이 직선의 y절편은 -2이므로 $y=4$일 수 없다.

따라서 $ax+by-2=0$이 $y=4$이므로 $a=0$, $b=\dfrac{1}{2}$

이때 나머지 한 꼭짓점이 제4사분면 위에 있으므로 세 직선은 오른쪽 그림과 같다.

즉, 직선 $y=dx-2$가 점 $(-3, 4)$를 지나므로

$4=-3d-2$ $\quad\therefore d=-2$

직선 $y=2x+c$가 점 $(5, 4)$를 지나므로

$4=10+c$ $\quad\therefore c=-6$

$\therefore a+b+c+d=0+\dfrac{1}{2}+(-6)+(-2)=-\dfrac{15}{2}$

11 주어진 세 일차방정식의 그래프가 삼각형을 이루지 않는 경우는 다음과 같다.

(i) $y=\dfrac{a}{2}x-\dfrac{a}{3}$와 $\underset{\underset{\;\to\; y=2x}{}}{2x-y=0}$의 그래프가 서로 평행할 때

$\dfrac{a}{2}=2$, $-\dfrac{a}{3}\neq0$ $\quad\therefore a=4,\ a\neq0$

(ii) $y=\dfrac{a}{2}x-\dfrac{a}{3}$와 $\underset{\underset{\;\to\; y=-x+4}{}}{x+y-4=0}$의 그래프가 서로 평행할 때

$\dfrac{a}{2}=-1$, $-\dfrac{a}{3}\neq4$ $\quad\therefore a=-2,\ a\neq-12$

(iii) $y=\dfrac{a}{2}x-\dfrac{a}{3}$, $2x-y=0$, $x+y-4=0$의 그래프가 한 점에서 만날 때

연립방정식 $\begin{cases} 2x-y=0 \\ x+y-4=0 \end{cases}$ 을 풀면 $x=\dfrac{4}{3}$, $y=\dfrac{8}{3}$

즉, $y=\dfrac{a}{2}x-\dfrac{a}{3}$의 그래프가 점 $\left(\dfrac{4}{3}, \dfrac{8}{3}\right)$을 지나므로

$\dfrac{8}{3}=\dfrac{a}{2}\times\dfrac{4}{3}-\dfrac{a}{3}$ $\quad\therefore a=8$

따라서 (i)~(iii)에 의해 모든 a의 값의 합은

$4+(-2)+8=10$

참고 서로 다른 세 직선이 삼각형을 이루지 않는 경우

(1) 어느 두 직선이 서로 평행하거나 세 직선이 서로 평행하다.

(2) 세 직선이 한 점에서 만난다.

12 $\overline{PQ}$의 길이가 최대가 되려면 오른쪽 그림과 같이 x축에 평행한 직선이 점 $C(4, 2)$를 지나야 한다.

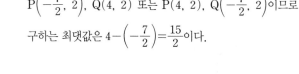

이때 x축에 평행한 직선의 방정식은 $y=2$이다.

두 점 $A(-5, 5)$, $B(-1, -3)$을 지나는 직선의 방정식은 $y=-2x-5$이다.

직선 $y=-2x-5$와 $y=2$의 교점은 $\left(-\dfrac{7}{2}, 2\right)$이다.

따라서 $\overline{PQ}$의 길이가 최대일 때의 두 점 P, Q의 좌표는

$P\left(-\dfrac{7}{2}, 2\right)$, $Q(4, 2)$ 또는 $P(4, 2)$, $Q\left(-\dfrac{7}{2}, 2\right)$이므로

구하는 최댓값은 $4-\left(-\dfrac{7}{2}\right)=\dfrac{15}{2}$이다.

13 오른쪽 그림에서 $A(0, -6)$, $B(0, -2)$, $C(4, 0)$ 이고, 점 D는 직선 $3x-2y-12=0$과 직선 $x+2y+4=0$의 교점이므로 $D(2, -3)$이다.

$T=\triangle ADB=\dfrac{1}{2}\times4\times2=4$

$S=\triangle CBD=\triangle CBA-\triangle ADB=\dfrac{1}{2}\times4\times4-4=4$

$\therefore \dfrac{S}{T}=\dfrac{4}{4}=1$

14 두 점 $(-4, 0)$, $(0, 4)$를 지나는 직선의 방정식은

$$y=\frac{4-0}{0-(-4)}x+4 \qquad \therefore y=x+4$$

두 점 $(-1, 0)$, $(0, -2)$를 지나는 직선의 방정식은

$$y=\frac{-2-0}{0-(-1)}x-2 \qquad \therefore y=-2x-2$$

연립방정식 $\begin{cases} y=x+4 \\ y=-2x-2 \end{cases}$ 를 풀면 $x=-2$, $y=2$이므로

두 직선의 교점 P의 좌표는 $P(-2, 2)$이다.

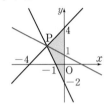

점 P를 지나면서 오른쪽 그림의 색칠한 부분의 넓이를 이등분하려면 두 점 $(0, 4)$, $(0, -2)$를 이은 선분의 중점 $(0, 1)$을 지나면 된다.

따라서 두 점 $(-2, 2)$, $(0, 1)$을 지나는 직선의 방정식은

$$y=\frac{1-2}{0-(-2)}x+1, \ y=-\frac{1}{2}x+1$$

$$\therefore x+2y-2=0$$

15 직선 l이 직선 $x+y-4=0$, 즉 $y=-x+4$와 평행하므로

직선 l의 기울기는 -1이다.

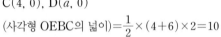

직선 l의 방정식을 $y=-x+a$로 놓고, 네 점 A, B, C, D의 좌표를 각각 구하면

$A(a+2, -2)$, $B(6, -2)$,

$C(4, 0)$, $D(a, 0)$

(사각형 OEBC의 넓이)$=\frac{1}{2}\times(4+6)\times 2=10$

(사각형 OEAD의 넓이)$=\frac{1}{2}\times\{a+(a+2)\}\times 2=2a+2$

이때 (사각형 OEAD의 넓이)$=\frac{1}{2}\times$(사각형 OEBC의 넓이)

이므로

$$2a+2=\frac{1}{2}\times 10, \ 2a=3 \qquad \therefore a=\frac{3}{2}$$

따라서 직선 l의 방정식은 $y=-x+\frac{3}{2}$이다.

16 $x-3y=-4$에서 $y=\frac{1}{3}x+\frac{4}{3}$

$ax+y=b$에서 $y=-ax+b$

연립방정식의 해가 무수히 많으려면 두 일차방정식의 그래프가 일치해야 하므로

$$\frac{1}{3}=-a, \ \frac{4}{3}=b \qquad \therefore a=-\frac{1}{3}, \ b=\frac{4}{3}$$

따라서 $y=-\frac{1}{3}x+\frac{4}{3}$의 그래프는 (기울기)$=-\frac{1}{3}<0$,

$(y$절편)$=\frac{4}{3}>0$이므로 제3사분면을 지나지 않는다.

다른 풀이 a, b의 값 구하기

연립방정식 $\begin{cases} x-3y=-4 \\ ax+y=b \end{cases}$ 의 해가 무수히 많으므로

$$\frac{1}{a}=\frac{-3}{1}=\frac{4}{-b} \qquad \therefore a=-\frac{1}{3}, \ b=\frac{4}{3}$$

17 $ax+by+3=0$에서 $y=-\frac{a}{b}x-\frac{3}{b}$

$x-3y-2=0$에서 $y=\frac{1}{3}x-\frac{2}{3}$

이 두 그래프가 서로 만나지 않으면 평행하므로

$$-\frac{a}{b}=\frac{1}{3}, \ -\frac{3}{b}\neq -\frac{2}{3} \qquad \therefore \frac{a}{b}=-\frac{1}{3}, \ \frac{b}{a}=-3$$

즉, $\frac{a}{b}x+\frac{b}{a}y=1$에서 $-\frac{1}{3}x-3y=1$ $\qquad \therefore y=-\frac{1}{9}x-\frac{1}{3}$

따라서 구하는 기울기는 $-\frac{1}{9}$이다.

18 ㄱ. $3x-2y=6$에서 $y=\frac{3}{2}x-3$

$ax+y=-3$에서 $y=-ax-3$

$a=-\frac{3}{2}$이면 해가 무수히 많고

$a\neq -\frac{3}{2}$이면 해가 하나뿐이다.

ㄴ. $3x-by=-6$에서 $y=\frac{3}{b}x+\frac{6}{b}$

$2x+y=-4$에서 $y=-2x-4$

$\frac{3}{b}=-2$, 즉 $b=-\frac{3}{2}$이면 $\frac{6}{b}=-4$이므로 해가 무수히

많고, $b\neq -\frac{3}{2}$이면 해가 하나뿐이다.

ㄷ. $x-2y=1$에서 $y=\frac{1}{2}x-\frac{1}{2}$

$4y=2x-c$에서 $y=\frac{1}{2}x-\frac{c}{4}$

$-\frac{1}{2}=-\frac{c}{4}$, 즉 $c=2$이면 해가 무수히 많고

$c\neq 2$이면 해가 없다.

따라서 항상 옳은 것은 ①, ④이다.

19 길잡이 주어진 연립방정식이 $x>0$, $y>0$인 해를 가지면 두 일차방정식의 그래프의 교점은 제1사분면 위에 있다.

연립방정식 $\begin{cases} 2x-y=-4 & \cdots ㉠ \\ 3x-ay=6 & \cdots ㉡ \end{cases}$

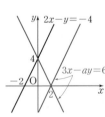

이 $x>0$, $y>0$인 해를 가지므로

㉠과 ㉡의 그래프의 교점이 제1사분면 위에 있다.

이때 ㉡의 그래프의 x절편이 2이

므로 a의 값에 관계없이 항상 점 $(2, 0)$을 지난다.

즉, ㉡의 그래프는 두 점 $(0, 4)$, $(2, 0)$을 지나는 직선과 점 $(2, 0)$을 지나면서 ㉠의 그래프와 평행한 직선 사이에 존재한다.

(i) ㉡의 그래프가 점 $(0, 4)$를 지날 때

$$-4a=6 \qquad \therefore a=-\frac{3}{2}$$

(ii) ㉡의 그래프가 ㉠의 그래프와 평행할 때

$$\frac{2}{3}=\frac{-1}{-a}\neq \frac{4}{-6} \qquad \therefore a=\frac{3}{2}, \ a\neq -\frac{3}{2}$$

따라서 (i), (ii)에 의해 상수 a의 값의 범위는 $-\frac{3}{2}<a<\frac{3}{2}$

20 길잡이 사각형 ABCD가 사다리꼴이 되기 위한 두 직선의 위치 관계를 생각한다.

사각형 ABCD는 사다리꼴이므로 직선 $l: px+3y=q$는 직선 $4x+3y=12$와 평행해야 한다. $\therefore p=4$

즉, $l: 4x+3y=q$이다.

직선 l의 x절편이 양수이고,
(삼각형 AOB의 넓이)

$=\dfrac{1}{2}\times3\times4=6$,

(사각형 ABCD의 넓이)

$=\dfrac{85}{6}>6$

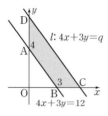

이므로 두 점 C, D의 위치는 오른쪽 그림과 같다.

이때 두 점 C, D의 좌표는 각각 $C\left(\dfrac{q}{4}, 0\right)$, $D\left(0, \dfrac{q}{3}\right)$이므로

(사각형 ABCD의 넓이)$=\dfrac{1}{2}\times\dfrac{q}{4}\times\dfrac{q}{3}-6=\dfrac{85}{6}$

$q^2=484$ $\therefore q=22 (\because q>0)$

$\therefore p+q=4+22=26$

21 길잡이 토끼와 거북의 달리기 경주에서의 시간과 거리 사이의 관계를 나타낸 그래프를 확인한 후, 보기의 설명의 참, 거짓을 확인한다.

ㄱ. 토끼의 그래프는 20분에서 60분까지 거리에 변함이 없으므로 토끼는 $60-20=40$(분) 동안 쉬었다.

ㄴ. 주어진 그림에서 원점을 제외한 토끼의 그래프와 거북의 그래프의 교점의 좌표는 $(30, 50)$이므로 토끼와 거북은 출발한 지 30분 후에 다시 만난다.

ㄷ. 주어진 그림에서 토끼가 $100\,\mathrm{m}$를 이동하는 데 걸린 시간은 80분이고, 거북이 $100\,\mathrm{m}$를 이동하는 데 걸린 시간은 60분이다.

즉, 거북이 결승점에 도착한 지 $80-60=20$(분) 후에 토끼가 결승점에 도착한다.

ㄹ. 토끼와 거북이 $100\,\mathrm{m}$ 이후에도 일정한 속력으로 계속 달린다고 할 때 토끼와 거북이 각각 이동한 시간을 x분, 이동한 거리를 $y\,\mathrm{m}$라 하자.

토끼의 그래프는 두 점 $(60, 50)$, $(80, 100)$을 지나므로 직선의 방정식은 $y=\dfrac{5}{2}x-100$ ⋯ ㉠

거북의 그래프는 두 점 $(0, 0)$, $(60, 100)$을 지나므로 직선의 방정식은 $y=\dfrac{5}{3}x$ ⋯ ㉡

㉠, ㉡을 연립하여 풀면 $x=120$, $y=200$

즉, 경주를 시작한 지 120분 후에 다시 만난다.

따라서 옳은 것은 ㄴ, ㄷ이다.

P. 100~101 **내신 1% 뛰어넘기**

01 -1 **02** 4 **03** $\dfrac{5}{6}$ **04** 11

05 $\dfrac{2}{13}\leq a\leq2$ **06** $l: \dfrac{1}{2}, m: \dfrac{1}{8}$ **07** 0

08 동쪽: $\dfrac{55}{13}\,\mathrm{km}$, 북쪽: $\dfrac{44}{13}\,\mathrm{km}$

01 길잡이 두 직선 $ax+by+c=0$과 $a'x+b'y+c'=0$이 일치하면 기울기와 y절편이 각각 같음을, 또는 $\dfrac{a}{a'}=\dfrac{b}{b'}=\dfrac{c}{c'}$임을 이용한다.

$ax+by+c=0$에서 $by=-ax-c$ $\therefore y=-\dfrac{a}{b}x-\dfrac{c}{b}$

$cx+ay+b=0$에서 $ay=-cx-b$ $\therefore y=-\dfrac{c}{a}x-\dfrac{b}{a}$

직선 $y=-\dfrac{a}{b}x-\dfrac{c}{b}$와 $y=-\dfrac{c}{a}x-\dfrac{b}{a}$가 일치하므로

$-\dfrac{a}{b}=-\dfrac{c}{a}$에서 $c=\dfrac{a^2}{b}$

$-\dfrac{c}{b}=-\dfrac{b}{a}$에서 $c=\dfrac{b^2}{a}$

즉, $\dfrac{a^2}{b}=\dfrac{b^2}{a}$이므로 $a^3=b^3$ $\therefore a=b$

$c=\dfrac{a^2}{b}$에 $a=b$를 대입하면 $c=\dfrac{b^2}{b}=b$ $\therefore a=b=c$

따라서 $ax+by+c=0$에서

$ax+ay+a=0$ $\therefore x+y+1=0 (\because a\neq0)$

직선 $x+y+1=0$이 점 (m, n)을 지나므로

$m+n+1=0$ $\therefore m+n=-1$

다른 풀이 $a=b=c$임을 알기

직선 $ax+by+c=0$과 $cx+ay+b=0$이 일치하므로

$\dfrac{a}{c}=\dfrac{b}{a}=\dfrac{c}{b}$이다.

$\dfrac{a}{c}=\dfrac{b}{a}=\dfrac{c}{b}=k(k\neq0)$라 하면 $a=ck$, $b=ak$, $c=bk$

이 세 식을 변끼리 곱하면 $abc=abck^3$, $k^3=1 (\because abc\neq0)$

$\therefore k=1$, 즉 $a=b=c$

02 길잡이 두 점 $P(a, b)$, $Q(c, d)$에 대하여 $\dfrac{d-b}{c-a}$는 직선 PQ의 기울기이다.

점 $P(a, b)$와 점 $Q(c, d)$에 대하여 $\dfrac{d-b}{c-a}=1$이므로 직선 PQ의 기울기는 1이다.

이때 점 P가 선분 OA 위에 있고

직선 AB의 기울기는 $\dfrac{2-0}{4-2}=1$,

직선 CD의 기울기는 $\dfrac{4-2}{2-0}=1$

이므로 점 Q가 존재할 수 있는 영역은 오른쪽 그림의 색칠한 부분과 같다.

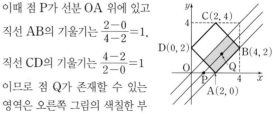

(사각형 ABCD의 넓이)$=\dfrac{1}{2}\times(4\times4)=8$

이므로 색칠한 부분의 넓이는 $8\times\dfrac{1}{2}=4$이다.

03 길잡이 세 직선에 의해 좌표평면이 6개의 영역으로 나누어지는 경우를 생각한다.

서로 다른 세 직선에 의해 좌표평면이 6개의 영역으로 나누어지려면 세 직선 중 어느 두 직선이 평행하거나 세 직선이 한 점에서 만나야 한다.

$x-y-2=0$에서 $y=x-2$ ⋯ ㉠

$\frac{1}{2}x+y-7=0$에서 $y=-\frac{1}{2}x+7$ ⋯ ㉡

$mx-y+2=0$에서 $y=mx+2$ ⋯ ㉢

(i) ㉢과 ㉠의 그래프가 서로 평행할 때, $m=1$

(ii) ㉢과 ㉡의 그래프가 서로 평행할 때, $m=-\frac{1}{2}$

(iii) ㉠, ㉡, ㉢의 그래프가 한 점에서 만날 때

㉠, ㉡을 연립하여 풀면 $x=6$, $y=4$

즉, ㉢의 그래프가 점 $(6, 4)$를 지나므로

$4=6m+2$, $6m=2$ $\therefore m=\frac{1}{3}$

따라서 (i)~(iii)에 의해 모든 상수 m의 값의 합은

$1+\left(-\frac{1}{2}\right)+\frac{1}{3}=\frac{5}{6}$

참고 세 직선에 의해 6개의 영역으로 나누어지는 경우

(1) 어느 두 직선이 평행할 때   (2) 세 직선이 한 점에서 만날 때

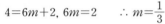

04 길잡이 두 직선 l과 $2x+y=6$의 교점의 x좌표를 p라 하고, $\triangle PBC=\frac{1}{2}\triangle ABO$임을 이용한다.

직선 $2x+y=6$이 x축, y축과 만나는 점을 각각 A, B라 하면

A$(3, 0)$, B$(0, 6)$

점 $(0, 2)$를 C라 하고, 두 직선 l과 $2x+y=6$의 교점을 P라 할 때, 점 P의 x좌표를 p라 하면

P$(p, -2p+6)$이다.

이때 $\triangle PBC=\frac{1}{2}\triangle ABO$이므로

$\frac{1}{2}\times(6-2)\times p=\frac{1}{2}\times\left(\frac{1}{2}\times3\times6\right)$ $\therefore p=\frac{9}{4}$

따라서 점 P의 좌표는 P$\left(\frac{9}{4}, \frac{3}{2}\right)$이고 직선 l은 두 점

C$(0, 2)$, P$\left(\frac{9}{4}, \frac{3}{2}\right)$을 지나므로 직선 l의 방정식은

$y=\frac{\frac{3}{2}-2}{\frac{9}{4}-0}x+2$에서 $y=-\frac{2}{9}x+2$, $2x+9y-18=0$

즉, $a=2$, $b=9$이므로 $a+b=2+9=11$

05 길잡이 정사각형의 두 대각선의 교점을 지나는 직선은 정사각형의 넓이를 이등분함을 이용한다.

A$(2, 7)$, B$(2, 1)$, C$(8, 1)$, D$(8, 7)$이므로 사각형 ABCD의 두 대각선의 교점의 좌표는 $(5, 4)$이다.

즉, 직선 l이 사각형 ABCD의 넓이를 이등분하려면 두 점 $(7, 0)$, $(5, 4)$를 지나야 하므로 직선 l의 방정식은

$y=-2x+14$ ⋯ ㉠

점 M, N은 각각 직선 l과 $\overline{AD}$, $\overline{BC}$의 교점이므로

㉠에 $y=7$을 대입하면 $7=-2x+14$ $\therefore x=\frac{7}{2}$

㉠에 $y=1$을 대입하면 $1=-2x+14$ $\therefore x=\frac{13}{2}$

$\therefore$ M$\left(\frac{7}{2}, 7\right)$, N$\left(\frac{13}{2}, 1\right)$

(i) 직선 $y=ax$가 점 M$\left(\frac{7}{2}, 7\right)$을 지날 때

$7=\frac{7}{2}a$ $\therefore a=2$

(ii) 직선 $y=ax$가 점 N$\left(\frac{13}{2}, 1\right)$을 지날 때

$1=\frac{13}{2}a$ $\therefore a=\frac{2}{13}$

따라서 (i), (ii)에 의해 상수 a의 값의 범위는 $\frac{2}{13}\leq a\leq2$

06 길잡이 $\triangle AOC$, $\triangle DOB$의 넓이가 각각 $\triangle AOB$의 넓이의 $\frac{1}{3}$임을 이용한다.

$y=-\frac{1}{4}x+2$의 그래프의 x절편은 8이고, y절편은 2이므로 오른쪽 그림에서

A$(0, 2)$, B$(8, 0)$

$\therefore \triangle AOB=\frac{1}{2}\times8\times2=8$

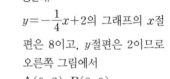

두 직선 l, m과 $y=-\frac{1}{4}x+2$의 그래프의 교점을 각각 C, D라 하고, 점 C의 x좌표를 h, 점 D의 y좌표를 h'이라 하면 두 직선 l, m이 $\triangle AOB$의 넓이를 삼등분하므로

$\triangle AOC=\frac{1}{2}\times2\times h=\frac{1}{3}\times8$ $\therefore h=\frac{8}{3}$

$\triangle DOB=\frac{1}{2}\times8\times h'=\frac{1}{3}\times8$ $\therefore h'=\frac{2}{3}$

$y=-\frac{1}{4}x+2$에 $x=\frac{8}{3}$을 대입하면 $y=-\frac{2}{3}+2=\frac{4}{3}$

$y=-\frac{1}{4}x+2$에 $y=\frac{2}{3}$를 대입하면

$\frac{2}{3}=-\frac{1}{4}x+2$ $\therefore x=\frac{16}{3}$

$\therefore$ C$\left(\frac{8}{3}, \frac{4}{3}\right)$, D$\left(\frac{16}{3}, \frac{2}{3}\right)$

두 점 O$(0, 0)$, C$\left(\frac{8}{3}, \frac{4}{3}\right)$를 지나는 직선 l의 기울기는

$\frac{\frac{4}{3}-0}{\frac{8}{3}-0}=\frac{4}{3}\times\frac{3}{8}=\frac{1}{2}$

두 점 O$(0, 0)$, D$\left(\frac{16}{3}, \frac{2}{3}\right)$를 지나는 직선 m의 기울기는

$\frac{\frac{2}{3}-0}{\frac{16}{3}-0}=\frac{2}{3}\times\frac{3}{16}=\frac{1}{8}$

07 길잡이 두 일차방정식의 그래프의 교점이 2개 이상이면 두 일차방정식의 그래프는 일치한다.

$ax+2y-7=4x-7$에서 $2y=(4-a)x$ $\therefore y=\dfrac{4-a}{2}x$

$-6x+3y=2ax$에서 $3y=(2a+6)x$ $\therefore y=\dfrac{2a+6}{3}x$

이때 두 일차방정식의 그래프의 y절편이 모두 0이므로 두 그래프는 모두 원점을 지나고, 주어진 연립방정식이 $x\neq0$, $y\neq0$인 해를 가지므로 두 그래프가 원점 이외의 교점을 가져야 한다.
따라서 두 그래프의 교점이 2개 이상이면 두 직선은 일치하므로

$\dfrac{4-a}{2}=\dfrac{2a+6}{3}$, $12-3a=4a+12$

$-7a=0$ $\therefore a=0$

08 길잡이 아파트 A를 원점으로 하여 나머지 아파트의 위치를 좌표평면 위에 각각 나타낸다.

아파트 A를 원점으로 놓고 x축의 양의 방향을 동쪽, y축의 양의 방향을 북쪽으로 생각하여 나머지 세 아파트 B, C, D의 위치를 좌표평면 위에 각각 나타내면 오른쪽 그림과 같다.

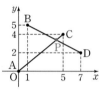

즉, A$(0, 0)$, B$(1, 5)$, C$(5, 4)$, D$(7, 2)$
카페의 위치를 점 P라 하면
$\overline{PA}+\overline{PC}\geq\overline{AC}$이고 $\overline{PB}+\overline{PD}\geq\overline{BD}$에서
$\overline{PA}+\overline{PB}+\overline{PC}+\overline{PD}\geq\overline{AC}+\overline{BD}$이므로
$\overline{PA}+\overline{PB}+\overline{PC}+\overline{PD}$의 값이 최소이려면 점 P가 $\overline{AC}$와 $\overline{BD}$의 교점이어야 한다.
두 점 $(0, 0)$, $(5, 4)$를 지나는 직선 AC의 방정식은
$y=\dfrac{4}{5}x$ … ㉠
두 점 $(1, 5)$, $(7, 2)$를 지나는 직선 BD의 방정식은
$y=-\dfrac{1}{2}x+\dfrac{11}{2}$ … ㉡
㉠, ㉡을 연립하여 풀면 $x=\dfrac{55}{13}$, $y=\dfrac{44}{13}$이므로
두 직선의 교점 P의 좌표는 P$\left(\dfrac{55}{13}, \dfrac{44}{13}\right)$이다.
따라서 카페는 아파트 A에서 동쪽으로 $\dfrac{55}{13}$ km, 북쪽으로 $\dfrac{44}{13}$ km 떨어진 곳에 지어야 한다.

P. 102~103 **5~6 서술형 완성하기**

[과정은 풀이 참조]

1 6   **2** 제3사분면   **3** $\dfrac{270}{11}$ **4** 3

5 -4 **6** 30초 후   **7** P$(0, 3)$

8 $y=\dfrac{1}{4}x+2$

---

1 $f(x)=ax$에서 $f(2)=-6$이므로
$f(2)=2a=-6$ $\therefore a=-3$ … (ⅰ)
즉, $f(x)=-3x$이므로   … (ⅱ)
$2f(-1)+f(3)=\dfrac{1}{6}f(k)$에서
$2\times(-3)\times(-1)+(-3)\times3=\dfrac{1}{6}\times(-3k)$
$6-9=-\dfrac{1}{2}k$, $-3=-\dfrac{1}{2}k$
$\therefore k=6$ … (ⅲ)

채점 기준	비율
(ⅰ) a의 값 구하기	30 %
(ⅱ) 함수 $f(x)$의 식 구하기	30 %
(ⅲ) k의 값 구하기	40 %

2 $y=-3x+6$의 그래프의 x절편은 2이고
$y=\dfrac{1}{2}x-4+a$의 그래프의 x절편은 $8-2a$이므로
$2=8-2a$, $2a=6$ $\therefore a=3$ … (ⅰ)
$y=-3x+6$의 그래프의 y절편은 6이고
$y=-\dfrac{1}{2}x+b$의 그래프의 y절편은 b이므로 $b=6$ … (ⅱ)
따라서 $y=-18x+3$의 그래프는 (기울기)$=-18<0$,
(y절편)$=3>0$이므로 제3사분면을 지나지 않는다.   … (ⅲ)

채점 기준	비율
(ⅰ) a의 값 구하기	30 %
(ⅱ) b의 값 구하기	30 %
(ⅲ) 일차함수 $y=-3bx+a$의 그래프가 지나지 않는 사분면 구하기	40 %

3 1분에 시침은 0.5°씩, 분침은 6°씩 움직이므로
시침이 12를 가리킬 때부터 4시간 30분 동안 움직인 각도는
$30°\times4+0.5°\times30=120°+15°=135°$
분침이 12를 가리킬 때부터 30분 동안 움직인 각도는
$6°\times30=180°$
즉, $y=180+6\times x-(135+0.5\times x)$
$\therefore y=5.5x+45$ … (ⅰ)
이 식에 $y=180$을 대입하면 $180=5.5x+45$
$5.5x=135$ $\therefore x=\dfrac{270}{11}$ … (ⅱ)

채점 기준	비율
(ⅰ) y를 x에 대한 식으로 나타내기	70 %
(ⅱ) $y=180$일 때, x의 값 구하기	30 %

참고 시침과 분침이 움직인 각도

① 시침은 1시간, 즉 60분 동안 $\dfrac{360°}{12}=30°$만큼 움직인다.

   ⇨ 시침은 1분에 $\dfrac{30°}{60}=0.5°$만큼 움직인다.

② 분침은 1시간, 즉 60분 동안 360°만큼 움직인다.

   ⇨ 분침은 1분에 $\dfrac{360°}{60}=6°$만큼 움직인다.

4 $ax-4y+8a=0$에 $y=0$을 대입하면
$ax+8a=0$ ∴ $x=-8 (∵ a≠0)$
즉, x절편은 -8이다.
$ax-4y+8a=0$에 $x=0$을 대입하면
$-4y+8a=0$ ∴ $y=2a$
즉, y절편은 $2a$이다. … (i)
이때 $a>0$에서 $2a>0$이므로
$ax-4y+8a=0$의 그래프는 오른쪽
그림과 같다.

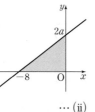

따라서 이 그래프와 x축, y축으로 둘
러싸인 도형의 넓이가 24이므로
$\dfrac{1}{2}×8×2a=24$, $8a=24$ ∴ $a=3$ … (ii)

채점 기준	비율
(i) 주어진 일차방정식의 그래프의 x절편과 y절편 구하기	50 %
(ii) 양수 a의 값 구하기	50 %

5 $(a+b)x+(a+1)y+4a-2b=0$의 그래프가 점 $(2,-4)$
를 지나므로
$2(a+b)-4(a+1)+4a-2b=0$
$2a+2b-4a-4+4a-2b=0$
$2a-4=0$ ∴ $a=2$ … (i)
또 직선 $x=7$에 수직이므로 $a+b=0$
즉, $2+b=0$ ∴ $b=-2$ … (ii)
∴ $ab=2×(-2)=-4$ … (iii)

채점 기준	비율
(i) a의 값 구하기	40 %
(ii) b의 값 구하기	40 %
(iii) ab의 값 구하기	20 %

6 성범이에 대한 직선은 두 점 $(0, 100)$, $(50, 0)$을 지나므로
(기울기)$=\dfrac{0-100}{50-0}=-2$이고, y절편은 100이다.
따라서 성범이에 대한 직선의 방정식은
$y=-2x+100$ … ㉠ … (i)
명일이에 대한 직선은 두 점 $(0, 0)$, $(75, 100)$을 지나므로
(기울기)$=\dfrac{100-0}{75-0}=\dfrac{4}{3}$이고, 원점을 지난다.
따라서 명일이에 대한 직선의 방정식은
$y=\dfrac{4}{3}x$ … ㉡ … (ii)
㉠, ㉡에서 $-2x+100=\dfrac{4}{3}x$
$-\dfrac{10}{3}x=-100$ ∴ $x=30$
$y=\dfrac{4}{3}x$에 $x=30$을 대입하면 $y=40$
따라서 성범이와 명일이는 출발한 지 30초 후에 만난다.
… (iii)

채점 기준	비율
(i) 성범이에 대한 직선의 방정식 구하기	30 %
(ii) 명일이에 대한 직선의 방정식 구하기	30 %
(iii) 성범이와 명일이가 출발한 지 몇 초 후에 만나는지 구하기	40 %

7 점 P의 좌표를 $P(0, a)$라 하자.
$△ABC$와 $△APC$의 밑변을 $\overline{AC}$
라 하면 두 삼각형의 밑변의 길이
는 서로 같으므로 넓이가 같으려
면 높이가 같아야 한다.
두 직선 AC와 PB가 평행할 때,
$△ABC$와 $△APC$의 높이가 서로 같으므로
(직선 AC의 기울기)=(직선 PB의 기울기)이어야 한다.
… (i)

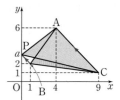

즉, $\dfrac{1-6}{9-4}=\dfrac{a-2}{0-1}$, $1=a-2$ ∴ $a=3$ … (ii)
따라서 점 P의 좌표는 $P(0, 3)$이다. … (iii)

채점 기준	비율
(i) (직선 AC의 기울기)=(직선 PB의 기울기)임을 알기	40 %
(ii) a의 값 구하기	50 %
(iii) 점 P의 좌표 구하기	10 %

8 $△ABC=\dfrac{1}{2}×\{6-(-2)\}×\{8-(-4)\}$
$=\dfrac{1}{2}×8×12=48$ … (i)
두 점 $A(-4, 4)$, $B(8, -2)$를 지나는 직선의 기울기는
$\dfrac{-2-4}{8-(-4)}=-\dfrac{1}{2}$이므로 직선 AB의 방정식을
$y=-\dfrac{1}{2}x+b$로 놓고 이 식에 $x=-4$, $y=4$를 대입하면
$4=2+b$ ∴ $b=2$
즉, 직선 AB의 방정식은 $y=-\dfrac{1}{2}x+2$이므로 점 D의 좌표
는 $D(0, 2)$이다. … (ii)
점 E의 좌표를 $(8, a)$라 하면 $△DBE=\dfrac{1}{2}△ABC$에서
$\dfrac{1}{2}×\{a-(-2)\}×(8-0)=\dfrac{1}{2}×48$, $4(a+2)=24$
$a+2=6$ ∴ $a=4$ ∴ $E(8, 4)$ … (iii)
따라서 직선 DE의 방정식은 $y=\dfrac{4-2}{8-0}x+2$
즉, $y=\dfrac{1}{4}x+2$이다. … (iv)

채점 기준	비율
(i) $△ABC$의 넓이 구하기	20 %
(ii) 점 D의 좌표 구하기	30 %
(iii) 점 E의 좌표 구하기	30 %
(iv) 직선 DE의 방정식 구하기	20 %